Birgit Maria Hack

- 1988 Abschluss der Ausbildung zur Ergothe
  Annastift e.V. in Hannoveranschließend Berufserfahrung als Angestellte und Freiberuflerin
- 1993 – 2000 berufsbegleitendes Magisterstudium (Soziologie, Psychologie und Pädagogik) an der FAU Erlangen-Nürnberg, Auslandssemester am Karolinska Institut in Stockholm
- Derzeit Forscherin am Institut für Soziologie in Erlangen sowie Lehrbeauftragte für Soziologie und Ergotherapie

Christina Jerosch-Herold

DipCOT, MSc, PhD

- 1984 Abschluss der Ausbildung zur Ergotherapeutin an der Dorset House School, Oxford
- 1990 – 1992 Magisterstudium an der University of Southampton
- 1992 – 2003 Dozentin an der University of East Anglia und Kursleiterin des Ergotherapie Bachelor-Programms
- 2002 Abschluss der Promotion in Ergotherapie – derzeit Reader in Occupational Therapy (Dozentin für Ergotherapie) an der University of East Anglia

Ulrike Marotzki

Professorin Dr. Dipl.-Psych. und Ergotherapeutin

- als Ergotherapeutin und Diplompsycholog in verschiedenen Arbeitsfeldern tätig
- Seit 2000 als Professorin für Ergotherapie mit dem Aufbau eines Bachelor- und Master-Studiengangs für ErgotherapeutInnen, PhysiotherapeutInnen und LogopädInnen an der Fachhochschule Hildesheim, Holzminden, Göttingen betraut

Peter Weber

Ergotherapeut

- 1977 – 1989 Ausbildung 1977 Annastift Hannover, Arbeit als Ergotherapeut in einer sozialpsychiatrischen Tagesklinik in Hannover
- Seit 1989 Fachlehrer für Ergotherapie. Seit 2001 am Regionalen Kompetenzzentrum der BBS Herman-Nohl-Schule Hildesheim
- 1989 – 1999 Aufbau und Ausbau von arbeits- und soziotherapeutischen Angeboten für psychisch kranke Menschen in Hannover
- 1991 – 2003 Mitarbeit in sozial- und gesundheitspolitischer Gremien auf Länder- und Bundesebene

Ergotherapie – Reflexion und Analyse

Herausgegeben von
Ulrike Marotzki
Christina Jerosch-Herold
Birgit Maria Hack

Springer

Berlin
Heidelberg
New York
Hongkong
London
Mailand
Paris
Tokio

Christina Jerosch-Herold
Ulrike Marotzki
Birgit Maria Hack
Peter Weber

Konzeptionelle Modelle für die ergotherapeutische Praxis

2., überarbeitete Auflage

Mit einem Geleitwort von Maria Schwarz

Mit 17 Abbildungen und 5 Tabellen

Springer

Christina Jerosch-Herold
DipCOT, MSc, PhD
School of Allied Health Professions
The Queens Building University of East Anglia
Norwich NR4 7TJ

Ulrike Marotzki
Dipl.-Psychologin, Ergotherapeutin
FH Hildesheim, Holzminden, Göttingen
Bachelor Studiengang für Medizinalfachberufe
Tappenstraße 55, 31134 Hildesheim

Birgit Maria Hack
M.A., Ergotherapeutin
Schedelstraße 37, 90480 Nürnberg

Peter Weber
Ergotherapeut/Fachlehrer für ergotherapeutische Verfahren
Berufsfachschule Ergotherapie
Regionales Kompetenzzentrum Herman-Nohl-Schule
Steuerwalder Straße 162, 31137 Hildesheim

ISBN 3-540-40120-2 Springer-Verlag Berlin Heidelberg New York
ISBN 3-540-65221-3 1. Auflage Springer-Verlag Berlin Heidelberg New York

Bibliografische Information Der Deutschen Bibliothek
Die Deutsche Bibliothek verzeichnet diese Publikation in der Deutschen Nationalbibliografie, detaillierte bibliografische Daten sind im Internet über <http://dnb.ddb.de> abrufbar.

Springer-Verlag ist ein Unternehmen von Springer Science+Business Media

springer.de

Planung/Lektorat: Marga Botsch, Heidelberg
Desk Editing: Claudia Bauer, Heidelberg
Herstellung: Isolde Scherich, Heidelberg
Layout: deblik Berlin
Zeichnungen: Peter Lübke, Wachenheim
Satz: Satz & Druckservice, Leimen
Umschlaggestaltung: deblik Berlin
Gedruckt auf säurefreiem Papier SPIN: 10928196 22/3160/is – 5 4 3 2 1 0

Vorwort zur 2. Auflage

Wenige Jahre nach dem Start der Reihe „Ergotherapie – Reflexion und Analyse" blicken wir als Initiatoren auf ein damals ungewöhnliches Experiment zurück: Es ging uns darum, für die Berufsgruppe der deutschsprachigen Ergotherapeutinnen und Ergotherapeuten ein Forum einzurichten, das Raum für die Vielfalt von facheigenen und fachübergreifenden theoretischen Überlegungen und Konzepten, Forschungsergebnissen und Praxiserfahrungen gewährt. In Form von Fachbüchern sollten Einblicke in die theoretische und praktische Entwicklung des Berufs und seine Professionalisierungsmöglichkeiten gegeben werden. Den Beginn setzten wir mit der 1. Auflage des Bandes „Konzeptionelle Modelle für die ergotherapeutische Praxis" (1999). Mit diesem 1. Band lag uns daran, die im angloamerikanischen Raum entwickelten ergotherapeutischen Praxismodelle einer breiteren Fachöffentlichkeit zugänglich zu machen. Verbunden mit diesem Anliegen war der Wunsch nach einer systematischeren Ausgestaltung der hiesigen beruflichen Praxis und Ausbildung. Diese sollte es Therapeuten und Therapeutinnen ermöglichen, methodenübergreifend reflektiert zu handeln und sich unabhängiger vom spezifischen Arbeitsfeld unter Berufskolleginnen und -kollegen, innerhalb eines transdisziplinären Gesundheitswesens und im europäischen Berufskontext umfassend zu verständigen.

Insgesamt können wir resümieren, dass der Diskurs um ergotherapiespezifische Denk- und Praxismodelle aktuell in Deutschland eine neue Qualität erreicht hat. Im Juli 2000 trat die neue Ausbildungs- und Prüfungsverordnung (ErgThAPrV) in Kraft und mit ihr die Einführung des Faches „Grundlagen der Ergotherapie". Ergotherapeutische Modelle bilden hier einen wesentlichen inhaltlichen Schwerpunkt. Im Zuge der seit 2001 kontinuierlich fortschreitenden Akademisierung des Berufs (Fachhochschule, „Bachelor of Science") haben sich zudem bereits kleinere Forschungsarbeiten entwickelt. Die Thematik des vorliegenden Buches hat insofern nichts an Aktualität verloren.

Einen Schwerpunkt bei der Textauswahl für den Sammelband hatten wir damals auf die im englischen Sprachraum am weitesten verbreiteten konzeptionellen Modelle gelegt. Hier waren wir auch um Originaltexte ihrer Entwicklerinnen und Entwickler bemüht. Gerade aufgrund dieser Originaltexte hebt sich der Band von inzwischen zusätzlich erschienenen deutschsprachigen Veröffentlichungen zum Themenkomplex deutlich ab. Entsprechend haben wir uns bei der aktuellen Überarbeitung darauf konzentriert, wesentliche Weiterentwicklungen zu diesen Modellen einzufangen und die Literaturangaben zu ergänzen.

Konkret hat dies inhaltlich zu einigen neu eingearbeiteten Begrifflichkeiten (Kap. 4; Kielhofner et al.) geführt und zu einigen neuen Textabschnitten, die die Situation der deutschen Ergotherapie in ihrer Auseinandersetzung mit den Modellen reflektieren. Besonders Kap. 1 (Hagedorn) und Kap. 6 (Le Granse) haben hier Ergänzungen erfahren. Zum Entwicklungsstand des kanadischen Modells (Kap. 7; Law et. al.) hat das deutsche COPM-Team (Dehnhardt et al.) Anmerkungen formuliert, die als neues Kap. 8 zusätzlich aufgenommen wurden. Kleine Korrekturen wurden zudem in der ursprünglichen Übersetzung vorgenommen; erwähnt werden soll hier v. a. die nun in allen Kapiteln durchgängige Rede von „Performanz".

Eine Aufgabe, die für die nächste Neuauflage anstehen wird, ist die Berücksichtigung des reformierten Konzepts der WHO zur funktionalen Gesundheit (WHO 2001), die „Internationale Klassifikation der Funktionsfähigkeit, Behinderung und Gesundheit" (ICF). Es ist zu erwarten, dass sich die neuen Begrifflichkeiten in den kommenden Jahren verstärkt in der Ergotherapie durchsetzen und dann auch im Rahmen der Fortentwicklung der konzeptionellen Modelle reflektiert werden.

Keineswegs möchten wir ignorieren, dass mittlerweile auch weitere konzeptionelle Modelle bei deutschen Kolleginnen und Kollegen zunehmend Aufmerksamkeit gefunden haben. Wir haben jedoch davon abgesehen, sie hier zu ergänzen, da einige an anderer Stelle unserer Fachbuchreihe bereits eingeführt wurden (Marotzki 2001).

Auch die Fiktion zur Entwicklung der Ergotherapie und ihre rahmenden Vorbemerkungen (Kap. 9; Marotzki u. Hack) haben wir im Wesentlichen unverändert übernommen. Eine Kommentierung der inzwischen veränderten realen Situation des Berufs und deren Vergleich mit den beschriebenen fiktiven Aus- bzw. Rückblicken erschien den Autorinnen einerseits noch verfrüht; andererseits sind gerade die dort auch unter kritischen Gesichtspunkten benannten Befürchtungen im Zusammenhang mit der Einführung der konzeptionellen Modelle in Deutschland aus unserer Perspektive auch aktuell noch brisant.

Christina Jerosch-Herold
Ulrike Marotzki
Birgit Maria Hack
Peter Weber
Norwich, Hildesheim, Nürnberg, Hannover
im August 2003

Literatur

Marotzki U (Hrsg) (2001) Ergotherapeutische Modelle praktisch angewandt. Eine Fallgeschichte – vier Betrachtungsweisen. Springer, Heidelberg

WHO (2001) International Classification of Functioning, Disability and Health: ICF. WHO, Geneva

Geleitwort zur 1. Auflage

„Nur wer klar begreift, kann Vorsicht üben, die der Tat vorangehen muss" (Sophokles).
Ergotherapie befasst sich von Anbeginn bis heute mit Tat/Tätigsein und den möglichen Wechselwirkungen auf das Individuum und seine Umwelt. Die diesbezüglich „begriffenen" Klarheiten entstammten aus der früher noch unmittelbarer präsenten menschlichen Grunderfahrung von Tat und Wirkung, von Tun und erzeugtem Effekt bzw. Affekt.
Das basistheoretische Erforschen solcher Zusammenhänge blieb lange Zeit den traditionellen Grundwissenschaften vorbehalten, welche die Ergotherapie kaum mit einbezogen. Unsere Berufsgruppe nutzte deren Erkenntnisse, um in der therapeutischen Anwendung Erfahrungen zu sammeln. Diese wurden durch Berufsvertreter in vielen Kulturen empirisch bestätigt und weiterentwickelt. Die professionelle „Vorsicht" bei der ergotherapeutischen Anwendung war durchaus präsent, obwohl (oder gerade weil?) diese nicht der Strenge intellektuell gesetzter wissenschaftlicher Messgrößen entstammte, sondern eher von einem der emotionalen Intelligenz entspringenden intuitiven Spürsinn (ähnlich der heute wissenschaftlich diskutierten „Affektlogik") und einem impliziten Ethikkodex geleitet war.
Nutzen, Erfolge und Resultate der Ergotherapie waren und sind offensichtlich vielfältig und überzeugend, was u. a. dazu führte, dass diese Berufsgruppe von der WHO und anderen internationalen Organisationen als multifunktionaler Problemlöser mit einem konzeptionell weitsichtigen integrativen und alltagsrelevanten Ansatz geschätzt und in die innovative Gesundheitsplanung einbezogen wurde.
Trotzdem besteht heute – v. a. auf nationaler, regionaler und institutionaler Ebene – (berufs- und gesundheitspolitisch induzierter) Begründungsbedarf ergotherapeutischer Anwendung(en) und deren Wirksamkeit. Dem allgemeinen Imperativ nach systematischer Dokumentation und basistheoretischer Fundierung dieses Berufs als Profession nach innen (Berufsidentität) und nach außen (Berufsprofil) wurde auf internationaler Ebene nach und nach durch die Berufsgruppe selbst entsprochen. Die konzeptionelle Ausgestaltung der ergotherapeutischen Berufslandschaft durch praxisrelevante wissenschaftliche Studien und neue berufsinterne Theoriebildung ist schon einige Zeit in vollem Gange.
Der hier vorliegende Band – als Auftakt zu einer geplanten Reihe von Fachpublikationen – stellt eine kühn lancierte, facettenreich durchdachte und kompakt-filigran strukturierte Anschlussbrücke zu dieser internationalen professionellen ergotherapeutischen "Geistesku lturlandschaft" dar.
Die sorgfältige berufliche Situationsanalyse der transdisziplinären Herausgeberschaft und die ergänzende transkulturelle Zusammenarbeit dieser renommierten Autorengruppe garantieren der berufsinternen wie auch einer berufsnahen Leserschaft eine reichhaltige Ernte: eine systematisch gegliederte Zusammenschau der aktuellen konzeptionellen Theorien der Ergotherapie, eine Selektion der derzeit meistdiskutierten Praxismodelle sowie Wegleitungen und Beispiele für deren Umsetzung.

Form und Qualität der zusammengetragenen Inhalte sind geprägt von pionierhaft ausdauerndem Forschergeist, umsichtig kritischer eigener Reflexionsfähigkeit sowie einem außergewöhnlich subtilen Empfinden für Sprachprägnanz und kulturell angepasste Übertragungspräzision.
Dieses Werk trägt die Merkmale von hoher Fachkompetenz und umfangreichem Engagement aller Beteiligten. Dadurch konnten in vergleichsweise kurzer Zeit dieses sehnlichst erwartete basistheoretische Sammelwerk in deutscher Sprache erstellt und gleichzeitig eine Vielzahl von Begleitzielsetzungen erreicht werden.
Es beeindruckt

- als entwicklungsbewusster Breschenschlag und zeitgerechtes Aufbruchsignal für konzeptanalytisch interessierte und erkenntnishungrige Mitdenker im deutschsprachigen ergotherapeutischen „Binnenraum" (!);
- als systematischer Ariadnefaden sowie bedürfnisgerechte Wegzehrung für sinnsuchende Abenteurer im Labyrinth der konzeptionellen Gedankengänge;
- als interaktiver Kommunikationsappell zur Entwicklung einer reflektierten Praxis mit systematischer professioneller internationaler Austauschkultur.

Aus dieser Beeindrucktheit kann in der Phase der Neulandbeschreitung auch ein eigener Innendruck entstehen.
Dieser wird sich hoffentlich nicht defensiv als Gegendruck, sondern im Anreiz wachsender Neugier durch kreativen eigenen Ausdruck entladen und mit einer Vielfalt von eigenen Perspektiven, Reflexionen und Fiktionen in die Entwicklung von Fachthesen und Debatten einfließen.
„Die Wissenschaft ist ein eminent soziales Gebilde, d. h. sie kann weder ohne die Mitwirkung einer größeren Gemeinschaft entstehen noch hat sie Sinn und Bedeutung anderswo als in ihrer Rückwirkung auf eine solche Gemeinschaft ..." (Willhelm Ostwald).
Es wäre der Autorengruppe zu gönnen und auch der gesamten Berufsgruppe zu wünschen, dass die Gedankenfunken springen, sich allseitig entzünden und sich eine produktive geistige Energiewelle ausbreitet auf dem Weg in eine neue ergotherapeutische Wissenschaftlichkeit!

Maria Schwarz
Zürich, März 1999

Warum es die Reihe „Ergotherapie – Reflexion und Analyse" gibt

Als relativ junger Beruf hat sich die Ergotherapie innerhalb der letzten 20 Jahre v.a. in Übersee und vielen europäischen Ländern unter den Bedingungen einer Ausbildung auf Hochschulniveau eine eigenständige wissenschaftliche Basis geschaffen. Dies ermöglicht es Ergotherapeuten dort zunehmend, ergotherapeutisches Wissen und Erkenntnisinteresse nach wissenschaftlichen Kriterien zu systematisieren und parallel dazu die Prozesse ergotherapeutischen Handelns zu erlernen und zu vermitteln. Verbunden ist diese Entwicklung mit zahlreichen Publikationen und regen thematischen Auseinandersetzungen innerhalb der Disziplin und auch zwischen der Ergotherapie und anderen Disziplinen.

In Deutschland gibt es derzeit aus verschiedenen Gründen weder eine vergleichbare Strukturierung und Institutionalisierung der wissenschaftlichen Bildungswege für Ergotherapeuten noch eine Kultur oder gar Tradition publizierter Fachdebatten. Gleichwohl sind auch hierzulande wertvolle ergotherapeutische Wissensressourcen vorhanden; Systematisierungen sind entstanden, und es sind durchaus Beiträge zu disziplin- und länderübergreifenden Fachdiskussionen geleistet worden. Die programmatischen Anliegen der deutschen Ergotherapie sind Professionalisierung und Angleichung des Ausbildungsniveaus auf europäischer Ebene.

Mit der Herausgabe der Reihe „Ergotherapie – Reflexion und Analyse" betreten wir in der Ergotherapie in Deutschland Neuland. Es ist unser Wunsch, über Fachpublikationen einen Ort zu schaffen, an dem sich die Ergotherapie in ihrem Facettenreichtum zwischen „harter" Wissenschaft und „weicher" Kunstfertigkeit sammeln und von dem aus sie sich an aktuellen Diskursen beteiligen kann.

Der Reihentitel „Ergotherapie – Reflexion und Analyse" ist inspiriert durch die Arbeiten von Donald A. Schön (1983, 1987) zur professionellen Ausbildung und kompetenten Berufsausübung, die eine „Wissenslehre der Praxis" propagieren. Unter „Wissen und Reflexion in der Aktion" versteht Schön die gestaltbare Fähigkeit und Fertigkeit, den therapeutischen Prozess gedanklich zu erfassen, das zugrunde gelegte Wissen kritisch-distanziert zu hinterfragen und die daraus entstehenden Überlegungen zu artikulieren. Schön (1987) rückt so den kontinuierlichen Lern- und Problemlösungsprozess im gesamten Verlauf einer Berufs- und Arbeitskarriere ins Zentrum der professionellen Bildung: „Reflektierten Praktikern" gelingt die Handhabung der komplexen, kaum vorhersagbaren und stets problematischen Praxis mit Zuversicht, Fertigkeit und Sorgfalt. So unterschiedliche Anforderungen wie pragmatische Kunstfertigkeit, explizites Theorieverständnis und forschungsbasierte Methodik in der Anwendung finden damit einen gleichwertigen Platz in professionellen Handlungszusammenhängen und Bildungs-Curricula.

„Professionalisierung" bedeutet auch in unserem Verständnis nicht lediglich die „Ablösung" ergotherapeutisch-pragmatischen Handlungswissens, wie Therapeuten es mit der Berufserfahrung gewinnen, durch systematische, vorzugsweise wissenschaftlich-theoretische Erkenntnis; vielmehr geht es darum, theoretische Behauptungen und Argumentationen auf der einen und pragmatische Annahmen und Handlungsentwürfe auf der anderen Seite greifbar, nachvollziehbar und verständlich darzulegen. Wir hoffen, mit der Buchreihe „Ergotherapie – Reflexion und Analyse" genau diesen Anspruch zu erfüllen.

Wir leben in einer Zeit großer struktureller Veränderungen des Gesundheitswesens und der fortschreitenden Formulierung von Qualitätskriterien für die unterschiedlichen professionellen Dienstleistungen in diesem Bereich; entsprechend hat sich auch die theoretische Reflexion ergotherapeutischer Inhalte verstärkt. Aus unserer Sicht scheint es deshalb angebracht, die theoretisch fundierte Weiterentwicklung des Berufsbildes der Ergotherapie mit einer Buchreihe zu begleiten, die unterschiedlichste Etappenresultate dieser Entwicklung in der Fachöffentlichkeit zur Diskussion stellt. Die Reihenidee orientiert sich also am Entwicklungsprozess der sich neu strukturierenden ergotherapeutischen Fachdisziplin in einem sich wandelnden sozialen und politischen Umfeld.

Das besondere Profil der Reihe „Ergotherapie – Reflexion und Analyse" ist dadurch gekennzeichnet, dass thematisch die Ergotherapie im Zentrum jeder Veröffentlichung steht.

Unter diesem Leitgedanken werden die spezifischen Aspekte der medizinischen Fachbereiche und der sozialwissenschaftlichen Fragestellungen und Angebote übergreifend systematisiert. Von entscheidender Bedeutung ist also, dass die ergotherapeutische Thematik über verschiedene Perspektiven herausgearbeitet wird.

Drei wesentliche Kennzeichen prägen demnach das Profil der Buchreihe:

- die Verbindung von Theorie, Forschung und Praxis,
- die Mischung aus deutschsprachigen und internationalen Beiträgen und
- die interdisziplinäre bzw. transdisziplinäre Sichtweise als Forschungs- und Theorieprinzip.

Die Intentionen der Herausgeber lassen sich in 3 inhaltlichen Zielen zusammenfassen:

- Die Reihe will zur Professionalisierung der deutschsprachigen Ergotherapeuten beitragen. Vertraute Themen und Inhalte aus der beruflichen Arbeit werden auf eine methodisch-reflektierte und systematische Weise behandelt, sodass der Nutzen theoriegeleiteter Überlegungen und Forschungen für die Praxis erkennbar wird (und der ergotherapeutische Gegenstandsbereich auch für den fachfremden oder praxisfremden Leser an Kontur gewinnt). Die behandelten Themen sollen deshalb idealerweise in Beiträgen aus Theorie, Forschung und Praxis präsentiert werden.
- Wissenschaftlich qualifizierte Ergotherapeuten gibt es zurzeit in der Mehrzahl im Ausland. Ziel der Reihe ist es, deren Beiträge zu Theorieentwicklung und Forschung nach und nach für die deutschsprachige Ergotherapie zu erschließen und zu kommentieren. Angestrebt wird die Aufnahme mindestens eines deutschsprachigen bzw. eines internationalen Beitrages in jedem Reihenband.
- Die Buchreihe will einen vermittelnden und transdisziplinären Rahmen bieten.

Mittelstraß (1998) hat das „Wagnis einer wirklichen Interdisziplinarität im eigenen Kopf" einer Interdisziplinarität als wissenschaftsorganisatorischem Prinzip gegenübergestellt. Er betont Disziplingrenzen und fachliche Differenzierungen als historisch gewachsen und versteht unter Transdisziplinarität die notwendige Aufhebung dieser Entstehungszusammenhänge für entwicklungsträchtige disziplinunabhängige Problemdefinitionen und -lösungen. Transdisziplinarität meint damit in erster Linie ein Forschungsprinzip, das „die disziplinär organisierten Wissenschaften mit ihrer wissenschaftlichen Zukunft und zugleich mit einer [pragmatischen] Lebenswelt [verbindet], deren innere Rationalität selbst eine wissenschaftliche, d. h. eine durch den wissenschaftlichen Fortschritt bestimmte, ist" (S. 48).

Erst in zweiter Linie ist Transdisziplinarität auch ein Theorieprinzip, das die Überschneidungen und Verbindungen der Einzeldisziplinen ordnet.

Bestimmte Praxisphänomene oder theoretische Argumente gewinnen nach diesem Ansatz an Deutlichkeit, wenn sie aus unterschiedlichen professionellen Perspektiven dargestellt und erörtert werden. Ebenso gelingt es in einer erweiterten wissenschaftlichen Wahrnehmungsfähigkeit besser, vorausschauend Probleme und Problementwicklungen erkennbar zu machen. Deshalb werden in der Buchreihe auch Autoren anderer Fachbereiche zu Themen mit ergotherapeutischer Relevanz zu Wort kommen.

Unter diesen inhaltlichen Gesichtspunkten sieht das Programm der Reihe „Ergotherapie – Reflexion und Analyse" explizit die Umsetzung überschaubarer Buchprojekte vor. Formal können sie als Sammelbände oder als Monographien zu Themen aus der Ergotherapie verfasst sein und bei Bedarf durchaus durch nachfolgende Publikationen inhaltlich weiter ausgebaut werden.

Letztlich geht es uns darum, die Leser zum reflektierten, analysierenden und systematisierenden Wissensaustausch mit Kollegen und Partnern aus anderen Disziplinen zu ermutigen, und es geht uns um das Verständnis, um den Erhalt und um die Vertiefung ergotherapeutischer Kernaussagen und Kernkompetenzen.

Die Reihenherausgeber
Ulrike Marotzki
Christina Jerosch-Herold
Birgit Maria Hack
Peter Weber

Hamburg, Norwich, Nürnberg, Holtensen
im Januar 1999

Literatur

Mittelstraß J (1998) Die Häuser des Wissens. Wissenschaftstheo retische Studien. Suhrkamp, Frankfurt a. M.
Schön DA (1983) The Reflective Practitioner. Basic Books, New York
Schön DA (1987) Educating the Reflective Practitioner. Towards a New Design for Teaching and Learning in the Professions. Jossey Bass, San Francisco

Modelle, Konzepte und Assessments: Bezeichnungen und Abkürzungen

Englisch	Deutsch	Abkürzung
Assessment of Communication and Interaction Skills	Assessment für Kommunikations- und Interaktionsfähigkeiten	ACIS
Canadian Model of Occupational Performance	Kanadisches Modell der Betätigungsperformance	CMOP
Canadian Occupational Performance Measure	–	COPM
Concept of Adaptive Skills	Konzept der anpassenden Fertigkeiten	–
Model of Human Occupation	Modell der menschlichen Betätigung	MOHO
Model of Personal Adaptation through Occupation	Modell persönlicher Anpassung durch Betätigung	–
Model of the OT-Profession	Modell der ergotherapeutischen Profession	–
Occupational Case Analysis Interview and Rating Scale	Interview und Bewertungsbogen zur Betätigungsanalyse	OCAIRS
Occupational Performance Process Model	Occupational performance Prozess-Modell	OPPM

Einführende Überlegungen zur 1. Auflage

Zur Entstehung des Bandes

Die Grundidee zur Herausgabe dieses Bandes war, für deutschsprachige Ergotherapeuten und für andere interessierte Berufsgruppen ein einführendes Studienbuch über Theorien der Ergotherapie – im weitesten Sinne des Wortes – zu schreiben. Die **Theorien**, um die es dabei geht, weisen **3 Gemeinsamkeiten** auf:

- Erstens handelt es sich um Konzeptionen, die ohne Ausnahme im englischen Sprachraum entwickelt wurden.
- Zweitens trifft auf sie die im englischen Sprachraum gebräuchliche Bezeichnung „Konzeptionelle Modelle der Ergotherapie" zu (manchmal auch „Praxismodelle" oder einfach „ergotherapeutische Modelle" genannt).
- Drittens liegt bisher kaum deutschsprachige Literatur zu diesen wichtigen theoretischen Beiträgen zur Ergotherapie vor.

Mit dem Thema **„Konzeptionelle Modelle"** betreten wir aus deutscher Perspektive Neuland. Das Ergebnis ist nun ein Sammelband, in dem 4 ausgewählte Modelle, die sich in der Ergotherapie des englischen Sprachraums etabliert und die Praxis in ihren Herkunftsländern nachhaltig geprägt haben, nebeneinandergestellt und einführend vorgestellt werden.

Die **britisch-deutsche Herausgeberschaft** machte es möglich, in relativ kurzer Zeit zu einigen international bekannten Autorinnen und Autoren im Bereich der Ergotherapie Kontakt aufzunehmen und mit Freude auf deren Bereitschaft zur Mitarbeit am geplanten Buchprojekt zu stoßen. Es sind dies Gary Kielhofner, der gemeinsam mit Christiane Mentrup und Anja Niehaus einen Beitrag zum „Model of Human Occupation" verfasste; Kathlyn L. Reed, die eine Einführung in das „Model of Personal Adaptation through Occupation" schrieb; Mary Law, Helene Polatajko, Anne Carswell, Mary Ann McColl, Nancy Pollock und Sue Baptiste, die gemeinsam das „Canadian Model of Occupational Performance", einschließlich des zugehörigen Messinstruments, vorstellen. In die theoretische Arbeit von Anne Cronin Mosey führt Mieke le Granse ein. Die kompetente niederländische Kollegin hat sich intensiv mit diesem über Jahrzehnte gewachsenen komplexen Werk Moseys beschäftigt.

Von Herausgeberseite wurde den Autorinnen und Autoren eine **Stichwortliste** zugesandt, die als Leitfaden beim Schreiben dienen sollte. Die Liste enthielt folgende Punkte:

- Die Bedeutung des Modells für die Ergotherapie
- Das Modell und seine grundlegenden Annahmen über die Zusammenarbeit zwischen Klient und Therapeut
- Die philosophische Untermauerung des Modells
- Der Prozess der Modellentwicklung
- Die Validierung der Theorie
- Die Ergebnisevaluation einschließlich spezifischer Assessments
- Die Konzeption der Theorie-Praxis-Beziehung
- Die Anwendungsbereiche und Grenzen des Modells
- Die zukünftigen Entwicklungen des Modells

Die unterschiedliche Gewichtung der vorliegenden Beiträge entspricht einerseits dem jeweiligen Stil der Autorinnen und Autoren und andererseits den besonderen Eigenheiten und Schwerpunktsetzungen der vorgestellten Konzeptionen.

Natürlich wollten wir auf eine **Einordnung der Konzepte in die Wissenschaftslandschaft** und einen **Überblick über die Modelle** nicht verzichten. Deshalb freuen wir uns sehr, dass wir die englische Kollegin Rosemary Hagedorn gewinnen konnten, um für den Band einen dreiteiligen Beitrag zur historischen und systematischen Orientierung zu schreiben. Frau Hagedorn hat für britische Studentinnen und Studenten der Ergotherapie 2 wichtige Lehrbücher geschrieben[1]. Selbstverständlich nimmt Frau Hagedorn in ihrem Beitrag aus britischer Perspektive zur Entwicklung der Modelle Stellung.

Einen ähnlichen Versuch aus deutscher Perspektive halten wir zu diesem Zeitpunkt für verfrüht. Er wird sicher dann erfolgen können, wenn in deutschsprachigen Ländern ausreichend Wissen und Erfahrung im Umgang mit konzeptionellen Modellen der Ergotherapie gesammelt wurden. Dennoch wollten sich die Herausgeber nicht ganz der Verantwortung entziehen, einen Beitrag aus deutscher Perspektive zu schreiben. Der Beitrag von Ulrike Marotzki und Birgit Maria Hack „Zum Fortgang der Professionalisierung der deutschen Ergotherapie – eine Fiktion" ist ein Versuch, einen Blick in die Zukunft zu werfen und Ideen zur möglichen **Entwicklung der deutschen Ergotherapie** zu entwickeln. Die Ideen basieren einerseits auf Einsichten im Anschluss an die Lektüre der 5 Hauptbeiträge dieses Bandes und andererseits auf den beruflichen Erfahrungen, Wünschen und Befürchtungen der Autorinnen. Dieser Beitrag bleibt dabei notwendigerweise eine wenig abgesicherte Zusammenhangskonstruktion aus der Perspektive der Autorinnen, die mit Sicherheit Anlass zur Diskussion geben wird.

Zu den einzelnen Beiträgen

Im **1.Teil** des Bandes bringt Hagedorn in 3 aufeinanderfolgenden Kapiteln **konzeptionelle Modelle** in einen systematischen Zusammenhang. Sie geht in historischen und wissenschaftstheoretischen Kontexten der Frage nach, was Modelle sind, woher sie kommen und wozu sie benötigt werden:

- **Kapitel 1** beginnt mit einem Überblick zu den Ursprüngen der Ergotherapie und den Berufsdefinitionen. Gegenstand der weiteren Diskussion sind die verschiedenen philosophischen Perspektiven (Phänomenologie, Reduktionismus und Postmoderne) und deren Einfluss auf die Entwicklung ergotherapeutischer Theoriebildung. Hier richtet Hagedorn den Fokus darauf bewusst zu machen, dass Ergotherapie zwar eine eigenständige Disziplin ist, aber auch auf „geborgtem Wissen" basiert.
- In **Kapitel 2** zeigt Hagedorn den evolutionären Prozess der Ergotherapie in den USA und in Großbritannien auf und betrachtet die Entwicklung von Praxismodellen in diesem spezifischen geschichtlichen Zusammenhang. Hierbei problematisiert sie die fehlende einheitliche Terminologie und die unterschiedliche Verwendung der Begriffe „Bezugsrahmen" („frames of reference"), „Modell" („model") und „Ansatz" („approach") bei verschiedenen Autoren.
- **Kapitel 3** thematisiert die Umsetzung der Theorie in die Praxis. Hagedorn argumentiert, dass Modelle in Bezug auf klinisches „reasoning" (klinisches Begründen und Schlussfolgern) eine entscheidende Rolle spielen, und beschreibt Formen, in denen sich Theorie und Praxis gegenseitig beeinflussen. Sie beendet ihre systematischen Überlegungen mit einer Zusammenschau diverser Vorschläge zur Beurteilung von Modellen und gibt Kriterien an die Hand, die von zukünftigen Modellentwicklern berücksichtigt werden sollten.

Der **2.Teil** des Bandes bietet den Lesenden **eine Einführung in die genannten 4 Modelle:**

- **Kapitel 4** behandelt das „Model of Human Occupation" (Modell der menschlichen Betätigung), das in den 1970er Jahren in den USA

[1] Hagedorn R (1995) Occupational Therapy –Perspectives and Processes. Churchill Livingstone, Edinburgh; Hagedorn R (1997) Foundations for Practice in Occupational Therapy. Churchill Livingstone, Edinburgh

entwickelt wurde. Das Modell basiert auf systemtheoretischen Ansätzen[2] und bietet systematische Konzeptionen zur menschlichen Betätigung und deren Bedeutung im menschlichen Leben. Kielhofner, Mentrup und Niehaus beschreiben in ihrem zweiteiligen Beitrag zunächst, wie Funktionseinschränkungen auf Betätigung wirken und wie Betätigung als therapeutisches Mittel eingesetzt werden kann. Den 2. Teil bildet ein Fallbeispiel, das die Anwendung des Modells in der Praxis erläutert.

- **Kapitel 5** führt in das „Model of Personal Adaptation through Occupation“ (Modell persönlicher Anpassung durch Betätigung) ein, das von Reed u. Sanderson im Jahre 1980 in den USA vorgestellt wurde. Reed gibt in ihrem Beitrag einen Überblick zum Modell, zu seinen Annahmen und Konzepten und zu seiner praktischen Anwendbarkeit. Dazu stellt sie das Modell zunächst in seinen historischen Entstehungskontext und erklärt seinen Zweck für die Ergotherapie. In den 11 Annahmen des Modells setzt sich die Autorin mit den Aspekten „Person“, „Betätigung“ („occupation“) und „Umwelt“ auseinander, die für sie den Kern der Ergotherapie bilden. Das Konzept der Anpassung verzahnt diese 3 Aspekte und stellt sie zueinander in Beziehung.
- In **Kapitel 6** gibt Le Granse einen Einblick in das Gedankengut der amerikanischen Ergotherapeutin Ann Cronin Mosey und das von ihr entwickelte „Model of the Profession and the Concept of Adaptive Skills“ (Modell der ergotherapeutischen Profession und das Konzept der anpassenden Fertigkeiten). Le Granse beginnt mit einer Kurzbiographie Moseys und beschreibt dann deren Sichtweise zum professionellen Aufbau des Berufs. Hier geht es um philosophische Annahmen, um den Wissens- und Gegenstandsbereich eines Modells der Profession sowie um die Prinzipien und Medien, die den Transfer des Modells in die Praxis ermöglichen. Das Konzept der anpassenden Fertigkeiten bildet dabei den Grundbaustein des entwicklungsorientierten Bezugsrahmens, der selbst ein Element des Modells der ergotherapeutischen Profession ist. Innerhalb des entwicklungsorientierten Bezugsrahmens geht es in diesem Beitrag v. a. um die Gruppeninteraktionsfertigkeit. Das Kapitel endet mit einer Beschreibung der 5 Niveaus entwicklungsgerichteter Gruppen und der Umsetzung dieses Konzepts in der Praxis.
- In **Kapitel 7** stellen Law et al. das „Canadian Model of Occupational Performance“ (kanadisches Modell der Betätigungsperformance) und das darauf basierende Beurteilungsinstrument, das „Canadian Occupational Performance Measure“ (COPM), vor. Dieses Modell wurde in den späten 1980er Jahren entwickelt und beschreibt die Beziehung von Person, Umwelt und Betätigung. Der Zweck des Modells besteht darin, Ergotherapeuten eine systematische Beurteilung von Betätigung und Betätigungsperformance ihrer Klienten zu ermöglichen. Die Autorinnen beschreiben zunächst die Entwicklungsgeschichte des Modells sowie die Annahmen, die dem Modell

[2] "Systemtheorie" als Oberbegriff eines interdisziplinären und universellen Forschungsansatzes vereinigt unterschiedliche Theorien in sich, z. B. allgemeine Systemtheorie, Theorie der offenen Systeme, dynamische Systemtheorie. Systemtheoretische Ansätze finden in den verschiedensten Wissenschaften Anwendung, um physikalische, biologische, psychische und soziale Phänomene zu erklären. Im Zentrum der Aufmerksamkeit stehen dabei Bildung, Selbstorganisation und Transformation von z. B. astrophysikalischen, ökologischen und kommunikativen Systemen unterschiedlicher Größenordnung und Qualität (z. B. Sonnensystem, Biotop, Familie, menschliches Verhalten). Das Wort „System" (griech. „Systema") bezeichnet das aus mehreren Teilen zusammengesetzte und gegliederte Ganze. Ein System hebt sich durch spezifische und funktionale Beziehungen seiner Elemente untereinander von seiner Umwelt ab. Kielhofner (1995 und Kap. 4 in diesem Buch) beschreibt 3 interagierende Subsysteme des Menschen, die für die Ausführung menschlicher Betätigungen relevant sind. Erst wenn man, wie Kielhofner, die menschliche Betätigung als System betrachtet, wird sie in ihren spezifischen funktionalen Beziehungen zu Elementen der räumlichen und sozialen Umwelt als überdauernde und abgrenzbare Struktur erkennbar. Als weiterführende Lektüre zur Systemtheorie und zur systemischen Therapie sind Krieger (1997) und von Schlippe u. Schweizer (1996) zu empfehlen.

zugrunde liegen. Dabei betonen sie 2 Aspekte: Erstens besteht Betätigungsperformance („occupational performance") aus dem Gleichgewicht zwischen Selbstversorgung, Produktivität und Freizeit, und zweitens arbeitet der Ergotherapeut mit einem klientenzentrierten Ansatz. Im Anschluss wird das auf dem Modell basierende Beurteilungsinstrument, das COPM, in bezug auf seinen Aufbau, seine Anwendung und die Auswertung der Resultate beschrieben. Forschungsstudien, die klinische Anwendbarkeit, Reliabilität und Validität des COPM bestätigen, werden dargelegt.

Der **3. Teil** des Bandes rahmt, zusammen mit dem historischen und wissenschaftstheoretischen Beitrag von Hagedorn, die Beiträge zu den Modellen ein:

- **Kapitel 8** wurde von den Herausgeberinnen Marotzki und Hack verfasst und nimmt auf spezifische Weise die ausgelegten Fäden der vorangegangenen Kapitel auf. Unter der Überschrift „Zum Fortgang der Professionalisierung der deutschen Ergotherapie – eine Fiktion" plädieren die Autorinnen zunächst für eine kritische Auseinandersetzung mit den konzeptionellen Modellen der Ergotherapie, indem sie Chancen und Risiken einer derzeitigen Rezeption der theoretischen und praktischen Modellanteile für die Ergotherapie in Deutschland hervorheben. Im Anschluss daran entwickeln sie aus der Diskussion des Begriffs der Professionalisierung allgemeine und spezielle Kennzeichen eines ergotherapeutischen Professionalisierungsprozesses. Dann wird mit Hilfe dieser Merkmale der mögliche Fortgang der Professionalisierung der deutschen Ergotherapie skizziert. Hierzu bedienen sich die Autorinnen des Mittels der Fiktion: Sie versetzten sich in das Jahr 2030 und entwickeln von diesem Zeitpunkt aus 4 Geschichten, die zurückblickend und vorausschauend Einblicke in mögliche Entwicklungen der deutschen Ergotherapie geben. Die konzeptionellen Modelle spielen in diesen Geschichten eine wichtige Rolle.

Konzeptionelle Modelle in der Ergotherapie: Verbindung von Theorie und Praxis

Hagedorn thematisiert in ihrem Beitrag **generelle Aspekte** der Verzahnung von Theorie und Praxis. Wir wollen an dieser Stelle aus unserer Perspektive einige gemeinsame und unterscheidende Merkmale aufzeigen, die sich speziell auf die im Buch vorgestellten 4 Modelle beziehen.

Alle 4 Modelle haben den Anspruch, einen Rahmen zu bilden, in dem baukastenartig theoretische und praktische Überlegungen zum Nutzen professioneller ergotherapeutischer Arbeit zusammengeführt werden. Mit anderen Worten: In Praxismodellen werden ausgewählte **theoretische Konzepte** unterschiedlicher Disziplinen (z. B. aus Philosophie, Psychologie, Soziologie, Ethnologie, Systemtheorie) derart systematisiert, dass sie für und von Ergotherapeuten in einen logischen, nachvollziehbaren, erklärenden und unterstützenden Zusammenhang mit ihren praktischen und berufsbezogenen Fragen zu bringen sind. Allgemein lässt sich sagen, dass konzeptionelle Modelle Ergotherapeuten ermöglichen sollen, ihr ureigenes theoretisches und praktisches Wissen zu untermauern und es in der Praxis weiterzuentwickeln. Ergotherapeutische Praxismodelle machen somit auch deutlich, wie sich das ergotherapeutische Denken und Vorgehen von demjenigen anderer Professionen unterscheidet.

Im Folgenden werden **3 Funktionsebenen** konzeptioneller Modelle der Ergotherapie in bezug auf die Verzahnung von Theorie und Praxis unterschieden:

- die Ebene der Grundannahmen,
- die Ebene der Ordnung, Beschreibung und Erklärung von Praxisphänomenen,
- die Ebene der praktischen Unterstützung des ergotherapeutischen Problemlösungsprozesses.

Ergotherapeutische Grundannahmen zum Aufgaben- und Gegenstandsbereich

Auf dieser Ebene geht es um die Grundannahmen in der Arbeit mit den jeweiligen Modellen. Die Grundannahmen beziehen sich auf den **Aufgaben- und Gegenstandsbereich** der Ergotherapie und finden sich versteckt oder ausformuliert in jedem Beitrag wieder. Eine entscheidende Rolle spielen hierbei Annahmen zu den Zusammenhängen zwischen menschlicher Betätigung und Gesundheit sowie zur therapeutischen und gesundheitsförderlichen Wirksamkeit von Betätigungen, die in der Arbeit mit kranken und behinderten Menschen als Mittel der Ergotherapie eingesetzt werden. In den verschiedenen Beiträgen werden die zugrunde liegenden Annahmen des jeweiligen Modells unterschiedlich ausführlich behandelt.

Für das **Modell der persönlichen Anpassung durch Betätigung** („Model of Personal Adaptation through Occupation") spielen die zugrunde liegenden Annahmen eine große Rolle. Reed setzt hier auch den Schwerpunkt ihres Beitrags. Um das Modell zu stützen, beschreibt sie 11 Annahmen zum Verhältnis von und zu Wechselwirkungen zwischen den Aspekten „Person", „Betätigung" und „Umwelt".

Für das **Modell der menschlichen Betätigung** eröffnen systemtheoretische Annahmen den Zugang zum Verständnis menschlicher Betätigung. Daher leiten Kielhofner, Mentrup und Niehaus ihren Beitrag auch mit 2 systemtheoretischen Annahmen zum Modell ein. Darüber hinaus hat Kielhofner sich an anderer Stelle ausführlich mit grundlegenden Annahmen der Ergotherapie befasst, die weit über den Rahmen des Modells hinausgehen (Kielhofner 1997).

Den systematischen Ort, den Mosey den Grundannahmen der Ergotherapie zuweist, lernen wir in Le Granses Beitrag kennen: das **Modell der ergotherapeutischen Profession** („Model of the Profession"). Hier werden all diejenigen Elemente aus Philosophie, Kunst und Wissenschaft zusammengefasst, die die Identität eines Berufs ausmachen.

Für Law et al. sind z. B. die Spiritualität des Menschen und das subjektive Erleben der Betätigung sowie die damit verbundene Unmöglichkeit, diese von außen zu erfassen, wichtige Annahmen, die zur Integration des klientenzentrierten Ansatzes in das **kanadische Modell der „occupational performance"** („Canadian Model of Occupational Performance") führten und im „Canadian Occupational Performance Measure" entsprechend operationalisiert wurden.

Ordnung, Beschreibung und Erklärung von Phänomenen der ergotherapeutischen Praxis

Alle vorgestellten konzeptionellen Modelle weisen zudem ein System der Ordnung, Beschreibung und Erklärung von Phänomenen der ergotherapeutischen Praxis auf. Auf dieser Ebene geht es um den Versuch, der **Komplexität und Mehrdimensionalität der Arbeitssituation** auch theoretisch zu entsprechen. Praxisrelevante Phänomene, wie z. B. das Motivationsproblem eines Patienten oder das Verstehen und Überbrücken einer Funktionslücke durch angemessene Adaptation, lassen sich in Fragen kleiden wie: „Welche früheren Interessen einer Person sollten in der Ergotherapie sinnvollerweise aufgegriffen werden, um den Patienten oder Klienten zu einer aktiven Mitarbeit in der Therapie und zur Entwicklung einer weiteren Lebensperspektive zu motivieren? Welches Hilfsmittel ist für eine Person in ihrer häuslichen Umgebung unter Abwägung der sozialen und räumlichen Bedingungen notwendig, sinnvoll bzw. überflüssig?" Um solche Fragen zu beantworten, sind in der Ergotherapie eine Vielzahl an Voraussetzungen zu erfüllen: Es gilt, die verschiedenen am Problem beteiligten biopsychosozialen Faktoren und Perspektiven abzuwägen.

Genau diesem Voraussetzungsreichtum wollen die Modelle entgegenkommen, indem sie im

Rahmen von Konzepten – z. B. zu Person, Umwelt, Betätigung und Betätigungsausführung (Performanz) – verschiedene **praktische und theoretische Aspekte** zusammenfassen und erörtern. Um die Konzepte zu erklären und konkret zu beschreiben, greift man auf theoretische Ressourcen verschiedener Disziplinen (z. B. Motivationspsychologie, Entwicklungspsychologie, Rollentheorie) zurück. Gleichzeitig werden jedoch neue – für die hiesige Ergotherapie noch fremde – Begriffe geprägt, um den spezifischen ergotherapeutischen Zusammenhang zu verdeutlichen und die theoretischen Aussagen unter der Perspektive ergotherapeutischer Grundannahmen zusammenzufassen. Beispiele sind u. a. Reeds Begriff der „persönlichen Anpassung" („personal adaptation"), Moseys Begriff der „anpassenden Fertigkeiten" („adaptive skills"), Kielhofners „Volition" und „Habituation" sowie Laws „Betätigungsperformance" („occupational performance").

Die jeweilige Ausarbeitung der Konzepte, deren theoretische Untermauerung und ergotherapeutische Begriffsbildung fallen in den Beiträgen dieses Bandes sowie in anderen Publikationen zu diesen Modellen mit unterschiedlicher **Gewichtung** aus:

- Für das **Modell der menschlichen Betätigung, das Modell der persönlichen Anpassung durch Betätigung** und das **kanadische Modell der „occupational performance"** bilden die Konzepte „Person", „Umwelt" und „Betätigung" – wenn auch unterschiedlich ausführlich dargestellt – eine gleichberechtigte und gemeinsame theoretische Grundlage für die Abwägung der Frage, wie eine Betätigungsausführung ermöglicht wird, die für die Person und ihre Umwelt zufriedenstellend ist. Im kanadischen Modell der „occupational performance" wird die Betätigungsperformance („occupational performance") beispielsweise als Schnittmenge der Kreise „Person", „Umwelt" und „Betätigung" betrachtet. Ein Grund für diese gleichmäßige Gewichtung mag darin bestehen, dass sich all diese Modelle als allgemeingültig („generic"), d. h. als auf alle Arbeitsbereiche der Ergotherapie anwendbar verstehen. Außerdem gehören sie zu einer jüngeren Generation ergotherapeutischer Modelle, die systemtheoretische Sichtweisen verinnerlicht und den Gegenstand ergotherapeutischen Handelns von der Person auf deren Handlungsausführung verlagert und damit auch verdeutlicht haben.
- Mosey hingegen arbeitet in ihrem Bezugsrahmen v. a. das Konzept der Person theoretisch aus. Sie entwirft ein **Konzept der anpassenden Fertigkeiten** („adaptive skills"), bei dem sie sich auf analytische sowie lern- und entwicklungspsychologische Grundlagen stützt. Der Umwelt wird keine theoretische Konzeption zugrunde gelegt; sie wird vielmehr als differenziertes therapeutisches Mittel beschrieben, mit dessen Hilfe in Form von Gruppenangeboten die Entwicklung anpassender Fertigkeiten gefördert werden kann. Moseys ursprüngliches Anliegen bestand nicht darin, ein allgemeingültiges Modell zu entwickeln, sondern einen theoretischen Bezugsrahmen für einen spezifischen ergotherapeutischen Arbeitszusammenhang – nämlich für die psychiatrische bzw. psychosozial orientierte Ergotherapie – zu schaffen.

Praktische Unterstützung des ergotherapeutischen Problemlösungsprozesses

Aus den theoretischen und modellhaften Überlegungen ergibt sich eine 3. Ebene: die praktische Unterstützung des ergotherapeutischen Problemlösungsprozesses. Dies geschieht durch Benennung, Eingrenzung und Lösung ergotherapeutischer Problemstellungen mit Hilfe **therapeutischer Leitlinien und Befunderhebungsverfahren.**

[3] Einen Überblick über die Assessments bietet Kielhofner (1995). Zum aktuellsten Stand der Entwicklung s. MOHO-Homepage (<url>http://www.uic.edu/hsc/acad/cahp/OT/MOHOC</url>).

Kielhofner et al. stellen in ihrem Beitrag **4 Erhebungsbögen** vor und illustrieren deren Einsatz anhand eines Fallbeispiels. Insgesamt wurden inzwischen etwa 12 Fragebögen und Assessments zu verschiedenen Aspekten des Modells in bezug auf Praxisfragen erstellt[3]. In einem anderen Werk („A Model of Human Occupation", 1995) leitet Kielhofner außerdem Prinzipien für eine ergotherapeutische Grundhaltung von seinem Modell ab und gibt konkrete Hinweise, wie man auf der Grundlage des Modells ergotherapeutische Konzepte entwickeln kann, die dem jeweiligen Aufgabenbereich angemessen sind.

Auch auf der Grundlage des Modells der persönlichen Anpassung durch Betätigung von Reed u. Sanderson (1980) wurden Leitlinien für die verschiedenen Aspekte ergotherapeutischer Praxis entwickelt, die von der Programmplanung über Fragen des Behandlungsprozesses bis zur Dokumentation reichen. Reed stellt in ihrem Beitrag **3 Fragebögen** vor, die als Beispiele dafür dienen, wie auf der Basis des Modells strukturiert Daten vom Klienten erfragt werden können, die für die Therapie relevant sind. Sie betont jedoch, dass das Modell eher eine allgemeine Betrachtungsweise des ergotherapeutischen Arbeitszusammenhangs bietet und zur weiteren Entwicklung anregen will als selbst detaillierte Anleitungen bzw. Verfahren vorzugeben. So bezieht sich beispielsweise das kanadische Modell der „occupational performance" explizit auf das Modell der persönlichen Anpassung durch Betätigung von Reed u. Sanderson (1980) und baut seine Ideen auf dieser Grundlage weiter aus.

Law et al. legen den Schwerpunkt ihrer Arbeit nicht nur im Rahmen ihres hier abgedruckten Beitrags auf die Entwicklung und Validierung des **„Canadian Occupational Performance Measure"** (COPM). Das COPM ist das einzige Messinstrument, das auf Grundlage des kanadischen Modells der „occupational performance" entwickelt wurde. Der kanadische Beitrag legt sogar die Vermutung nahe, dass der Prozess hier umgekehrt erfolgte: Erst die Notwendigkeit, ein angemessenes Messinstrument für die Ergotherapie zu konstruieren – so scheint es –, führte zur Entwicklung des Modells, welches das Konstrukt „occupational performance" beschreibt.

Von den **Bezugsrahmen** hat Mosey praktische Hinweise für die Gestaltung von Gruppen und die Aufgaben des Ergotherapeuten abgeleitet. Dies wird im Beitrag von Le Granse sehr deutlich, wo der Aufbau, die Gestaltung und die ergotherapeutische Leitung entwicklungsbezogener Gruppen als differenzierte Mittel der Ergotherapie beschrieben werden. Außerdem wird **ein Bogen zur Beobachtung von Gruppenteilnehmern** vorgestellt.

Ein weiterer wichtiger Aspekt ist hier zu nennen: Alle vorgestellten Konzepte stellen **„Modelle in Entwicklung"** dar. Mit anderen Worten: Sie sind in eine Struktur eingebettet, die es erlaubt, ihre Inhalte kritisch zu reflektieren und ihre Methoden systematisch zu überprüfen. Genau dieser Aspekt zeigt, dass in Deutschland neben der Auseinandersetzung mit den Inhalten der Modelle noch eine weitere und wesentlich weitreichendere Aufgabe zu leisten ist: Es gilt, eine reflexive Kultur für Fragen ergotherapeutischer Theorie und Praxis zu schaffen.

Übersetzung und Terminologie

An dieser Stelle bietet es sich an, den 4 an diesem Buch beteiligten **Übersetzerinnen** – gerade auch in bezug auf ihre Offenheit im konstruktiven Austausch mit uns – zu danken. Wir tun dies sehr gerne. Gisela Jaeger (Kap. 1–3), Christiane Mentrup (Kap. 4, 5), Julia Pia Groeschl-Willems (Kap. 6) und Barbara Dehnhardt (Kap. 7) hatten den Mut, mit uns das Experiment zu wagen, textlich gefasste Gedanken aus einer anderen Kultur und Gesellschaft in unsere Sprache zu übertragen.

Einfach war das Vorhaben nicht. Denn es ging bei weitem nicht „nur" um die Suche nach dem passenden Wort, sondern tiefgründiger und vielschichtiger um die Verknüpfung von nationalen und internationalen, disziplinären und transdisziplinären Diskursen[4]. Theoretische Begriffe und sich dahinter verbergende Konzepte verschiedener Fachdisziplinen sowie verschiedener wissenschaftlicher und analytisch-systematischer Denkniveaus verlangten also von den Übersetzerinnen, die hierzulande „etablierten" **Fachausdrücke** zu berücksichtigen und gleichzeitig die Möglichkeiten zur „begriffsfüllenden Auseinandersetzung" besonders in und mit der deutschen Ergotherapie zu schaffen und zu wahren.

Bei einem solchen Vorhaben wird deutlich, wie sehr jede Form der Übersetzung **eine Interpretation des Originals** durch die übersetzende Person in sich trägt und wie vielfältig solche Interpretationen zuweilen ausfallen. Die Hürden genommen zu haben und lesbare Texte mit verständlichen Inhalten vorlegen zu können, ist unseres Erachtens auch deshalb gelungen, weil alle am Übersetzungsprozess Beteiligten große Sensibilität für das inhaltlich Notwendige und pragmatisch Machbare zeigten.

Einige **kurze Hinweise** zu unseren Konventionen in Bezug auf die **Übersetzungsproblematik** sollen die anschließende Lektüre und den vertiefenden Vergleich mit Originaltexten und anderen Übersetzungsvorlagen erleichtern:

- Die **Modellbezeichnung** und die **Kernbegriffe der Modelle** haben wir teilweise aus dem englischen Original übernommen und teilweise übersetzt. Die Richtlinie bildete hier unsere Einschätzung der inhaltlichen Komplexität der Kernbegriffe und der Möglichkeit, (bereits zu diesem Zeitpunkt) eine deutsche begriffliche Entsprechung anzubieten. Bei den Modellbezeichnungen war uns an einer Verbreitung der jeweiligen Originalbezeichnung ebenso gelegen wie an einer einheitlichen Bezeichnung der Modelle im deutschen Sprachraum.
- In der Regel finden Sie die **deutsche Entsprechung oder Umschreibung zentraler Begriffe** bei ihrer Erstnennung im Text in einer angehängten Klammer formuliert. Insofern die Begriffskonzepte als Fachtermini im deutschen Sprachraum bereits etabliert sind, haben wir auch den umgekehrten Weg gewählt. In diesem Fall enthält der Klammertext den englischen Originalbegriff, wie er vom jeweiligen Autor verwendet wird. Sie haben als Lesender so die Möglichkeit, einerseits in weitergehenden Studien verschiedene Begriffskonzeptionen zu vergleichen sowie andererseits zu einer einheitlicheren ergotherapeutischen Begriffsdefinition und zu einer treffenderen Übersetzung zukünftiger Texte zum Thema beizutragen.
- Als eine Art Kondensationspunkt des begriffsdefinitorischen Eigen- und Fremdverständnisses der Ergotherapie und ihrer derzeitigen Übersetzungs- und Vermittlungspraxis hat sich im Kontext dieses Buchprojekts einmal mehr die Kontroverse um die **Begriffe „occupation", „performance" und „environment"** erwiesen. Im Anschluss an bestehende Konzeptionen in sozialwissenschaftlichen Diskursen und im Bewusstsein notwendiger facheigener definitorischer „Nacharbeit" vertreten wir die Übersetzung dieser Begriffe als „Betätigung" („occupation"), „Umwelt" („environment") und „Performanz" („performance"). Dennoch werden Sie in den verschie-

[4] Vgl. hierzu die Abhandlung „Interdisziplinarität oder Transdisziplinarität" von Mittelstraß (1998), S. 29–48. Mittelstraß plädiert für den Begriff der Tansdisziplinarität als Kennzeichnung einer „Interdisziplinarität von unten", einer „echten Interdisziplinarität", die einer Interdisziplinarität als rein wissenschaftsorganisatorischem Prinzip, dem orientierenden Nebeneinander der Disziplinen, entgegensteht. Er unterstreicht in seinen Ausführungen das geschichtliche Gewordensein der Disziplingrenzen und fachlichen Differenzierungen, berücksichtigt also die Entstehungszusammenhänge derartiger Abgrenzungsprozesse. In der Transdisziplinarität, der „Interdisziplinarität im eigenen Kopf", sieht er die notwendige Aufhebung dieser historischen Bedingungen, um zu fortschrittlichen, disziplin- und fächerunabhängigen Problemdefinitionen und -lösungen zu gelangen. „Als Forschungsprinzip verbindet die Transdisziplinarität die disziplinär organisierten Wissenschaften mit ihrer wissenschaftlichen Zukunft und zugleich mit einer [praktischen/pragmatischen; Anm. d. Hrsg.] Lebenswelt, deren innere Rationalität selbst eine wissenschaftliche, d. h. eine durch den wissenschaftlichen Fortschritt bestimmte, ist. Die transdisziplinäre Zukunft der Wissenschaft wäre in diesem Sinne auch die Zukunft unserer Lebenswelt" (S. 48).

denen Bandbeiträgen auch auf andere Übersetzungsvarianten, insbesondere für den Begriff „performance", stoßen. Hierin spiegeln sich der individuelle Gestaltungsrahmen der jeweils verantwortlichen Übersetzerin ebenso wie die Unabgeschlossenheit und Notwendigkeit der Begriffsdiskussion innerhalb der ergotherapeutischen Disziplin wider.

- Anknüpfend an eine bestehende und über die Disziplingrenzen hinaus genutzte Systematisierung im Gesundheitsbereich wurden die Texte von uns mit dem Fokus redigiert, die Übersetzung der Begriffe „impairment" („Schädigung"), „disability" („Fähigkeitsstörung") und „handicap" („Beeinträchtigung") an der Definition des ICIDH („International Classification of Impairment, Disability and Handicap") zu orientieren. Dabei erwies sich allerdings besonders der **Begriff „disability"** als von den jeweiligen Autoren sehr unterschiedlich gebraucht. Um deren Differenzierungen nicht (vorschnell) aufzuheben, einigten wir uns auf eine jeweils kontextspezifische Übersetzung des Begriffs als „Fähigkeitsstörung", „Funktionsstörung", „Fertigkeitsstörung" und/oder „Dysfunktion".
- Eine Unzufriedenheit hat sich indes bis zur Fertigstellung des Bandes nicht auflösen lassen. Ihre Ursache ist der in den verschiedenen Beiträgen häufige und unklare bis widersprüchliche **Gebrauch der Wörter „function", „dysfunction" und „functioning".** Die reine Übersetzung in „Funktion", „Dysfunktion" (oder gar „Fehlfunktion") und „Funktionieren" legt einerseits ein klassisches mechanistisches Medizin- und Therapieverständnis nahe, das zu überwinden doch gerade Programm der vorgestellten Modelle ist; andererseits sind im Wissensspektrum der hiesigen Ergotherapie Funktionen als anatomisch-motorische Bewegungsfunktionen ebenso geläufig wie als sozialmotivierte Gruppenfunktionen. Wo uns der Kontext der Begriffsnutzung eindeutig erschien, haben wir für eine entsprechende Beschreibung bzw. Umschreibung plädiert. Wo der Kontext unspezifisch blieb oder die Begriffskonzeption vielschichtig und zudem im Rahmen des Modells wesentlich (und deshalb auch kritikwürdig) erschien, haben wir uns für die eingedeutschte Version („Funktion", „Dysfunktion", „Funktionieren") entschieden.

Um die Notwendigkeit begriffsdefinitorischer Bemühungen insgesamt zu unterstreichen und gleichzeitig interessierten Lesenden eine erste Analyse, einen Vergleich und eine Kontrastierung unterschiedlicher Begriffskonzeptionen zu erlauben, haben wir alle Autorinnen und Autoren gebeten, ein spezifisches Glossar anzufertigen, das Sie jeweils im Anschluss an den Beitrag abgedruckt finden. Die aufgenommenen Begriffe sind im Text mit einem ▶ gekennzeichnet. Über einen Index am Bandende können Sie zudem zentrale Begriffe beitragsübergreifend suchen.

Abschließend sind noch 2 Bemerkungen zur **Handhabung der zitierten Werke und Textausschnitte** in diesem Band notwendig: Zum einen finden Sie zitierte Werktitel aus Gründen der Lesefreundlichkeit in einem angefügten Klammertext ins Deutsche übersetzt. Wo deutsche Übersetzungen dieser Veröffentlichungen vorliegen, sind sie im Literaturverzeichnis der einzelnen Beiträge ausgewiesen. Zum anderen weisen wir darauf hin, dass alle in den einzelnen Beiträgen zitierten Textpassagen von den jeweiligen Übersetzerinnen mitübersetzt wurden, ohne dass dies dort nochmals gesondert vermerkt ist.

Mit der Frage der Übersetzung gewissermaßen verbunden ist auch das in diesem Band gewählte **Genus der Anrede**. Die englische Sprache erlaubt es weitaus komfortabler, Lesende beider Geschlechter anzusprechen, als dies die deutsche Sprache kann. Es ist uns wohl bewusst, dass mit der Entscheidung für die männliche Schreibart die weibliche Lesart in unserem kulturellen Kontext noch erschwert wird. Wir wissen auch, dass in der Ergotherapie – wie in den meisten Berufsfeldern des Gesundheitswesens – überwiegend Frauen tätig sind, und wir erwägen die damit einhergehenden Probleme der gesellschaftlichen Anerkennung dieser Arbeit als bedeutend (auch im Professionalisierungsgeschehen). Wir können hier nur betonen, dass wir in und mit den versammelten Texten stets Lesende und am ergotherapeutischen Geschehen Teilhabende oder Interessierte jeden Geschlechts ansprechen wollen.

„Last but not least" – um noch kurz im englischen Sprachkontext zu verweilen – möchten wir uns bei den Menschen bedanken, die uns bei der **Realisierung dieser Buchidee** vielfältigst unterstützt und begleitet haben. Hierzu zählen zum einen Stephanie Kaiser-Dauer vom Lektorat und Marga Botsch als Verantwortliche im medizinischen Fachlektorat des Springer-Verlags. Namentlich unbenannt, aber nicht unerwähnt bleiben sollen zum anderen die lieben Menschen unserer privaten Umwelten, die mit angestoßen und ausgehalten haben, was uns bewegte. Und auch Ihnen als Gemeinschaft der Lesenden danken wir für Ihre Aufgeschlossenheit und Ihr Interesse.

Mit dieser ausführlichen Einleitung wollten wir Sie an unseren Überlegungen bei der Entstehung und Gliederung dieses Buches und bei der Beantwortung vermittlungsrelevanter sprachlicher und terminologischer Fragen, die damit einhergehen, teilhaben lassen. Wenn es uns darüber hinaus mit unseren problematisierenden Akzentuierungen gelungen ist, Ihren Blick für die Inhalte der folgenden Beiträge angemessen zu weiten bzw. zu schärfen, könnten nach der Lektüre ein weites **Diskussionsfeld** und ein breiter **Diskussionsbedarf** entstehen. In diesem Fall könnten wir die Freude über den Erfolg unseres Bemühens kaum unterdrücken.

Zuvor jedoch sei Ihnen die **Freude beim Studium der gebotenen Gedankenvielfalt** gewünscht, die auch uns beflügelt, nach-, mit- und vorauszudenken.

Christina Jerosch-Herold
Ulrike Marotzki
Birgit Maria Hack
Peter Weber
Norwich, Hamburg, Nürnberg, Holtensen
im Januar 1999

Literatur

Hagedorn R (1995) Occupational therapy – perspectives and processes. Churchill Livingstone, Edinburgh

Hagedorn R (1997) Foundations for practice in occupational therapy, 2nd edn. Churchill Livingstone, Edinburgh

Kielhofner G (1995) A model of human occupation: theory and application, 2nd edn. Williams & Wilkins, Baltimore/MD

Kielhofner G (1997) Conceptual foundations of occupational therapy, 2nd edn. FA Davis, Philadelphia

Krieger DJ (1997) Einführung in die allgemeine Systemtheorie. Wilhelm Fink, München

Miller RJ, Walker KF (1993) Perspectives on theory for the practice of occupational therapy, Aspen Publications, Gaithersberg/MD

Mittelstraß J (1998) Die Häuser des Wissens. Wissenschaftstheo retische Studien. Suhrkamp, Frankfurt a. M.

Reed KL, Sanderson SR (1980) Concepts of occupational therapy. Williams & Wilkins, Baltimore/MD

von Schlippe A, Schweizer J (1996) Lehrbuch der systemischen Therapie und Beratung. Vandenhoeck & Ruprecht, Göttingen Zürich

Inhalt

1 **Theorie in der Ergotherapie – eine konzeptionelle Grundlage für die Praxis** 1
Rosemary Hagedorn
1.1 Einführung 2
1.2 Die Anfänge der Ergotherapie 2
Entwicklung der Ergotherapie in Deutschland 4
1.3 Definitionen von Ergotherapie 4
1.4 Unterschiedliche Weltsichten 5
Reduktionismus 6
Phänomenologie 8
Postmoderne 10
1.5 Auswirkungen auf die Ergotherapie: Spannungen innerhalb einer breiten Wissensbasis 11
1.6 Theoriebildung innerhalb eines Berufsstandes 12

2 **Praxismodelle der Ergotherapie** 15
Rosemary Hagedorn
2.1 Das Verhältnis von Modell und Theorie 16
2.2 Die Entwicklung der ergotherapeutischen Berufspraxis – ein evolutionärer Prozess 17
Stadium 1: Entwicklung und Erkundung 17
Stadium 2: Standardisierung versus Diversifizierung 17
Stadium 3: Akademische Untersuchung 18
Gibt es ein Stadium 4? 18
2.3 Entwicklung von Praxismodellen in den USA 18
2.4 Diskussion um Begrifflichkeiten 20
2.5 Verständnis der Konzepte 20
Geborgtes Wissen 21
Veränderungsprozesse 21
Die ergotherapeutische Variante 22
„Pure“ Ergotherapie 23
Der „große“ Entwurf 25
Umsetzung der Theorie in die Praxis 26

3 **Umsetzung von Modellen in die Praxis** 29
Rosemary Hagedorn
3.1 Wozu Modelle? 30
3.2 Klinisches Reasoning 30
Ergotherapeutischer Prozess und klinisches Reasoning 31
Formen des klinischen Reasoning 32
3.3 Rückwirkung von Modellen auf das klinische Reasoning 32
Theoriebestimmte Praxis 33
Prozessbestimmte Praxis 35
Arbeiten mit einem „puren” ergotherapeutischen Modell 37
3.4 Evaluation von Praxismodellen 38
Genügen unsere heutigen Modelle den hohen Anforderungen? 39

4 **Das „Model of Human Occupation“ (MOHO): Eine Übersicht zu den grundlegenden Konzepten und zur Anwendung** 45
Gary Kielhofner, Christiane Mentrup, Anja Niehaus
4.1 Theorie des Modells 46
Einleitung 46
Der systemtheoretische Ansatz 46
Der Fokus auf Betätigung 48
Anwendung des Modells in der beruflichen Praxis 58
4.2 Fallbeispiel 62
Einleitung 62
Volition 63
Habituation 64

Performanzvermögen 65
Umwelt 68
Überblick zum Betätigungsstatus 69
Therapeutische Ziele 69
Strategien therapeutischer Intervention 71
4.3 Schlussfolgerung 71
Erfahrungen mit dem „Model of Human Occupation" 72

5 Das „Model of Personal Adaptation through Occupation" (Modell persönlicher Anpassung durch Betätigung) 75
Kathleen L. Reed
5.1 Einführung 77
5.2 Modelle in der Ergotherapie: allgemeine Bemerkungen 78
Wesen und Zweck von Modellen 78
Beschreibung von Modellen der Ergotherapie 78
Philosophische Grundlagen 79
5.3 Das „Model of Personal Adaptation through Occupation" 81
Die 11 Annahmen 81
5.4 Die Konzepte 89
Umwelt 89
Veränderung und Veränderungsmechanismen 90
Erwerb, Erhaltung und Verlust von Fertigkeiten 90
Typen von Fertigkeiten 90
Betätigungen 91
Anpassung, Anpassungsreaktion und Anpassungspotenzial 93
Bedürfnisse, Zufriedenheit und Forderungen 95
Funktionelle Unabhängigkeit 95
5.5 Vorgeschlagene Prinzipien 96
1. Prinzip 97
2. Prinzip 97
3. Prinzip 98
4. Prinzip 98
5. Prinzip 99
6. Prinzip 100
7. Prinzip 100
8. Prinzip 101
9. Prinzip 101
5.6 Praktische Nutzung 102
Theoretische Begründung des ergotherapeutischen Behandlungsprozesses 102
Vielfältigkeit und Gezieltheit der Befunderhebung 102
Methoden- und Medienvariation in der Therapie 105
Vielfalt individueller Problemlösungsmöglichkeiten 106
Beachtung der spezifischen Umweltanforderungen 107

6 Moseys „Model of the Profession and the Concept of Adaptive Skills" (Moseys Modell der Profession und das Konzept der anpassenden Fertigkeiten) 111
Mieke le Granse
6.1 Einleitung 112
6.2 Kurzbiographie: Anne Cronin Mosey 112
6.3 Moseys Sichtweise der Ergotherapie: die Beziehungsschleife 114
Die philosophische Basis 114
Das Modell der Profession 114
Die Bezugsrahmen („frames of reference") 115
Die berufliche Praxis 116
Die Daten 116
Die Forschung 116
6.4 Die Bezugsrahmen („frames of reference") 117
Theoretische Basis 117
Der entwicklungsorientierte Bezugsrahmen („developmental frame of reference") 118
6.5 Anwendung der Bezugsrahmen im Behandlungsprozess 131
Behandlungsprozess 131
Befunderhebung 132
Zielbestimmung 132

6.6 Neuere Entwicklungen zu Moseys Werk 133

7 **Das kanadische Modell der „occupational performance" und das „Canadian Occupational Performance Measure"** 137
Mary Law, Helene Polatajko, Anne Carswell, Mary Ann McColl, Nancy Pollock, Sue Baptiste
7.1 Einführung 138
7.2 Das kanadische Modell der „occupational performance" 138
7.3 Klientenzentrierte Praxis 142
7.4 Das „Canadian Occupational Performance Measure" (COPM) 143
Entwicklung 144
Beschreibung 144
Klinische Anwendbarkeit 148
Reliabilität 149
Validität 149

8 **Anmerkungen zum derzeitigen Entwicklungsstand rund um das kanadische Modell in Deutschland (2003)** ... 153
Barbara Dehnhardt, Angela Harth, Anke Meyer, Sabine George (COPM-Team Deutschland)
8.1 Einleitung 154
8.2 Aktueller Stand bezüglich des „Canadian Occupational Performance Measure" (COPM) in Deutschland .. 154
8.3 Aktueller Stand bezüglich des „Canadian Model of Occupational Performance" (CMOP)/ „Occupational-performance"-Prozess-Modells (OPPM) in Deutschland 155

9 **Zum Fortgang der Professionalisierung der deutschen Ergotherapie – eine Fiktion** 157
Ulrike Marotzki, Birgit Maria Hack
9.1 Einleitung 158
9.2 Die deutsche Auseinandersetzung mit konzeptionellen Modellen der Ergotherapie 159
Die Sorge um eine einseitig praktische Rezeption der Modelle .. 159
Der theoretische Zwittercharakter der Modelle – wissenschaftliche versus pragmatische Begründung .. 162
9.3 Der Rahmen der Fiktion – das Thema der Professionalisierung 164
9.4 Die Fiktion 167
Professionalisierungsprozess und Paradigmenwechsel – ein fiktiver Rückblick auf die Berufsentwicklung im Jahre 2030 168
Eine ergotherapeutische Berufsbiographie in Stadium 3 – Verbindung von praktischer ergotherapeutischer Tätigkeit mit Forschungsaktivitäten 172
Fiktiver Vortrag anlässlich der Eröffnung des ergotherapeutischen Forschungszentrums in Bad Pyrmont im Jahre 2030: „Der zentrale Zugang zu den ergotherapeutischen Arbeitsfeldern" von Frau Wiebke West 175
Fiktiver wissenschaftlicher Beitrag in einem ergotherapeutischen Fachjournal: „Die Repräsentationsproblematik ergotherapeutischen Wissens – Zur diskursiven Kultur der Ergotherapie seit der Jahrtausendwende"; Brückenpfeiler – Ergotherapeutisches Forschungsjournal 2030 (Jg. 1, Heft 1), S. 3–17 ... 180
9.5 Abschließende Bemerkung 183

10 **Sachverzeichnis** 185

Beitragsautorinnen und -autoren

Baptiste, Sue, MHSc, OT(C)
Associate Professor
School of Rehabilitation Science
McMaster University Bldg. T-16
1280 Main Street West
Hamilton, Ontario L8S 4K1, Kanada

Carswell, Anne, PhD, OT(C)
Associate Professor in Occupational Therapy
School of Rehabilitation Sciences
Faculty of Medicine
University of British Columbia
T325–2211 Wesbrook Mall
Vancouver, British Columbia V6T, 2B5, Kanada

Dehnhardt, Barbara
Ergotherapeutin
Sievertstraße 18, 30625 Hannover

George, Sabine
Ergotherapeutin
Gulbranssonstraße 49, 81477 München

Hack, Birgit Maria
Soziologin M.A., Ergotherapeutin
Schedelstraße 37, 90480 Nürnberg

Hagedorn, Rosemary,
DipCOT, DipTCDHEd, MSc, FCOT
Freiberufliche Dozentin
Fachergotherapeutische Beraterin
Ergotherapieforscherin
18 Priory Road
Arundel BN18 9EN, Sussex, Großbritannien

Harth, Angela
Ergotherapeutin, MSc
Mittlerer Waldweg 25
67281 Kirchheim

Jerosch-Herold, Christina, DipCOT, MSc, PhD
Reader in Occupational Therapy
School of Allied Health Professions
University of East Anglia
Norwich NR4 7TJ, Großbritannien

Kielhofner, Gary, DrPH, OTR, FAOTA
Professor and Head Department of
Occupational Therapy, Professor
School of Public Health
University of Illinois at Chicago
Foreign Adjunct Professor
Karolinska Institute Stockholm, Schweden
Department of Occupational Therapy (MC 811)
College of Health and Human
Development Sciences
University of Illinois at Chicago
1919 W. Taylor
Chicago, IL 60612, USA

Law, Mary, PhD, OT(C)
Associate Professor and Director
Neurodevelopmental Clinical Research Unit
School of Rehabilitation Science
Bldg. T-16, Room 126
McMaster University
1280 Main Street West
Hamilton, Ontario L8S 4J9, Kanada

Le Granse, Mieke
Ergotherapeutin und Dozentin
Schule für Ergotherapie
Hogeschool Limburg
Nievw Eyckholt 300
6419 DJ Heerlen, Niederlande

Marotzki, Ulrike
Dipl.-Psych., Ergotherapeutin
FH-Hildesheim/Holzminden/Göttingen
BSc-Studiengang für Absolventinnen und Absolventen der Fachberufe Logopädie, Physiotherapie und Ergotherapie
Tappenstraße 55, 31134 Hildesheim

McColl, Mary Ann, PhD, OT(C)
Associate Professor in Occupational Therapy
Division of Occupational Therapy
School of Rehabilitation Therapy
Louise Acton Bldg.
Queens University
3 George Street
Kingston, Ontario K7L 3N6, Kanada

Mentrup, Christiane
Ergotherapeutin, MSc
WFOT-Delegierte
Kokschestraße 14, 49080 Osnabrück

Meyer, Anke
Ergotherapeutin, BSc
Sonnenweg 16, 82194 Gröbenzell

Niehaus, Anja
Ergotherapeutin
Praxis für Ergotherapie
Schoonebeekstraße 1, 49124 Georgsmarienhütte

Polatajko, Helene, PhD, OT(C)
Professor and Chair in the Occupational Therapy
Department of Occupational Therapy
Elborn College, Room 2555
University of Western Ontario
1151 Richmond St
London, Ontario N6A 3K7, Kanada

Pollock, Nancy, MSc, OT(C)
Assistant Clinical Professor
School of Rehabilitation Science
McMaster University
Bldg. T-16
1280 Main Street West
Hamilton, Ontario L8S 4K1, Kanada

Reed, Kathleen L., PhD, OTR, FAOTA, MLIS, AHIP
Visiting Professor
School of Occupational Therapy
Texas Women‘s University – Houston Center
6699 DeMoss Drive
Houston, TX 77074 – 5003, USA

Weber, Peter
Ergotherapeut/Fachlehrer
für ergotherapeutische Verfahren
Berufsfachschule Ergotherapie
Regionales Kompetenzzentrum
Herman-Nohl-Schule
Steuerwalder Straße 162, 31137 Hildesheim

Theorie in der Ergotherapie – eine konzeptionelle Grundlage für die Praxis

Rosemary Hagedorn

1.1 Einführung – 2

1.2 Die Anfänge der Ergotherapie – 2
Entwicklung der Ergotherapie in Deutschland – 4

1.3 Definitionen von Ergotherapie – 4

1.4 Unterschiedliche Weltsichten – 5
Reduktionismus – 6
Phänomenologie – 8
Postmoderne – 10

1.5 Auswirkungen auf die Ergotherapie: Spannungen innerhalb einer breiten Wissensbasis – 11

1.6 Theoriebildung innerhalb eines Berufsstandes – 12

Glossar – 13

Literatur – 13

1.1 Einführung

Die **Theoriebildung in der Ergotherapie** ging bislang von amerikanischen und kanadischen Therapeuten und Akademikern aus. Seitdem die Berufsausbildung nun auch in anderen englischsprachigen Ländern zunehmend an die Universitäten verlagert wird, entwickeln heute insbesondere Therapeuten in Kanada, Australien und England ihre jeweils eigene theoretische Literatur. Leider hatte die Sprachbarriere bislang zur Folge, dass Therapeuten aus anderen Sprachräumen über die Entwicklung von ▶ **Theorien** und **Praktiken** in englischsprachigen Ländern weitgehend uninformiert blieben und umgekehrt.

Da die Autorin Engländerin und daher auf englische Veröffentlichungen angewiesen ist, ist ihre Diskussion von Theorien und Praxismodellen in den einführenden Kapiteln unvermeidlich „transatlantisch" geprägt. Dennoch hofft sie, eine nützliche Einführung in die später vorgestellten Modelle zu geben; denn auch diese Modelle basieren auf **„transatlantischen" Konzepten.**

1.2 Die Anfänge der Ergotherapie

Die Ergotherapie wird oft als „junger Beruf" bezeichnet. Dies ist jedoch irreführend – obwohl sie gewiss noch in den Kinderschuhen steckt, wenn man sie mit Berufen wie dem Stand der Ärzte, Lehrer oder Juristen vergleicht, deren Entwicklung sich über Jahrtausende zurückverfolgen lässt. Die Konzepte, die der Ergotherapie zugrunde liegen, wurden wohl in mehreren Ländern etwa zur gleichen Zeit entwickelt; als **organisierter Beruf** entstand die Ergotherapie in den USA zu Beginn des 20. Jahrhunderts.

Ein festes Gründungsdatum existiert nicht; ihren 100. Geburtstag will die Ergotherapie jedoch im 2. Jahrzehnt des 21. Jahrhunderts feiern. Ihre **Gründer** waren ganz unterschiedliche Leute – eine recht interessante Gruppe, bestehend aus Ärzten, Sozialarbeiterinnen, einer Krankenschwester, Handwerkslehrerinnen, einem Lehrer für Gestaltung und 2 Architekten, die anfangs unabhängig voneinander ähnliche Ideen entwickelten, was sie schließlich miteinander in Kontakt brachte (Hopkins u. Smith 1993).

Theoretisch und philosophisch wurden die Gründer von Ideen aus verschiedenen Quellen beeinflusst. Im 19. Jahrhundert entstanden in Europa und den USA neuartige Praktiken und Ideen hinsichtlich einer „moralischen Behandlung" psychisch Kranker. Dazu gehörten beispielsweise der Einsatz von Beschäftigungsmaßnahmen zur Ablenkung und die Schulung oder Umschulung auf dem Gebiet manueller Tätigkeiten. Ende des 19. Jahrhunderts wies die englische **„Arts-and-Crafts"-Bewegung** auf die Bedeutung von Aspekten wie funktionelle Gestaltung, Erscheinungsbild des gestalteten Umfelds und handwerkliche Betätigung hin. Man wollte den übermechanisierten Verfahren der Fließbandproduktion entgegenwirken, die sich aus der industriellen Revolution ergeben hatten. Die Befürworter der „Arts-and-Crafts"-Bewegung legten Wert auf Kreativität und den Gebrauch der Hände zur Herstellung von Kunstgegenständen. Das Kunsthandwerk erfuhr eine Aufwertung; handwerkliche Arbeit wurde als Kunstform gewürdigt, die kultivierte Menschen schätzen lernen sollten.

Die Umstände des 1. Weltkriegs gaben Anlass zu Entwicklungen in den Bereichen „körperliche Rehabilitation" und „berufliche Umschulung". Fortschritte bei der Behandlung chronischer Leiden, wie etwa der Tuberkulose, führten zu einem Aufschwung beim Einsatz handwerklicher Techniken sowohl zur Zerstreuung als auch zu therapeutischen Zwecken. Im Jahre 1904 begann der amerikanische Psychiater Dr. Herbert Hall mit seinem Experiment in Form eines **Programms sorgfältig abgestufter handwerklicher Aktivitäten.** Hall hatte sich auf die Behandlung der „Neurasthenie" spezialisiert, eines recht undurchsichtigen Zustands, der hauptsächlich bei Frauen auftrat und dessen Symptome dem, was wir heute „chronisches Müdigkeitssyndrom" nennen, sehr ähnlich waren. Die damals übliche Behandlungsmethode bestand in der Verordnung totaler Ruhe, doch Hall gelangte immer mehr zu der Überzeugung, dass Stufenprogramme zur handwerklichen Betätigung therapeutisch weitaus erfolgversprechender seien. Hall wurde später Präsident der „National Society for the Promotion of Occupational Therapy" (Nationale Gesellschaft zur Förderung der Ergotherapie).

Die Entwicklung der Ergotherapie in den USA wurde durch eine Korrespondenz zwischen Dr. William Rush Dunton und dem Architekten George Barton beschleunigt. Bartons Interesse am **therapeutischen Nutzen von Beschäftigungsmaßnahmen** rührte von seinen eigenen Erfahrungen bei der Genesung von einer Tuberkulose her. Er prägte 1914 den Begriff „occupational therapy". Im Jahre 1917 gründeten Dunton und Barton gemeinsam mit Bartons Sekretärin und späterer Ehefrau Isabel Newton die „National Society for the Promotion of Occupational Therapy". Weitere Gründungsmitglieder waren Eleanor Clark Slagle (eine Sozialarbeiterin, die sich für die Einsatzmöglichkeiten von Kunst und Handwerk in der Therapie interessierte), Susan Cox Johnson (eine in der Psychiatrie tätige Handwerkslehrerin) und Thomas Bissel Kidner (ein Architekt aus England, der in Kanada Programme für „manuelle Erziehung" in Schulen entwickelte).

William Rush Duntons verfasste 1919 ein „Credo for Occupational Therapists". Darin formulierte er grundlegende Thesen, die noch heute die **Basis ergotherapeutischer Praxis** bilden: „Betätigung ist für das Leben ebenso nötig wie Essen und Trinken. Alle Menschen sollten sowohl körperlichen als auch geistigen Beschäftigungen nachgehen oder Hobbys haben, an denen sie Freude haben. Ein kranker Geist, ein kranker Körper oder eine kranke Seele können durch Betätigung geheilt werden" (Miller u. Walker 1993, S. 3).

Bald schlossen sich der neuen Organisation weitere Mitglieder an. Dr. Adolf Meyer, ein Einwanderer aus der Schweiz, entwickelte Theorien über die Zusammenhänge zwischen Verhalten und psychischer Krankheit und forderte eine strukturierte und ausgewogene Mischung aus Arbeit, Ruhe und Freizeit für jeden Menschen. Im Jahre 1921 stellte er das erste strukturierte ▶ **Modell der Ergotherapie** vor. Louis Haas, ein in einer psychiatrischen Klinik angestellter Handwerksmeister, setzte sich stark für die Förderung von therapeutischer ▶ Betätigung ein. Im Jahre 1925 schrieb er das Lehrbuch „Occupational Therapy for the Nervous and Mentally Ill".

Aus der Arbeit dieser Pioniere leitet sich das **Konzept therapeutischer Betätigung** ab. Im Gegensatz zur Auffassung des 19. Jahrhundert wurde nun die Teilnahme an zweckvollen ▶ Betätigungen nicht mehr nur als „gut" im Sinne von moralisch und praktisch nützlich angesehen, sondern als wirklich heilend und heilsam sowie dem Wohlbefinden förderlich. Damit war ein neuer Beruf geboren, der in den folgenden 30–40 Jahren internationale Verbreitung fand. Im Jahre 1952 wurde die „World Federation of Occupational Therapy" (WFOT) gegründet.

Wichtig

Dass es in der Ergotherapie wesentlich darauf ankommt, die Art der ▶ Betätigung auf die Bedürfnisse des Patienten abzustimmen, war den Praktikern von Anfang an bewusst. Es geht nicht um irgendeine Betätigung; es muss vielmehr die passende Betätigung sein, die dann in angemessener Weise auszuführen ist.

Entwicklung der Ergotherapie in Deutschland

In Deutschland wurde der erste Kurs zum Thema Ergotherapie im Jahre 1947 vom „Roten Kreuz“ in Bad Pyrmont organisiert. Er dauerte 6 Monate. Im Jahre 1953 wurde im Annastift in Hannover die **erste Ergotherapieschule** eröffnet, 1954 erfolgte die Gründung des „Deutschen Verbandes der Beschäftigungstherapeuten“, der sich 1958 dem WFOT als Mitglied anschloss.

Die Ausbildung wurde 1976 durch ein neues bundeseinheitliches **Berufsgesetz** (BeArbThG, 25.05.1976) und 1977 durch die **Ausbildungs- und Prüfungsordnung** für Beschäftigungs- und Arbeitstherapeuten (BeArbThAPrO, 23.03.1977) geregelt. Ein wichtiges Ereignis war der 35. Ergotherapiekongress im April 1990 in Berlin, der erstmals von ost- und westdeutschen Kollegen gemeinsam bestritten wurde.

Im Rahmen der Verabschiedung des Psychotherapeutengesetzes (PsychThG, 16.06.1998) wurde in Art. 8 die Änderung der **Berufsbezeichnung** „Beschäftigungs- und Arbeitstherapeut“ in „Ergotherapeut“ festgelegt. Damit fand eine Diskussion um die Namensgebung des Berufs ein Ende, die bereits bei der Vorbereitung des Berufsgesetzes von 1976 entbrannt war. Die Regelung trat zum 01.01.1999 in Kraft. Ebenso wurde in diesen Jahren die Ausbildungs- und Prüfungsverordnung (ErgThAPrV) von 1976 überarbeitet und den neuen Standards angepasst. Die neue Verordnung wurde zum 01.07.2000 vom deutschen Bundestag in Kraft gesetzt. Aktuell (2003) gibt es in Deutschland 171 Ergotherapieschulen, die eine 3-jährige Berufsfachschulausbildung mit dem Abschluss der staatlichen Anerkennung durch führen. Zusätzlich bieten inzwischen 3 Fachhochschulen für deutsche Ergotherapeutinnen und Ergotherapeuten die Möglichkeit, nach einer Studienzeit von 3 Semestern mit dem Bachelor-Grad abzuschließen.

Zusammenfassung
Ergotherapie wurde zu Beginn des 20. Jahrhunderts in den USA begründet. In Deutschland wurden im Jahre 1947 in Kurzlehrgängen erste Beschäftigungstherapeu ten ausgebildet. Ziel dieser Lehrgänge war es, die Behandlung und Rehabilitation von Kriegsverletzten effektiver zu gestalten.

1.3 Definitionen von Ergotherapie

Es gibt zahlreiche Definitionen von Ergotherapie, die sich in ihren Grundgedanken ähneln, aber in Einzelheiten oder Schwerpunkten unterscheiden. Die meisten Definitionen beinhalten das Konzept von ► Betätigung zur **Förderung der Genesung** oder zur **Verbesserung der Lebensqualität.**

Dass Ergotherapie schwer zu definieren ist, ist allgemein bekannt. Mit Ausnahme der WFOT-Definition herrscht über keine Definition wirklich Einverständnis. Darüber hinaus neigen die Theoretiker mit jedem neuen **Praxismodell** zur Formulierung neuer Definitionen.

Eine frühe Definition stammt aus den USA und wurde im Jahre 1922 von **Dr. H.A. Pattison** formuliert. Pattison beschrieb Ergotherapie als „jede klar vorgegebene und angeleitete Tätigkeit geistiger oder körperlicher Natur, die den eindeutigen Zweck hat, zur Genesung von Krankheit oder Verletzung beizutragen und sie zu beschleunigen“ (Reed u. Sanderson 1983, S. 1).

Die **Definition der WFOT** aus dem Jahre 1989 bestätigt dieses Grundprinzip: „Ergotherapie ist die Behandlung körperlicher und psychischer Zustände durch spezifische Aktivitäten, die den Menschen helfen sollen, das für sie größtmögliche Maß an funktionellen Fähigkeiten und Unabhängigkeit zu erreichen“ (College of Occupational Therapists 1994).

Die kürzere **Definition des „Committee of Occupational Therapists for the European Community"** (COTEC) lautet: „Ergotherapeuten setzen zweckvolle Aktivitäten zur Befunderhebung und zur Behandlung von Menschen ein, um damit Behinderungen zu verhindern und eine funktionelle Unabhängigkeit zu entwickeln" (College of Occupational Therapists 1994).

Es ist offensichtlich, dass sich alle diese Definitionen auf eine ergotherapeutische Praxis beziehen, die ► **Aktivitäten zur Behandlung von Menschen** einsetzt.

Wichtig

In vielen Bereichen der heutigen beruflichen Praxis geben Ergotherapeuten keine ► Betätigung mehr vor. Stattdessen unterstützen sie Menschen bei der Ausführung ihrer Alltagsaufgaben durch Anpassung der ► Umwelt, eine angemessene Veränderung der Aufgaben, Ausbildung von Fertigkeiten oder andere adaptive Interventionen, die gemeinsam mit der betreffenden Person erreicht werden. Die kurzen Definitionen von Ergotherapie beinhalten diesen wichtigen Aspekt der ergotherapeutischen Arbeit nicht.

Andere, meist viel längere Definitionen versuchen, ein umfassenderes Bild ergotherapeutischer Arbeit zu zeichnen. So hat der amerikanische Berufsverband, die **„American Association of Occupational Therapists"** (AOTA), im Jahre 1972 beispielsweise folgende Definition formuliert: „Ergotherapie ist die Kunst und Wissenschaft, einen Menschen in der Teilnahme an ausgewählten Aufgaben anzuleiten, die seine Leistungsfähigkeit wiederherstellen, verstärken und besser zur Geltung bringen, ihm das Erlernen der für Anpassung und Produktivität essenziellen Fertigkeiten und Funktionen erleichtern, krankhafte Veränderungen verringern oder korrigieren sowie seine Gesundheit fördern oder erhalten. Grundlegend geht es ihr um die Fähigkeit des Menschen, während seines ganzen Lebens zu seiner eigenen Zufriedenheit und der anderer die Aufgaben zu erfüllen und die Rollen einzunehmen, die für ein produktives Leben und ein Zurechtkommen mit sich selbst und seiner Umwelt wesentlich sind" (Hopkins u. Smith 1993, S. 5).

Diese recht wortreiche Definition veranschaulicht das Problem auszudrücken, **„was Ergotherapie ist"**. Kurze Definitionen lassen zuviel weg, lange werden unübersichtlich. Die AOTA änderte im Jahre 1986 ihre Definition folgendermaßen: „Ergotherapie ist der therapeutische Einsatz von Aktivitäten aus den Bereichen ‚alltägliche Selbstversorgung', ‚Arbeit' und ‚Spiel', um unabhängige Funktionen zu steigern, Entwicklungen zu fördern und Behinderungen zu vermeiden. Dies schließt ggf. die Anpassung von Aufgaben oder eine geschicktere Nutzung der Umwelt ein, um eine maximale Unabhängigkeit erreichen und die Lebensqualität erhöhen zu können" (Hopkins u. Smith 1993, S. 4).

Zusammenfassung

Ergotherapeuten nutzen zweckvolle Aktivitäten zur Befunderhebung und Behandlung von Menschen, um Funktionsstörungen vorzubeugen und die Selbstständigkeit zu verbessern. Ebenso können sie Aufgaben oder die Umweltbedingungen zur Steigerung der Durchführungsqualität der ► Betätigung („performance"/Performanz) entsprechend anpassen.

1.4 Unterschiedliche Weltsichten

Eine **Theorie** ist ein Versuch, einen bestimmten Aspekt unserer menschlichen Erfahrung zu erklären.

Wichtig

Es gibt viele Definitionen von „Theorie". Allgemein herrscht aber Einverständnis über Folgendes: Eine Theorie fügt eine Reihe zueinander in Beziehung stehender Prinzipien, Annahmen und Konzepte zusammen, die sich auf ein ▶ Phänomen beziehen, das der Theoretiker zu umreißen oder zu verstehen versucht. Die Theorie bietet eine konsistente und rationale Erklärung für etwas, das beobachtet oder als wahr hergeleitet wird.

Das Studium des Wesens der Theorie ist kompliziert, da man es dabei mit **kontroversen philosophischen Konzepten** zu tun hat. Theorie selbst ist Gegenstand der Theoriebildung. Bei der Betrachtung theoretischer Aspekte der Ergotherapie ist es nützlich sich klarzumachen, dass es 2 deutlich zu unterscheidende Arten gibt, die Welt zu sehen, in der wir leben, nämlich

- die ▶ reduktionistische und
- die ▶ phänomenologische.

Darüber hinaus wird gegenwärtig auch eine ▶ postmoderne Sichtweise für die Ergotherapie diskutiert.

Die reduktionistische und die phänomenologische Sichtweisen der Welt werden ▶ **Metamodelle** genannt (Reed 1984), denn sie beeinflussen die Entwicklung anderer Theorien, die sich üblicherweise einer der beiden Sichtweisen zuordnen lassen. Man kann sie auch als Paradigmen verstehen. Jedes ▶ Paradigma hat seinen eigenen Ansatz der Theoriebildung. Um die beiden Paradigmen „reduktionistisch" und „phänomenologisch" ganz zu verstehen, muss man sich sehr weit in die schwierige philosophische Literatur vertiefen, die sich mit dem Wesen von Wahrheit und Wirklichkeit befasst. Dies führt weit über den Rahmen von Ergotherapie hinaus. Ein gewisses Verständnis der Unterschiede zwischen diesen beiden „Weltsichten" ist allerdings unerlässlich; denn viele der Schwierigkeiten, auf die man beim Studium von Praxismodellen stößt, rühren von den Kontroversen zwischen den beiden unvereinbaren Sichtweisen her.

Reduktionismus

Die reduktionistische (atomistische oder mechanistische) Sichtweise ist im kritischen ▶ Rationalismus verankert, der die Analyse der **objektiven Realität** für die einzig gültige Form wissenschaftlicher Untersuchung hält. Dieser Ansatz wissenschaftlicher Entdeckungen wurde im 18. Jahrhundert, dem Jahrhundert der Aufklärung, entwickelt. Während des 20. Jahrhunderts war er das dominante Paradigma in der medizinischen und wissenschaftlichen Forschung.

Das Universum, die Erde und die Lebewesen, die sie bewohnen, gehorchen feststehenden **Regeln und Gesetzen.** Diese lassen sich, wie das Funktionieren einer Maschine, verstehen – indem man beobachtet, zerlegt, auf Einzelbestandteile zurückführt. Die Dinge lassen sich messen, quantifizieren und mathematisch darstellen. Für die Reduktionisten ist Wahrheit eine objektive Wesenheit. Sie ist „da draußen", wir müssen sie nur finden.

Cave

Die reduktionistische Sichtweise nimmt subjektive Aspekte der Erfahrung weitgehend nicht zur Kenntnis oder tut sie ab, da sie sich wissenschaftlich nicht untersuchen lassen. Die Betrachtung des Menschen konzentriert sich vorwiegend auf beobachtbare physikalische oder Verhaltensaspekte. Das Konzept „Seele" bzw. „Geist" wird abgetan oder zurückgewiesen.

Kielhofner (1992) bietet eine detaillierte Analyse der **Auswirkungen der mechanistischen Sichtweise auf die Ergotherapie an** und zeigt deren konsequente Anstrengungen auf, ein anderes Paradigma zu finden.

Deduktion und Induktion

Im Rahmen dieses **Paradigmas** werden Theorien mittels ▶ Deduktion und ▶ Induktion entwickelt.

> **Wichtig**
>
> Um Induktion handelt es sich, wenn aus wiederholten Beobachtungen bestimmter Vorkommnisse oder Umstände ein allgemeines Gesetz hergeleitet wird.

Da sich beispielweise nachweisen lässt, dass eine Reihe von Menschen 2 Arme und 2 Beine haben, kann man vielleicht ableiten, dass jedes menschliche Wesen 2 Arme und 2 Beine haben sollte. Diese Theorie könnte man prüfen, indem man weiterhin Menschen beobachtet und ihre Glieder zählt. Was passiert jedoch, wenn man auf einen Menschen trifft, der nicht die erwartete Anzahl an Gliedern aufweist? Heißt das, dass die Theorie ungültig ist? Das ist schwer zu sagen, und darin liegt (wie David Hume im 18. Jahrhundert dargelegt hat) die Schwäche dieser Methode: Die **Wahrheit** einer solchen Theorie lässt sich nicht beweisen. Um bei diesem Beispiel zu bleiben: Alles, was man nun mit Sicherheit sagen kann, ist, dass einige Menschen 4 Glieder haben, andere hingegen nicht. Aber das hilft nicht sehr viel weiter.

> **Wichtig**
>
> Der deduktive (oder ▶ hypothetisch-deduktive) Ansatz schreitet vom Allgemeinen zum Besonderen.

Ein Thema wird unter kontrollierten Bedingungen untersucht. Der Forscher stellt eine **Hypothese** auf, die er prüfen will. Die Hypothese besagt, dass irgend etwas geschehen oder sich als wahr erweisen wird. Experimente werden durchgeführt. Resultate werden festgehalten. Aus der Auswertung dieses sicheren Beweismaterials lassen sich nun Schlüsse ziehen. Wurde genügend Beweismaterial zusammengetragen, so kann eine ▶ Theorie aufgestellt und als verifiziert bezeichnet werden.

So könnte man beispielsweise die Hypothese aufstellen, dass alle Menschen 4 Glieder haben. Anschließend nähme man eine große Stichprobe von Menschen (am besten einige Tausend) und zählte ihre Glieder. Am Ende dieses Vorgangs wäre man in der Lage zu erklären, dass in dieser Stichprobe (die Zahlen sind erfunden) 99% der Menschen mit 4 Gliedern geboren wurden, dass 1% hingegen unvollständige Glieder hatte. Man könnte auch bemerken, dass 5% der Personen der Stichprobe zwar mit 4 Gliedern geboren wurden, aber später eines oder mehrere Glieder teilweise oder ganz verloren. Dann könnte man die Hypothese verfeinern, indem man sagte, 99% aller Menschen würden mit 4 Gliedern geboren, und anschließend die Datenerhebung wiederholen, um zu sehen, ob diese Voraussage immer noch zutrifft. So wäre man vielleicht in der Lage zu erklären, dass Menschen mit 99%iger **Wahrscheinlichkeit** bei ihrer Geburt 4 Glieder haben und dass sie mit 5%iger Wahrscheinlichkeit am Ende ihres Lebens einen Teil eines Gliedes verloren haben.

Dies klingt recht einfach und einleuchtend, aber Karl Popper (1959) behauptete, es sei unmöglich, eine Theorie zu verifizieren. Mit anderen Worten: Man kann nicht beweisen, dass eine Theorie wahr ist, man kann lediglich beweisen, dass eine Theorie falsch ist, indem man den **Beweis** erbringt, der die Theorie widerlegt. Heute ist diese Aussage Poppers allgemein akzeptiert.

> **Wichtig**
>
> In der Praxis sind Induktion und Deduktion (oft) komplementäre (einander ergänzende) Prozesse. Man beginnt beispielsweise mit der Induktion, d. h. Beobachtung, die weiterführt zu generellen Aussagen. Diese leiten über zur Theorieentwicklung, die sich in
>
> ▼

Hypothesen ausdrückt und anhand deduktiver Methoden überprüft werden kann (Stewart 1997).

Theorieebenen

Theorien gibt es „in jeder Größe", angefangen von relativ trivialen bis hin zu solchen, die für unser Verständnis der Welt von grundlegender Bedeutung sind. Es gibt verschiedene Arten von ▶ Theorien, die sich von verschiedenen Ebenen von Entdeckung und Erforschung herleiten:

- Die erste Ebene ist die der **deskriptiven (beschreibenden) Theorie.** Bevor sich ein ▶ Phänomen untersuchen oder erklären lässt, muss es genau beschrieben werden.
- Auf der nächsten Stufe folgt die **Erklärung.** Bei wissenschaftlichen Untersuchungen ist es üblich, eine Hypothese zu formulieren – eine Erklärung, die zu den Tatsachen zu passen scheint – und diese dann zu prüfen, um zu sehen, ob sie sich unter unterschiedlichen Umständen als wahr erweist.
- Eine **Hypothese** kann als Theorie akzeptiert werden (zumindest bis zu ihrer Widerlegung), wenn sie Ereignisse konsistent und korrekt vorhersagt.
- Schließlich wird eine gut akzeptierte Theorie **präskriptiv** (vorschreibend): Sie lenkt das Handeln. Sie kann sogar zu einem Gesetz werden (wie etwa die Gesetze der Thermodynamik).
- Sehr umfangreiche, komplexe Theorien über das Wesen der Materie oder den Anfang des Universums bilden eine Art „Weltsicht". Eine von vielen akzeptierte Theorie dieser Art, die die Forschung strukturiert und die Art, wie die Menschen die Welt sehen, tief beeinflusst, kann – wie bereits beschrieben – **„Paradigma"** genannt werden (Kuhn 1962 und 1977).

In Abständen stellen sich fest etablierte Theorien als unwahr heraus – viele Jahrhunderte lang glaubten die Menschen, die Erde sei flach, bis die Theoretiker schließlich aufgrund astronomischer Beweise gezwungen waren, diese Vorstellung aufzugeben. Eine radikale Veränderung bei einer Menge fest verankerter Theorien wird manchmal ▶ **„Paradigmenwechsel"** („paradigm shift") genannt.

Evaluation (natur-)wissenschaftlicher Theorie

Beweise und Forschungsmethoden, auf denen eine ▶ Theorie oder Tatsache basiert, werden als in unterschiedlichem Ausmaß zuverlässig evaluiert und beurteilt.

Auf der untersten Stufe rangiert die „anerkannte Meinung", gefolgt von beschreibenden oder vergleichenden Studien, quasi-experimenteller Forschung und kontrollierten Versuchen unter Zufallsbedingungen. Beweise, die sich aus der ▶ **Metaanalyse** vieler kontrollierter Versuche unter Zufallsbedingungen ergeben, haben die höchste Gültigkeit (Lloyd-Smith 1997). Es ist klar, dass im Rahmen des beschriebenen wissenschaftlichen Paradigmas des ▶ Reduktionismus gilt: „Mehr ist besser". Die Forschung muss in diesem Fall „wasserdicht" ausgelegt sein.

Phänomenologie

Ein **Phänomen** ist alles – ein Ereignis ebenso wie ein einzelnes Faktum –, was als Teil menschlicher Erfahrung beobachtet oder berichtet werden kann. Phänomenologie ist das Studium der Phänomene.

Bei der auf den Menschen bezogenen Forschung liegen die Grenzen des reduktionistischen Ansatzes auf der Hand. Der Mensch denkt, fühlt und beobachtet sich selbst. Er reagiert auf Umstände und Umgebungen. „Zerlegt" man den Menschen in seine Bestandteile, so mag dies allerhand Informationen darüber erbringen, woraus er besteht, aber wenig darüber, was es heißt, Mensch zu sein. Im 20. Jahrhundert formulierten Philosophen und Forscher vieler Richtungen die Forderung, die Welt als Ganzes zu untersuchen und dabei die **Subjektivität der Wirklichkeit** in Betracht zu ziehen. Das Studium von Zusammenhängen wurde als wichtiger erachtet als die Analyse einzelner, isolierter Objekte.

Wichtig

Von einem ► phänomenologischen (ganzheitlichen/holistischen oder organismischen) Ansatz ausgehend, versteht der Betrachter, dass das Ganze mehr sein kann als die Summe seiner Teile. Menschen, andere Lebewesen und die ► Umwelt interagieren als komplexe Systeme. Motivationen, Gedanken, Gefühle, Symbole und Bedeutungen, Phantasie und Spiritualität sind von fundamentaler Wichtigkeit, wenn man feststellen will, wie wir wahrnehmen und auf unsere Umwelt reagieren.

Der phänomenologische Ansatz wurde von **philosophischen Konzepten des Humanismus und der humanistischen Psychologie** beeinflusst. Er selbst hatte wiederum großen Einfluss auf Soziologie, Anthropologie, Psychologie und Erziehungswissenschaften und damit auf Disziplinen, aus denen Therapeuten einen Großteil des Wissens übernommen haben, das während der letzten 40 Jahre in die Ergotherapie integriert wurde.

Im Rahmen des phänomenologischen Paradigmas sind die Forschungsmethoden ► qualitativer Art: Sie beleuchten die Realität von vielen Blickpunkten aus. Beschreibung (Deskription) ist äußerst wichtig. Erkenntnisse lassen sich ebenso gut aus einem einzelnen Fall wie aus 20 Fällen gewinnen. Sprache gilt als ein wichtiges Medium zur Vermittlung von Erfahrungen. Aus der Erforschung der Wirklichkeiten, die eine Situation oder auch Aspekte der Praxis bestimmen, kann das Material für eine Theorie auf der Grundlage von Erfahrung zusammenkommen. Eine solche Theorie heißt ► **„grounded theory"** (fundierte Theorie).

Qualitative Methoden werden von Naturwissenschaftlern vielleicht als ungenau und subjektiv abgetan; subjektiv mögen sie wohl sein, aber ungenau sind sie nicht. **Qualitative Forschung** muss ebenso methodisch-kontrolliert vorgehen wie naturwissenschaftliche Forschung. Qualitative Methoden erfordern das Eintauchen in ein Thema und eine peinlich genaue Analyse des Inhalts dessen, was beobachtet oder berichtet wird. Forscher können die Nachweise für ihre Schlussfolgerungen von verschiedenen Blickwinkeln aus suchen. Dieser Prozess wird ► „Triangulation" genannt.

Bei der heutigen Betonung einer ► klientenzentrierten Therapie und der Notwendigkeit, das Individuum im Kontext seiner Umwelt und seiner ► Betätigungen zu sehen, liegt es auf der Hand, dass sich Theoretiker der Ergotherapie in den USA klar auf die Seite der Phänomenologen geschlagen haben. Wegen seiner engen Verbindung zur Medizin stützt sich der Berufsstand jedoch noch immer auf Theorien, die der reduktionistischen Sichtweise zuzuordnen sind, und es wird erwartet, dass der Beruf im Rahmen des **reduktionistischen Paradigmas** ausgeübt wird. Dies führt zu Konflikten und Verwirrung.

Cave

Zweifellos wird ► quantitatives „naturwissenschaftliches" Beweismaterial von Ärzten und Institutionsleitern höher bewertet als Material, das sich auf qualitative oder deskriptive Methoden stützt. Daraus ergibt sich ein Problem für Ergotherapeuten, die ihre Praxis nur schwerlich „naturwissenschaftlich" zu evaluieren vermögen.

Viele der Annahmen, auf die sich die ergotherapeutische Praxis stützt, sind aus anerkannten Meinungen oder deskriptiven Untersuchungen abgeleitet. **Kontrollierte Studien** lassen sich nur schwer konzipieren, und eine ▶ Metaanalyse ist wahrscheinlich unmöglich.

Phänomenologie in Deutschland

In Deutschland hatte das phänomenologische Paradigma aus historischen Gründen lange Zeit Akzeptanzprobleme. Im Nationalsozialismus wurden Theorieansätze einer phänomenologischen Denktradition radikal unterbunden bzw. ideologisch verdreht und ausgenutzt. Wissenschaft und Forschung standen fest im Zeichen des ▶ **Reduktionismus.** Während des 2. Weltkriegs wurden viele Philosophen und Wissenschaftler, die phänomenologische Ansätze entwickelten, verfolgt oder zur Emigration gezwungen. Daher standen die sozialwissenschaftliche Forschung und Praxis auch nach dem Krieg noch überwiegend unter dem Zeichen des Reduktionismus.

Evaluation philosophischer Theorie

Theorien, die philosophische, religiöse oder politische Ideen erklären wollen, können ihrem Wesen nach nicht durch Forschung überprüft werden, wenn sich auch Erkenntnisse der Forschung dazu verwenden lassen, sie zu untermauern oder zu widerlegen. Solche Theorien lassen sich aber auf andere Weise überprüfen. Es gibt eine lange (bis in die Antike rückverfolgbare) Geschichte komplexer **Techniken dialektischen und logischen Argumentierens,** mit deren Hilfe derartige Konzepte vorgeschlagen und dann zurückgewiesen oder angenommen werden können. Der Prozess ist oft komplex und für Uneingeweihte höchst undurchsichtig. Hier soll nicht der Versuch unternommen werden, diese analytischen Methoden zu be-schreiben. Therapeuten müssen, wie andere Menschen auch, solche Theorien als gegeben hinnehmen – oder andernfalls einen Kurs in Metaphysik für Fortgeschrittene belegen!

Postmoderne

In den vergangenen 20 Jahren geriet das reduktionistische Paradigma in die Kritik radikaler postmoderner Denker, die ▶ phänomenologische Prinzipien bis ins Extrem weiterentwickelten. Für sie ist Wahrheit nicht mehr „da draußen" als etwas Einheitliches, das auf seine Entdeckung wartet, sondern vielmehr „hier drinnen" – in den vielfältigen **Wahrnehmungen der Realität** durch den menschlichen Geist.

Für den **Ergotherapeuten Webber** (1995) bezeichnet die ▶ Postmoderne „eine zeitliche Epoche philosophischen Denkens ... und weniger eine spezifische formale Strömung, welche eine bestimmte Menge von Überzeugungen und Werten verkörpert" (S. 439). Webber fährt fort, die Postmoderne sei Ausdruck „... eines Wunsches, traditionelle oder modernistische Wissenskonzepte zu dekonstruieren, und sie vertritt den Standpunkt, dass objektive Realität bzw. Wahrheit unerreichbar ist, da sie durch Sprache, Wahrnehmung sowie politische und/oder kulturelle Voreinstellungen automatisch in etwas anderes transformiert wird" (S. 439).

Creek (1997) fügt hinzu: „Postmodernes Denken kann als eine Zurückweisung der Autorität aufklärerischen Denkens verstanden werden. Es greift das Konzept an, Menschen könnten vollständig objektiv sein, sofern sie dies nur ernsthaft genug versuchten, und es gebe nur ein einziges Paradigma des Wissens. ... Es weist Absolutismus, Rationalismus und Dualismus zurück und behauptet stattdessen, es gebe viele Wahrheiten, und alles Wissen sei Interpretation. Eine Rechtfertigung des Handelns lasse sich nicht aus abstrakten Prinzipien ableiten, sie müsse sich vielmehr aus der tatsächlichen Praxis unter konkreten Bedingungen ergeben" (S. 50).

Wenn man glaubt, **objektive Wahrheit** sei unerreichbar, hält man wahrscheinlich naturwissenschaftliche Untersuchungsmethoden für begrenzt. Die Diskussion über „Beweis" und „Widerlegung" von Theorien wird dann irrelevant. Wahrscheinlich ist es aber ebenso schwierig, alternative Methoden zur Erforschung der „Wirklichkeit" vorzuschlagen; denn die Wirklichkeit ist subjektiv und veränderlich, und sie verwandelt sich gerade durch den Akt des Beobachtetwerdens. Was man sieht, hängt davon ab, wer man ist und wo man steht; es verändert sich je nach persönlichen Werten, Erwartungen und Erfahrungen und auch durch die Worte, die man benutzt, um das Gesehene zu beschreiben. Dies mag zu dem nihilistischen Schluss führen, alles Forschen und Nachdenken sei vergebens. Aber die postmodernen Denker stehen auf einem optimistischeren Standpunkt; sie messen subjektiver Untersuchung Wert bei und schätzen sie gleichzeitig als vorübergehend und partiell ein.

Aus der **Perspektive der Ergotherapie** mögen solche Argumente obskur und belanglos erscheinen. Webber (1995) zeigt jedoch auf, dass postmoderne Ideen dazu beitragen, das ergotherapeutische Interesse an der subjektiven Sicht auf den Klienten zu begründen. Sie rechtfertigen außerdem die Anwendung ▶ qualitativer Maßstäbe sowie unser Unbehagen hinsichtlich „messbarer Ergebnisse in einer pseudomathematischen Sprache, weil sich damit subtile Fortschritte im menschlichen Bereich oft nicht erfassen lassen" (Webber 1995, S. 440).

Creek (1997) teilt diese Ansicht und lenkt die Aufmerksamkeit darauf, dass der Besitz „der Wahrheit" (wie sie von den Reduktionisten definiert wird) in der Vergangenheit auch mit Autorität und Macht für den jeweiligen Besitzer verbunden war. Daher habe man sich der obersten Autorität der Ärzte gebeugt, weil deren Praxis auf höchstrangigen Beweisen beruhte. Ein Teil der postmodernen Dekonstruktion dieses Paradigmas besteht in der Betonung von Gültigkeit, Stärke und Autorität einer **individuellen Wahrnehmung von „Wahrheit"**. Daher sollten Therapeut und – sehr wichtig – Klient gleiche Autorität haben. Creek (1997) schlussfolgert: „Wahrheit ist nicht äußerlich, universell und ewig, sondern persönlich, ortsabhängig und vergänglich. Ergotherapeuten mit ihrem Interesse an den persönlichen Erfahrungen des Einzelnen in seinem Alltag verstehen das. Für sie ist es beruhigend zu wissen, dass die Wahrheit nicht mehr da draußen auf ihre Entdeckung wartet, sondern dass sie Teil des Prozesses therapeutischer Intervention ist" (S. 52).

1.5 Auswirkungen auf die Ergotherapie: Spannungen innerhalb einer breiten Wissensbasis

Dieses Kapitel begann mit der Beschreibung der **Gründung der Ergotherapie** durch eine Gruppe von Menschen aus unterschiedlichen Berufen. Von allem Anfang an stützte sich die Ergotherapie auf eine breite Synthese von Wissen aus verschiedenen Wissenschaftsbereichen und Künsten. Da sich dieses Wissen aus verschiedenen theoretischen Perspektiven ableitet, lassen sich manche der Konzepte, auf denen die Ergotherapie basiert, fast nicht miteinander vereinbaren. Einerseits bezieht sich die Ergotherapie auf „harte Wissenschaften" mit reduktionistischer Grundlage – wie etwa Anatomie und Physiologie, Medizin und Verhaltenspsychologie –, andererseits hat man die subjektiven Erfahrungen des Individuums stets ernst genommen und zu verstehen versucht.

Für Ergotherapeuten besteht menschliches Verhalten aus viel mehr als nur den beobachteten Handlungen, die von der ▶ Umwelt bestimmt sind. Die jeweilige Bedeutung von ▶ Betätigungen und Rollen sowie die Effekte sozialer und kultureller Situationen sind für sie äußerst wichtig. Es ist interessant festzustellen, dass die Gründer der Ergotherapie mit ihrer ▶ **phänomenologischen Sicht des Individuums** ihrer Zeit voraus waren.

Wichtig

Die in der Ergotherapie vorhandene Mischung aus Künsten und Wissenschaften ist zugleich ihre Stärke und ihre Schwäche.

Die Ergotherapie hat eine **ganzheitliche Vor_ stellung** vom Individuum als einer Person gefördert, die in ihrer Umwelt Tätigkeiten ausübt. Diese Sichtweise hat es den Ergotherapeuten ermöglicht, aus dem verfügbaren Wissen eine Synthese zu bilden und so ihre Praxis zu bereichern. Die Verschiedenartigkeit der Quellen, aus denen das Wissen „geschöpft" wird, hat aber auch dazu geführt, dass der Berufsstand von Reduktionisten als vage, als zu eklektisch bzw. unwissenschaftlich kritisiert wird. Diese Spannung zwischen Theorie und Praxis ist als eine Art unterirdische Strömung in sämtlichen akademischen Debatten der vergangenen 30 Jahre spürbar. Sie ist eine der Antriebskräfte bei der Entwicklung von Praxismodellen.

Wichtig

Trotz ihrer Ablehnung reduktionistischen Denkens hilft uns die postmoderne Sichtweise zu verstehen, dass das phänomenologische und das reduktionistische Paradigma nicht an sich „richtig" oder „falsch" sind, sondern dass sie 2 Arten darstellen, die Welt zu sehen, die beide ihre Vorzüge und Nachteile haben.

Ein Berg lässt sich auf verschiedenen Wegen besteigen, und auch der Ausblick vom Gipfel mag unterschiedlich sein. Oft braucht es mehrere Blickwinkel, um eine Situation vollständiger zu erfassen. Über **postmoderne Ideen** wird heute viel geschrieben, und Empfehlungen für die weiterführende Lektüre lassen sich nur schwer geben. Die zitierten Texte enthalten weitere Literaturangaben, und in der Bibliothek findet man vielleicht ganz aktuelle Publikationen.

Zusammenfassung

Zu Wahrheit und Wirklichkeit gibt es unterschiedliche philosophische Sichtweisen.

- Die ► reduktionistische Sichtweise legt Wert auf traditionelle, naturwissenschaftliche Forschung zur Entdeckung von Fakten oder auf ► Theorien, die man so lange für wahr halten kann, bis sie widerlegt sind. Die Forschung beschränkt sich auf Gegenstände, die sich objektiv studieren lassen. Wissen verleiht Autorität.
- Die ► phänomenologische Sichtweise ist ganzheitlich. Subjektive und objektive Erfahrungen sind gleichermaßen gültig, und das Ganze ist mehr als die Summe seiner Teile.
- ► Postmoderne Denker glauben, es gäbe keine objektive Wahrheit oder Wirklichkeit, da wir alles Wissen durch unsere Gedanken und Wahrnehmungen filtern. Die Wahrnehmungen jeder Person sind gleichermaßen gültig, und jedes Individuum hat gleiche Autorität.

1.6 Theoriebildung innerhalb eines Berufsstandes

Das Wissen eines Berufsstandes wie der Ergotherapie wird von Faktoren innerhalb und außerhalb des Berufs abgeleitet. Während die Grundprinzipien, die die Berufspraxis definieren und begrenzen, dauerhaft sind, entwickeln sich **Wissen und Praxis** stetig weiter und entfalten sich innerhalb ihres Umfelds. Dies geschieht durch das Zusammenspiel vieler verschiedener berufsfremder und berufsinterner Elemente.

Zu den **berufsfremden Elementen** gehören:

- Wissen aus berufsfremden Quellen,
- berufsfremde Fertigkeiten und Techniken,
- Forschung vonseiten anderer,
- gesellschaftliche Werte und Tendenzen,
- das Umfeld der Praxis in seinen sozialen,

kulturellen, ökonomischen und politischen Aspekten,
- der Ort der Praxis, Spezialgebiete, die physische Umgebung,
- verfügbare Ressourcen.

Als **berufsinterne Elemente** sind relevant:
- vom Berufsstand entwickeltes Wissen,
- vom Berufsstand entwickelte ▶ Theorien,
- Entwicklungen auf dem Gebiet der beruflichen Ausbildung,
- vom Berufsstand entwickelte Praxis,
- die Notwendigkeit, Spezialgebiete zu verstehen und zu entwickeln,
- die Auswertung von Ergebnissen durch die Therapeuten,
- Forschung vonseiten der Therapeuten,
- Annahmen, von denen praktizierende Ergotherapeuten ausgehen,
- Einstellungen und Werte praktizierender Ergotherapeuten.

Bei einem praktisch orientierten Beruf gibt es eine enge Verbindung zwischen **„Tun" und „Erklären"**. Ein Therapeut beobachtet vielleicht ein bestimmtes Merkmal seiner praktischen Tätigkeit, das er anschließend beschreiben und eine Erklärung dafür suchen kann. Manchmal kann er vielleicht auch zu einer formalen wissenschaftlichen Untersuchung übergehen, indem er eine Hypothese aufstellt und experimentell überprüft. Bei anderer Gelegenheit ergründet er die Situation mittels ▶ qualitativer Methoden, wozu auch kritische Beobachtung und Analyse gehören. Er kann sich dafür entscheiden, Praxiselemente zu definieren oder zu erklären, und dafür, Theorien zu erstellen oder auf bestehende Theorien zurückgreifen. Er kann versuchen, eine ganzheitliche Erklärung der Ergotherapie insgesamt zu geben. Ist er mit irgendeiner dieser Aktivitäten befasst, so wird er (ob er es weiß oder nicht) zum Theoretiker. Praxis wird laufend von Theorien beeinflusst, und sie bringt ihrerseits gleichzeitig neue Konzepte und Ideen hervor.

Glossar

Siehe Glossar Kap. 3.

Literatur

College of Occupational Therapists (1994) Core skills and a conceptual framework for practice – a position statement. College of Occupational Therapists, London

Creek J (1997) The truth is no longer out there. British Journal of Occupational Therapy 60/2: 50–52

Hagedorn R (1997) Foundations for practice in occupational therapy. Churchill Livingstone, Edinburgh

Hopkins H, Smith H (eds) (1993) Willard and Spackman's occupational therapy, 8th edn. Lippincott, Philadelphia

Kielhofner G (1992) Conceptual foundations of occupational therapy. FA Davies, Philadelphia

Kuhn TS (1962) The structure of scientific revolutions. Univ of Chicago Press, Chicago

Kuhn TS (1977) The essential tension: selected studies on scientific tradition and change. Univ of Chicago Press, Chicago

Lloyd-Smith W (1997) Evidence-based practice and occupational therapy. British Journal of Occupational Therapy 60/11: 474–478

Miller RJ, Walker KF (1993) Perspectives on theory for the practice of occupational therapy. Aspen Publications, Gaithersberg

Popper KR (1959) The logic of scientific discovery. Hutchinson, London

Reed KL (1984) Models of practice in occupational therapy. Williams & Wilkins, Baltimore

Reed KL, Sanderson S (1983) Concepts of occupational therapy, 2nd edn. Williams & Wilkins, Baltimore

Stewart AM (1997) Research and professional development. In: Creek J (ed) Occupational Therapy and Mental Health, 2nd edn. Churchill Livingstone, Edinburgh

Webber G (1995) Occupational therapy: a postmodernist perspective. British Journal of Occupational Therapy 58/10: 439–440

Praxismodelle der Ergotherapie

Rosemary Hagedorn

2.1 Das Verhältnis von Modell und Theorie – 16

2.2 Die Entwicklung der ergotherapeutischen Berufspraxis – ein evolutionärer Prozess – 17

Stadium 1: Entwicklung und Erkundung – 17

Stadium 2: Standardisierung versus Diversifizierung – 17

Stadium 3: Akademische Untesuchung – 18

Gibt es Stadium 4? – 18

2.3 Entwicklung von Praxismodellen in den USA – 18

2.4 Diskussion um Begrifflichkeiten – 20

2.5 Verständnis der Konzepte – 20

Geborgtes Wissen – 21

Veränderungsprozesse – 21

Die ergotherapeutische Variante – 22

„Pure" Ergotherapie – 23

Der „große" Entwurf – 25

Umsetzung der Theorie in die Praxis – 26

Glossar – 26

Literatur – 26

2.1 Das Verhältnis von Modell und Theorie

In Kap. 1 wurden unterschiedliche Auffassungen von ► Theorie dargestellt. Angesichts dieser Verschiedenheit verwundert auch die Feststellung nicht, dass es zusätzlich noch unterschiedliche Auffassungen über das **Wesen eines Praxismodells** gibt und darüber, wie Modelle zu beschreiben sind. Darum geht es in diesem Kapitel. Der Begriff ► „Modell" wird hier für jede Form einer Beschreibung von Berufspraktiken benutzt, die von Therapeuten entwickelt wurden. Manchmal werden die Worte „Theorie" und „Modell" synonym verwendet. Christiansen u. Baum (1997) bemerken: „Ein Überblick über die wissenschaftliche Literatur der Ergotherapie zeigt bald, dass unter den Verfassern wenig Übereinstimmung darüber herrscht, wie das organisierte Fachwissen zu beschreiben ist. Die Begriffe ► ‚Theorie', ► ‚Modell', ► ‚Bezugsrahmen' und ► ‚Paradigma' werden auf verschiedenste Weise benutzt, um Teilmengen des beruflichen Wissens darzustellen" (S. 41).

Zu diesem Schluss kommen auch eine Reihe weiterer Autoren. Was wäre dann die **Beziehung zwischen Theorien und Praxismodellen**? Sind beide Begriffe einfach Synonyme oder unterscheiden sie sich? Leider gibt es auf diese Frage keine einfache Antwort. Young u. Quinn (1992) schlagen folgende Erklärung vor: „Modelle stellen im Wesentlichen Datenmaterial deskriptiv dar und müssen nicht unbedingt Voraussagen machen, obwohl sie es manchmal tun. Eine angemessene Theorie hingegen macht klare Voraussagen. So bemerken Chorley u. Haggett (1967), dass sich Modelle und Theorien nicht mit den gleichen Begriffen evaluieren lassen. Sie weisen darauf hin, dass wir wohl sagen können, eine Theorie sei (vorläufig) wahr oder falsch; ein Modell hingegen können wir höchstens als ‚passend' oder ‚unpassend', ‚anregend' oder dergleichen bezeichnen" (S. 14).

► Theorien bieten, wie schon gesagt, eine Erklärung für irgendeinen Aspekt der Welt, in der wir leben. Theorien, die im Rahmen des reduktionistischen Paradigmas aufgestellt wurden, werden geprüft, indem die Forschung sie zu widerlegen versucht.

Ein ► **Modell** hingegen ist an einen bestimmten „Gebrauchszweck" gebunden. Allgemein ist man sich einig, dass ein Modell Ideen, Konzepte und Methoden für einen spezifischen Beruf in sich vereinigt. Im Idealfall sollte ein Modell klären und erklären; es sollte dem Betrachter erleichtern zu verstehen, wie sich seine Elemente zu einer neuen Erklärung zusammenfügen. Es sollte Leitlinien für eine bestimmte Vorgehensweise vorgeben (oder zumindest andeuten). Modelle, die in der Krankenpflege benutzt werden, definieren beispielsweise, was Krankenpflege ist, was sie beabsichtigt und wie eine Krankenschwester oder ein Pfleger für Kranke sorgen sollte. Erziehungsmodelle erklären, wie Menschen lernen und wie sie demzufolge am besten unterrichtet werden können.

Es gibt keine lineare Beziehung zwischen Modellen und Theorien. Modelle sind von Theorien durchdrungen, können aber ihrerseits zur Entwicklung neuer Theorien führen. Wie dies im Einzelnen geschieht, hängt davon ab, wie man **„Theorie" und „Modell" definiert** – verschiedene Autoren tun dies auf unterschiedliche Art.

Für die Ergotherapie wurden unterschiedliche Modelltypen mit jeweils anderen Funktionen entwickelt. Manche dieser Modelle basieren auf der ► reduktionistischen Sichtweise, andere sind ► phänomenologisch oder sogar ► postmodern ausgerichtet. Manche konzentrieren sich auf einen bestimmten Schwerpunkt und sind nützlich für die Arbeit in einem Spezialgebiet, während andere einen breiten Rahmen für die Ergotherapie als Ganzes bilden wollen.

Wichtig

Im Allgemeinen kombinieren Modelle der Ergotherapie berufsfremde und berufsinterne Theorien und versuchen, einen bestimmten Aspekt der Praxis zu erklären und anzuleiten. Vielleicht kann man – auf die Gefahr hin, die komplexen Zusammenhänge zu stark zu vereinfachen – den Unterschied folgendermaßen zusammenfassen: Theorien erklären Prinzipien und Fakten, Modelle sagen, was man tun könnte und warum.

2.2 Die Entwicklung der ergotherapeutischen Berufspraxis – ein evolutionärer Prozess

Die Evolution von ► Modellen geschieht nach einem bestimmten Muster. Die Reihenfolge der Schritte scheint überall gleich zu sein, wenn sie auch in einer unterschiedlichen Geschwindigkeit durchlaufen werden. Bisher war Amerika, das Ursprungsland der Ergotherapie, dem Rest der Welt immer mehrere Jahre voraus. Aber heute, wo die beruflichen Kenntnisse und Fertigkeiten in vielen Ländern ein hohes akademisches Niveau erreicht haben, muss dies nicht unbedingt so bleiben. Der erwähnte evolutionäre Prozess weist **3 erkennbare Stadien** auf, die unmerklich ineinander übergehen.

Stadium 1: Entwicklung und Erkundung

Im 1. Stadium liegt das Hauptgewicht auf der **Entwicklung von Berufspraktiken.** Wissen und Fertigkeiten werden in den Beruf integriert, sie werden durch praktische Erfahrungen getestet und angepasst und gewinnen so an Relevanz für die Ergotherapie.

In diesem Stadium geht es in der Berufsausbildung im Wesentlichen um die **Vermittlung praktischer Fähigkeiten**; der Standardisierungsgrad ist gering. Es gibt kaum professionelle Literatur; die wenigen Veröffentlichungen befassen sich vorwiegend mit Vorgehensweisen und Grundlagenwissen. Forschung oder den Versuch der Theorie- oder Modellbildung gibt es nicht; ebenso wenig wird nach Grundprinzipien der Praxis gesucht. Die Entwicklung von Berufspraktiken vollzieht sich empirisch.

Stadium 2: Standardisierung versus Diversifizierung

Im 2. Stadium werden Wissen und Fertigkeiten, die als „legitim“ für den Berufsstand akzeptiert wurden, vereinheitlicht. Auch die Ausbildung wird standardisiert und offiziell anerkannt. Der Beruf entwickelt eine wohlorganisierte **formale Struktur.** Gleichzeitig beginnt die Praxis, sich zu diversifizieren und Spezialgebiete zu entwickeln, da sich das Arbeitsgebiet erweitert. Daraus ergibt sich ein Bedarf an spezifischen, strukturierten Wissensfeldern und an Fertigkeiten für diese Spezialgebiete. Die Forschung ist praxisorientiert und bedient sich deskriptiver oder ► quantitativer Methoden.

Diversifizierung kann allerdings auch zu **Fragmentierung** führen. In England spalteten sich beispielsweise in den 1970er Jahren Teile des Berufsstandes ab und bildeten neue Berufe mit Schwerpunkten, wie Kunsttherapie, Dramatherapie, Musiktherapie und Freizeitgestaltungstherapie („recreational therapy“).

In diesem Stadium neigt der Berufsstand dazu, sich selbst kritisch zu betrachten und seine Praxis stärker zu hinterfragen. Einige seiner Mitglieder beginnen, **Grundprinzipien für die Praxis** zu formulieren. Mit diesen Themen befasst sich auch die professionelle Literatur. Publikationen entstehen, die die Praxis beschreiben und einen Bezug zur Theorie herstellen; ► Bezugsrahmen für Spezialgebiete werden schriftlich formuliert.

Stadium 3: Akademische Untersuchung

Im 3. Stadium erhält der zunächst primär praxisorientierte Beruf eine erhebliche akademische Komponente. Die Berufsausbildung erreicht Hochschulniveau. **Forschungsmethodik** wird in den Lehrplan aufgenommen. Praktizierende Therapeuten werden ermutigt, ▶ Theorien und deren Anwendung zu hinterfragen, zu kritisieren und zu evaluieren.

In diesem Stadium reagiert der Berufsstand gegen Einflüsse von außen genauso wie gegen den großen Anteil an „geborgtem" Wissen und an „geborgten" Praktiken. Theoretiker versuchen, die spezifischen Merkmale der Ergotherapie zu definieren und eigene ▶ Modelle für den Beruf zu entwickeln. Immer mehr Therapeuten erlangen hohe akademische Qualifikationen – Diplom-, Doktor- und Professorentitel –, verfassen wissenschaftliche Arbeiten und führen Forschungsprojekte durch. Die Akademiker kennen die neueren Theorien anderer Berufsfelder. Sie beziehen sie in diesem Stadium jedoch nicht mehr unkritisch in den Wissensgrundstock ihres Berufes ein, sondern benutzen sie als **Anregung für Modelle und Theorien**, die sich direkt auf die Ergotherapie beziehen oder daraus ableiten.

Praktizierende Therapeuten interessieren sich für **Theorie und Forschung.** Sie suchen nach Belegen für die Wirksamkeit ihrer Arbeit und benutzen dabei sowohl ▶ quantitative als auch ▶ qualitative Methoden.

Gibt es ein Stadium 4?

Logischerweise muss die Antwort wohl „ja" lauten. Oft ist jedoch zur **Identifikation eines neuen Stadiums** ein längerer zeitlicher Abstand notwendig. Die USA, Kanada, Australien und England sind heute sicherlich bei Stadium 3 angelangt. Es ist interessant, darüber zu spekulieren, wie ein „Stadium 4" aussehen könnte; bislang zeichnet sich jedoch keine klare Tendenz ab – die Vielfalt überwiegt.

Zusammenfassung

Stadium 1 – Entwicklung und Erkundung
- Suche nach relevanten existierenden Kenntnissen und Techniken zur Entwicklung einer Praxis
- Übernahme von Kenntnissen und Techniken in die Praxis

Stadium 2 – Standardisierung vs. Diversifizierung
- Anpassung von Kenntnissen und Techniken, sodass sie für die Ergotherapie an Relevanz gewinnen
- Entwicklung von Spezialgebieten, die spezifische Kenntnisse und Techniken erfordern
- Herausbildung verwandter Therapieformen

Stadium 3 – akademische Untersuchung
- Berufsausbildung mit Hochschulniveau
- Anwachsen der Forschung, kritische Einschätzung der Praxis, akademische Publikationen
- Entwicklung von Theorien und Modellen speziell für die Ergotherapie
- Suche nach einigenden Konzepten und Definitionen

2.3 Entwicklung von Praxismodellen in den USA

Anhand der oben beschriebenen Stadien lässt sich die **Entwicklung professioneller Praxis und Theoriebildung** in den USA skizzieren – eine Entwicklung, die sich etwa zur gleichen Zeit in Kanada und ungefähr 15 Jahre später in Großbritannien vollzog. Die angegebenen Daten für die Stadien sind lediglich Anhaltspunkte zur besseren Orientierung; im Prinzip sind die Übergänge jedoch fließend.

Stadium 1 (Entwicklung und Erkundung) erstreckte sich von der Gründung des Berufsverbandes im Jahre 1917 bis zum ersten Erscheinens des „American Journal of Occupational Therapy" im Jahre 1947. Im selben Jahr wurde die berufliche Zulassung zur Vorschrift erhoben. In dieser Phase wurden die ausbildenden Schulen offiziell anerkannt, und der Beruf nahm eine erkennbare und stabile Gestalt an.

Stadium 2 (Standardisierung vs. Diversifizierung) überlagerte das 1. Stadium und setzte sich ab 1947 bis in das Jahr 1977 fort. In dieser Zeit wurde der Beruf gut strukturiert und geregelt. Man entwickelte Standards, ethische Erklärungen und Definitionen der Praxis.

Die organisierte Suche nach **theoretischen Erklärungen** für die Ergotherapie lässt sich bis in die 1940er Jahre zurückverfolgen; damals wurde die Suche aber lediglich durch die persönlichen Bestrebungen einiger weniger Therapeuten vorangetrieben. Während der 1960er und 1970er Jahre erschien eine Vielzahl an Fachpublikationen, verfasst von Praktikern und Akademikern aus dem Bereich der Ergotherapie. Manche von ihnen veröffentlichten auch ▶ Bezugsrahmen (s. unten). Namhafte Autorinnen waren Gail Fiddler, Anne Cronin Mosey, Mary Reilly, Lela Lorens und Jean Ayres (Miller u. Walker 1993). In dieser Zeit wurde auch eine Ausbildung auf Hochschulniveau entwickelt.

Es ist unklug, hier irgendeine Theoretikerin als besonders einflussreich hervorzuheben – und doch war das Werk der Gruppe um Mary Reilly in den 1960er Jahren zweifellos bahnbrechend. Reilly beschrieb das **Konzept des „Betätigungsverhaltens"** („occupational behaviour") und der **Zuteilbarkeit menschlicher Betätigungsformen** in verschiedene Kategorien, wie Spiel, Arbeit, Freizeit und Selbstversorgung (Miller u. Walker 1993). In den folgenden Jahren entwickelte sie viele Theorien über menschliche ▶ Betätigung und war eine der ersten, die die Relevanz der Theorie offener Systeme für das Paradigma „Betätigungsverhalten" erkannte. Reilly hatte starken Einfluss auf das Werk von Kathlyn Reed und Gary Kielhofner.

Aus dieser Vielzahl an akademischen Aktivitäten ging ganz selbstverständlich **Stadium 3** hervor. Der Zeitpunkt des Übergangs lag etwa um das Jahr 1977. Bis dahin war Theoriebildung hauptsächlich hochqualifizierten Akademikern vorbehalten. Ab 1977 jedoch zeigten Praxismodelle auch Auswirkungen auf die berufliche Grundausbildung; sie fanden endlich weite Verbreitung und wurden von Praktikern mit Interesse aufgenommen. Bis 1987 investierten ein Heer von Diplomanden und Doktoranden sowie eine Reihe namhafter Autoren viel Zeit in die Entwicklung von Praxismodellen, die alle jeweils das Wesen der Ergotherapie deutlich machen sollten.

Zwischen 1987 und 1997 wurde die Arbeit zunehmend akademischer. Das Interesse verschob sich von der Erforschung der Möglichkeiten, die Praxis zu verbessern, hin zur Frage nach dem Wesen von ▶ Betätigung, der ▶ Umwelt und der Bedeutung menschlichen Betätigungsverhaltens. Die Suche nach einem einigenden **Paradigma** oder einer einigenden Beschreibung von Ergotherapie wurde intensiviert. Die Theoretiker diskutierten die Frage, ob der Berufsstand die Begriffe ▶ „Betätigung" („occupation") oder ▶ „Aktivität" („activity") verwenden sollte, und suchten nach Definitionen für diese Begriffe.

Seit Mitte der 1990er Jahre entwickeln nun eine ganze Zahl von Theoretikern in den USA und anderswo **Modelle**, die ähnliche Eigenschaften aufweisen und auf den Konzepten „Person", „Umwelt" und „Betätigungsperformanz" („occupational performance") beruhen. Darin zeigt sich vielleicht ein entstehender Konsens über die theoretische Basis der Praxis.

Im Jahr 1989 wurde an der „University of Southern California" ein Doktorandenprogramm **„Occupational Science"** zur Erforschung der Grundlagen des menschlichen Betätigungsverhalten eingerichtet. Dieser neue interdisziplinäre Bereich entwickelte schon bald „ein Eigenleben" (Zemke u. Clarke 1997).

Bereits 1997 war diese Disziplin in einer Reihe von Ländern fest etabliert und veröffentlichte ihre eigenen Zeitschriften. Die „Occupational Science" erforscht menschliche ▶ Betätigung aus vielen Blickwinkeln; die Ergebnisse der Studien wirken wieder zurück auf die Ergotherapie.

Im beschriebenen historischen Ablauf erstreckten sich die Stadien 1 und 2 jeweils über etwa 30 Jahre. Dies ist zweifellos ein Zufall, aber es verleitet doch dazu, darüber zu spekulieren, ob es in der Entwicklung des Berufs so etwas wie einen **30-Jahres-Zyklus** gibt. Wenn dies so ist, dann beginnt Stadium 4 in den USA etwa im Jahr 2007.

2.4 Diskussion um Begrifflichkeiten

Wer nicht Englisch spricht, dem sind die Feinheiten der Diskussion um Praxismodelle nur schwer zu vermitteln. Ein Großteil der im englischen Sprachraum geführten Diskussion um **Modelle** dreht sich um die Bedeutung solcher Begriffe wie ▶ „Modell", ▶ „Bezugsrahmen" („frame of reference") oder ▶ „Paradigma" oder um die Bedeutung und die Zulässigkeit von Wörtern wie „occupation" (▶ Betätigung), „task" (Aufgabe) und „activity" (▶ Aktivität). Die Begriffe werden von verschiedenen Autoren unterschiedlich verwendet – manchmal als Synonyme, manchmal mit jeweils spezifischer Bedeutung. Darüber muss sich der Leser von Anfang an klar sein; er muss wissen, dass es bislang noch keine verbindlichen Definitionen gibt.

Die Bedeutung von Wörtern zu erörtern ist ein interessantes akademisches „Spiel"; für Studierende der Ergotherapie mag dies jedoch verwirrend und ablenkend sein. „Modell" bleibt ein brauchbarer übergeordneter Begriff, der in diesem Abschnitt weiterhin zur Bezeichnung aller Arten theoretischer Gedankengebäude verwendet wird.

Wichtig

Um Modelle zu verstehen, ist es nützlich, von der Diskussion um Begrifflichkeiten abzukommen. Stattdessen sollten zugrunde liegende Konzepte betrachtet werden, denn darüber herrscht – trotz des unterschiedlichen Gebrauchs von Begriffen – oft breite Zustimmung.

2.5 Verständnis der Konzepte

In einem Versuch, das Problem mit den Begrifflichkeiten zu umgehen, hat die Autorin bereits zuvor vorgeschlagen (Hagedorn 1997), in den existierenden Modellen **6 grundlegende Konzepte** zu identifizieren. Diese ergeben sich zum Teil aus der Analyse der oben beschriebenen 3 Stadien der Entwicklung von Wissen und Praxis und zum Teil aus einer Analyse der Konzepte aus bereits veröffentlichten Modellen:

- **geborgtes Wissen:** Kenntnisse und Fertigkeiten aus berufsfremden Quellen;
- **Veränderungsprozesse:** Sichtweisen davon, wie Menschen sich entwickeln, lernen und sich verändern;
- **die ergotherapeutische Variante:** Synthese aus externen Ideen und ergotherapeutischer Praxis, die den Therapeuten einen ▶ Bezugsrahmen für den spezifischen Gebrauch an die Hand geben soll;
- **„pure" Ergotherapie:** Modelle, die auf spezifischen Theorien und Praktiken des Berufsstandes beruhen und die sich auf Aspekte der Betätigungsperformanz („occupational performance") und der Umwelt konzentrieren;
- **der „große" Entwurf:** Suche nach einer umfassenden, einigenden Aussage über Reichweite und Wesen der Ergotherapie;
- **Umsetzung der Theorie in die Praxis:** Entwicklung von praktischen Fertigkeiten, Methoden der Befunderhebung und des Zugangs zum einzelnen Menschen auf der Basis von Modellen und Bezugsrahmen.

Die 6 Konzepte werden im Folgenden genauer erörtert und mit Beispielen illustriert. Dabei wird ein Zusammenhang mit den Modellen hergestellt, die in den weiteren Kapiteln des Buchs präsentiert sind.

Geborgtes Wissen

Wie in Kap. 1 dargestellt, basiert die Ergotherapie sowohl auf reduktionistischem als auch auf ► phänomenologischem Wissen. Seit ihren Anfängen hat sie versucht, **Wissen** aus den Bereichen der Medizin, Biologie und Psychologie mit Elementen aus Biomechanik, Ergonomik und Gestaltung zu verbinden. In jüngerer Zeit wurden auch in den Bereichen Soziologie, Lerntheorie, Humanismus, Anthropologie und Ökologie Anleihen gemacht.

Auch die **praktischen Fertigkeiten**, die in der Ergotherapie eine Rolle spielen, wurden im Kontext anderer Berufsfelder entwickelt. Sie stammen aus so unterschiedlichen Bereichen wie Erziehung (Schulunterricht), Psychotherapie, Physiotherapie, Handwerk und Kunsthandwerk.

Veränderungsprozesse

Menschen verändern sich auf vielerlei Weise und passen sich an. Solche Prozesse waren bereits Gegenstand ausführlicher Beschreibungen, und die Gesamtheit der entsprechenden Erkenntnisse wird in vielen Berufen im Bereich des Gesundheitswesens wie auch von Lehrern ausgiebig genutzt. Auch dieses Wissen hat die Ergotherapie „geborgt" und in ihre Theorie und Praxis integriert. Da jeder Veränderungsprozess zu seinem Verständnis eine große Menge Wissen erfordert – Wissen, das ein deutliches Bild des Individuums ermöglicht – ist es auch möglich, jeden dieser Komplexe als ein **Paradigma** zu beschreiben.

Wichtig

Die Paradigmen, die für den therapeutischen Veränderungsprozess leitend sein können, sind:
- Entwicklung (Ontogenese: Reifung und Entwicklung),
- Lernen,
- Anpassung,
- Rehabilitation.

Entwicklung ist ein natürlicher Prozess von Wachstum und Wandel im Laufe der Zeit. Jedes Individuum wird mit einem „Paket" an Möglichkeiten geboren, die seine Fähigkeiten zu geistigem und körperlichem Wachstum festlegen. Der Prozess der Reifung verwandelt das Kind in einen Erwachsenen.

Der Erwachsene zehrt lebenslang von seinem **Entwicklungspotenzial**, aber nur wenige Menschen schaffen es, ihr gesamtes Potenzial auszuschöpfen. Das individuelle Ausmaß wird bestimmt durch eine Kombination aus genetischen Merkmalen und Umweltbedingungen.

Lernen hängt eng mit der Entwicklung zusammen. Lernen ist der Prozess, in dem Menschen ihre Möglichkeiten in tatsächliche Fähigkeiten umsetzen, indem sie neue Kenntnisse, Einstellungen, Werte und Fertigkeiten erwerben. Es gibt viele verschiedene Modelle, deren Ziel es ist zu erklären, wie Lernen vor sich geht.

Anpassung ist der Vorgang, bei dem eine Person in Reaktion auf ihre Umwelt Denk- oder Verhaltensweisen ändert. Anpassendes Verhalten trägt dazu bei, Gesundheit und Wohlbefinden zu erhalten.

Rehabilitation ist der Prozess, durch den eine Person befähigt wird, sich von einer Krankheit oder Verletzung zu erholen, die ihre funktionsgerechten Fähigkeiten beeinträchtigt hat und sie vielleicht Geschicklichkeiten oder Kenntnisse verlieren ließ, die sie einst besaß. Eine Behandlung führt zur Wiederherstellung funktionsgerechter Fertigkeiten und minimiert die Funktionsstörung.

Auch für die Rehabilitation gibt es verschiedene Modelle. Die **biomedizinische Rehabilitation** konzentriert sich auf das Individuum. Sie kümmert sich um Funktionsbeeinträchtigungen, die zu Behinderungen führen, und versucht, diese Auswirkungen auszuschalten oder zu minimieren. Das **soziale Modell der Rehabilitation** hebt hervor, auf welche Weise das Individuum durch die Kombination aus kulturellen, sozialen, politischen und physischen Aspekten seines Umfelds beeinträchtigt wird, und versucht, diese äußeren Hindernisse zu beseitigen.

Die ergotherapeutische Variante

Bei der Assimilation von Wissen in ihren Beruf haben Therapeuten infolge praktischer Erfahrungen Variationen entwickelt, die besonders für die **Spezialgebiete der Ergotherapie** bedeutsam sind. So sind beispielsweise unterschiedliche Kenntnisse und Fertigkeiten erforderlich – je nachdem, ob man neurologisch beeinträchtigte Patienten, Menschen mit orthopädischen Problemen oder Menschen mit chronischen Geisteskrankheiten behandelt.

Wichtig

Ein strukturierter Ansatz für einen bestimmten Praxisbereich wird meist entweder ▶ „Bezugsrahmen" oder ▶ „Modell" genannt.

Aus praktischen Gründen – um zwischen verschiedenen Arten von Modellen zu unterscheiden – wird hier der Ausdruck **„Bezugsrahmen"** zur Beschreibung von Ansätzen verwendet, die weitgehend auf geborgtem Wissen beruhen. Der Begriff ▶ **„Ergotherapiemodell"** ist denjenigen Ansätzen vorbehalten, die aus Konzepten und Praktiken entstanden sind, die im Rahmen des Berufs entwickelt wurden.

▶ **Bezugsrahmen** waren die erste Art, auf dem Gebiet der Ergotherapie konzeptionelle Strukturen zu beschreiben. Anne Cronin Moseys Artikel „Recapitulation of Ontogenesis" (1968) lag ein entwicklungspsychologischer Bezugsrahmen zugrunde, während ihr späteres Buch „Three Frames of Reference for Mental Health" (1970) entwicklungspsychologische, analytische und akquisitionale (d. h. nach dem Modell der Lerntheorie orientierte) Ansätze beschrieb. Diese Ideen wurden in ihrem Buch über die psychosozialen Aspekte der Ergotherapie zusammenfassend veröffentlicht (Mosey 1986). Andere Autoren beschrieben Bezugsrahmen wie etwa biomechanische oder neurophysiologische Ansätze für die physisch orientierte Praxis (z. B. Trombly 1995; Pedretti 1996; Turner et al. 1996). Um für ihre Arbeit auf dem Gebiet psychischer Gesundheit ein Modell zu entwickeln, verwendete Claudia Allen (1985) einen kognitiv-entwicklungspsychologischen Rahmen. Neuere Publikationen beschreiben die am häufigsten verwendeten Bezugsrahmen (z. B. Hagedorn 1997; Kielhofner 1997; Hopkins u. Smith 1993).

Über die **Bezeichnungen dieser** ▶ **Bezugsrahmen** herrscht bislang kein Konsens; sie variieren bei verschiedenen Autoren. Im Folgenden sind die gebräuchlichsten Namen aufgelistet (Alternativen jeweils in Klammern; Kielhofner 1997; Hagedorn 1997):

- Bezugsrahmen für den Bereich der **körperorientierten Ergotherapie:**
  - biomechanisch (biomedizinisch),
  - kognitiv-perzeptiv,
  - neurophysiologisch (motorische Kontrolle),
  - sensorische Integration;
- Bezugsrahmen für das Gebiet der **psychischen Gesundheit:**
  - kognitiv-verhaltenstherapeutisch,
  - verhaltenstherapeutisch,
  - Gruppenarbeit,
  - analytisch (psychodynamisch, psychotherapeutisch),
  - humanistisch (▶ klientenzentriert).

Darüber hinaus gibt es zahlreiche weitere Bezeichnungen. Ein typischer Bezugsrahmen bringt relevantes Wissen über medizinische Bedingungen bzw. über Aspekte menschlicher Entwicklung oder menschlichen Verhaltens zusammen und stellt einen Bezug zu Behandlungsmethoden und -techniken her. Bereiche und Methoden der Befunderhebung werden beschrieben, und manchmal wird der Stil des Zugangs zum Patienten genauer umrissen.

„Pure" Ergotherapie

Die meisten der bis Mitte der 1980er Jahre verwendeten ► Bezugsrahmen basieren also auf **geborgtem Wissen** mit einigen ergotherapeutischen Modifikationen. Die Theoretiker wurden jedoch zunehmend unzufriedener darüber, die Ergotherapie mit entlehnten Begriffen beschreiben zu müssen. Sie wollten zeigen, dass die Ergotherapie auf eigenes Wissen und eine eigene Praxis zurückgreifen konnte.

Zudem äußerten insbesondere amerikanische Akademiker Besorgnis darüber, dass die Ergotherapie von **reduktionistischen biomechanischen Denkweisen** dominiert wurde, die von medizinischen und psychologischen Modellen herrührten und nicht immer angemessen waren. Man argumentierte, die Ergotherapie sei von jeher auf den Einzelnen bezogen und ► klientenzentriert.

Weitere Einflüsse kamen vonseiten sozialer und umweltbezogener Modelle von Behinderung sowie vonseiten der Bewegung für die Rechte behinderter Menschen, die einen klientenzentrierteren therapeutischen Ansatz forderte. Dies führte zur Entwicklung von Modellen, die anfangs ► **„biopsychosozial"** genannt wurden, da sie auf sozialen und umweltbezogenen Erklärungen für Behinderung und Dysfunktion beruhten.

Die zunehmende akademische Forschung im Bereich „Betätigung und Betätigungsverhalten" verlieh der Ergotherapie neue Impulse für die Modellbildung. Die Arbeit amerikanischer, kanadischer und anderer Theoretiker führte zur Entwicklung von Modellen, in denen es um **menschliche ► Betätigung und die anpassende Durchführung einer Betätigung** („adaptive occupational performance") geht. Dazu gehören die im Buch vorgestellten Modelle von Gary Kielhofner, Mary Law und Kathlyn Reed. Reeds und Kielhofners Modelle waren unter den ersten, die auch außerhalb der USA Verbreitung fanden. Insgesamt hatten solche Modelle großen Einfluss auf Forschung und Entwicklung.

Seit kurzem wird diese Gruppe von Modellen zusammenfassend mit dem Begriff **„Person-Umwelt-Betätigungsperformanz-Modelle"** bezeichnet (Christiansen u. Baum 1997).

Modelle zum ergotherapiespezifischen Zusammenhang von Person, Umwelt und Betätigungsperformanz

Die Modelle dieser Gruppe sind vergleichbar mit den Variationen eines musikalischen Themas. Das Thema ist in diesem Fall das **Kernkonzept**, dass sich die Ergotherapie mit der Person und ihren ► Betätigungen in ihrer ► Umwelt befasst.

Wichtig

„Leben" bedeutet eine kontinuierliche „Transaktion" (Law et al. 1997) bzw. Interaktion zwischen dem Menschen, seiner Umwelt und seinen ► Betätigungen. Ob die Durchführung einer Betätigung gelingt, hängt davon ab, wie gut die individuellen Fähigkeiten, die ► Anforderungen seitens der Umwelt und die durch eine Aufgabe festgelegten Anforderungen zusammenpassen.

Jeder Theoretiker hat dieses zentrale Thema aufgenommen und interpretiert, neue Aspekte hinzugefügt sowie persönliche Variationen und Improvisationen kreiert. Diese Konzepte werden in der Literatur ausführlich dargestellt, und manche davon sind zunächst recht schwer verständlich. Einige Autoren haben eigens für ihr Modell eine eigene deskriptive Sprache entwickelt; dies macht die entsprechenden Publikationen zuweilen schwer lesbar. Mehr als eine Beschreibung der **Hauptmerkmale der Modelle** ist in diesem Rahmen nicht möglich. Im Folgenden geht es also um die Schlüsselbegriffe „Person", „Umwelt" und „Betätigung".

Die Person. Zugrunde liegt eine humanistische Sicht des Individuums. Jede Person hat ein Potenzial sowie einen eigenen Wert und ist entscheidungs- und entwicklungsfähig.

Wichtig

Der Mensch wird oft als offenes System betrachtet: Er wird von seiner Umgebung beeinflusst und beeinflusst sie seinerseits. Wie alle Lebewesen, kann auch ein Mensch nur in seiner Beziehung zum Gesamtkontext seiner ▶ Umwelt verstanden werden, mit und in der er dauernd interagiert. Die Fähigkeit einer Person, sich mittels Rollen und ▶ Betätigungen erfolgreich an ihr Umfeld anzupassen, ist wesentlich für ihre Gesundheit und ihr Wohlbefinden.

Ein komplexes Betätigungsverhalten gehört wesentlich zum Menschsein. Da kein anderes Lebewesen derart weitentwickelte Verhaltensweisen zeigt, gilt Betätigungsverhalten als grundlegendes Merkmal des Menschseins.

Die Umwelt. Die Umwelt ist komplex und besteht aus physischen, sozialen, kulturellen, menschlichen und nichtmenschlichen Elementen.

Wichtig

Räumliche und soziale Beeinträchtigungen ergeben sich aus den nachteiligen Wirkungen der Umwelt auf das Individuum. Die Funktionsfähigkeit lässt sich steigern, und Fähigkeitsstörungen lassen sich minimieren, indem man ein angemessenes Umfeld schafft.

Die kombinierten Umweltaspekte stellen bestimmte ▶ Anforderungen an das Individuum bzw. erzeugen einen ▶ Druck, mit spezifischen **Rollen** oder mit einem bestimmten **Betätigungsverhalten** zu reagieren. Dieses Konzept ist möglicherweise nicht geläufig und bedarf weiterer Erläuterung. So lernt man beispielsweise in der traditionellen europäisch-christlichen Kultur aus Erfahrung, dass man sich in Kirchen respektvoll verhält und nicht rennt oder schreit. Selbst wenn gerade kein Gottesdienst stattfindet, senkt man beim Betreten der Kirche seine Stimme und ändert sein Verhalten entsprechend den Erwartungen. Gleichzeitig weiß man, dass man in einer Disco tanzen, reden und sich ungezwungen benehmen darf. Man erwartet laute Musik und Lichteffekte. Man wäre wahrscheinlich irritiert, wenn man beim Betreten einer Kirche Discomusik und -beleuchtung vorfände oder wenn in der Disco alle Anwesenden still und verhalten wären.

Auslöser für solche Verhaltensweisen sind die Hinweise, die die Umwelt bietet und die wir zu erkennen gelernt haben. Dazu gehören die Art des Ortes, das Verhalten der Leute an diesem Ort und unsere Erwartungen bezüglich dessen, was an diesem Ort geschieht. Ohne dass uns dies bewusst wird, suchen wir unsere Umwelt laufend nach solchen Hinweisen ab, um sie aufzunehmen und unser Verhalten entsprechend anzupassen. Man kann daher sagen, der Mensch erfahre ▶ Druck aus seiner Umwelt, einen Betätigungsmodus zu wählen, der der Umwelt entspricht (Kielhofner 1995; Hagedorn 1997).

Betätigung. In der „Occupational Science" (s. oben) wird Betätigung („occupation") definiert als „einzelne Bündel (‚chunks') von Aktivität, die gemäß dem Wortschatz der jeweiligen Kultur benannt werden und die im Fluss der Zeit geschehen" (Hagedorn 1995, S. 16). Diese Definition ist heute weitgehend anerkannt. Für das Überleben, die Gesundheit und das Wohlbefinden des Menschen ist es wesentlich, dass er sich in einer Reihe von ▶ Betätigungen und sozialen Rollen engagiert oder daran teilnimmt. Betätigung ist mehr als ein nützliches Überlebenswerkzeug. Menschliche Betätigung ist produktiv und sinnvoll und fördert die Identität und das Selbstbild dessen, der sie ausübt.

Betätigungen stellen an das Individuum die **Anforderung**, die Fertigkeiten und Kenntnisse zu erwerben, die für eine kompetente Ausführung nötig sind (Hagedorn 1995). Um sich anzuziehen, muss man beispielsweise wissen, wie welche Kleider aussehen und welchen Zweck sie haben. Man muss die Reihenfolge kennen, in der sie angezogen werden. Man muss die körperliche Fähigkeit haben, nach etwas zu greifen, etwas zu bewegen, zu heben, zu packen und zu ziehen. Man muss Verschlüsse verschiedenster Art handhaben können. Die ▶ Anforderung ergibt sich aus der Aufgabe. Einige Aufgaben stellen hohe Anforderungen, andere geringere. Kann man den Anforderungen nicht durch eine adäquate Reaktion entsprechen, so lässt sich die Aufgabe nicht erfüllen.

Das Wesen von ▶ Betätigung ist für Ergotherapeuten ein wichtiges Untersuchungsfeld. Unser **Verständnis von Betätigungen** ist noch nicht ausreichend; sie haben eine komplexe Struktur, die auf verschiedenen Ebenen beschrieben werden kann. Bislang ist es nicht gelungen, eine Taxonomie (d. h. ein System zur Klassifizierung) zu entwickeln, die eine zufriedenstellende Beschreibung ermöglichen würde (Henderson 1997).

Der „große" Entwurf

Die Theoretiker, die Modelle vom Typ der „puren" Ergotherapie" erstellten, waren zumindest teilweise von dem Wunsch motiviert, ein **einigendes Paradigma** für die Ergotherapie zu finden. Dieses Paradigma sollte das Kernwissen strukturieren und eingrenzen, irrelevantes Material ausschließen und einer Fragmentierung entgegenwirken.

Allerdings erweist sich bei Gegenständen von der Komplexität und Verschiedenartigkeit der Ergotherapie, die verschiedene Sichtweisen auf den Menschen in sich vereinigt, die Suche nach einer einheitlichen und kohärenten **Formulierung von ▶ Theorien und Prinzipien** als schwierig. Man ist sich nicht einmal darüber einig, ob dies möglich oder wünschenswert ist. Christiansen u. Baum (1997) weisen diesbezüglich auf die akademische Debatte in den USA hin: Dort gibt es einerseits Theoretiker, wie etwa Anne Cronin Mosey, die die Meinung vertreten, Ergotherapie sei schon immer pluralistisch gewesen und sollte auch weiterhin viele ▶ Bezugsrahmen verwenden. Andere Akademiker, wie Christiansen selbst, dagegen streben ein vereinheitlichendes Praxismodell an, das auf den Themen „Person" – "Umwelt" – "Betätigung" basiert und umfassend genug ist, alle Aspekte der ergotherapeutischen Praxis in sich aufzunehmen.

So gibt es also bisher noch kein allgemein anerkanntes **Paradigma**, und die entsprechende Literatur ist zu komplex, um sie hier adäquat darzustellen. Es mag ein Fehler sein, die beiden Seiten der Debatte als unvereinbar zu verstehen. Vielleicht ist es möglich, ein Paradigma zu finden, das die Praxis vereinheitlicht und es dem Therapeuten gleichzeitig ermöglicht, innerhalb dieses Gesamtrahmens verschiedene Ansätze zu benutzen.

2

Modelle als persönliche Konstrukte

Postmoderne Denker würden natürlich sagen, die Suche nach einem einigenden Paradigma sei angesichts der Tatsache, dass es keine einzig richtige Form der **„Wahrheit über Ergotherapie"** gibt, vergleichbar mit der Jagd nach einem Phantom. Alles, was wir tun könnten, sei zu beschreiben, was verschiedene Menschen in verschiedenen Situationen unter „Ergotherapie" verstehen.

Wichtig

Letztlich existieren Theorie und Praxis in den Köpfen der Menschen. In der Berufsausbildung und anschließend in der beruflichen Praxis bildet sich jede/r Ergotherapeut/in eine persönliche Auffassung davon, was Ergotherapie ist. Man weiß, welche Theorien für einen selbst relevant sind und wie man in dem Rahmen, in dem man arbeitet, praktizieren kann.

Dies macht man sich bei der täglichen Arbeit vielleicht nicht bewusst, weil Theorie und Praxis integriert sind. Wird man aber danach gefragt, so kann man wahrscheinlich gut Rechenschaft darüber ablegen, was man tut und warum. Daher haben einige Theoretiker (z. B. Kortmann 1994) eine Sichtweise vorgeschlagen, nach der jeder Therapeut ein **persönliches Paradigma oder Modell** hat, an dem sich seine Praxis orientiert. In gewisser Weise ist dies sicher richtig, denn jeder von uns macht seine ganz persönlichen Erfahrungen bezüglich der Frage, was es heißt, Ergotherapeut zu sein.

Die meisten veröffentlichten Modelle haben als persönliches Konzept begonnen, zu dessen Formalisierung sich sein Autor entschloss, um es mit andern teilen zu können. Soll der Beruf jedoch als sinnvolle Einheit betrachtet werden, müssen die individuellen mentalen Bilder davon, was es heißt, Ergotherapeut zu sein, untereinander Ähnlichkeiten aufweisen können. Zum Glück ist dies auch der Fall. Wenn man reist und Ergotherapeuten aus verschiedenen Ländern trifft, so sind sie alle schnell als Ergotherapeuten identifizierbar. Paradoxerweise ist diese Ähnlichkeit ein Argument für die Hypothese, dass es irgendeine Form eines **einigenden Paradigmas für den Berufsstand** gibt, das sich irgendwann auch formulieren lassen wird.

Umsetzung der Theorie in die Praxis

Oben wurden **6 Konzepte** genannt, von denen bislang 5 erörtert wurden. Das 6. Konzept, das der „Umsetzung der Theorie in die Praxis", wird im folgenden Kapitel diskutiert.

Glossar

Siehe Glossar Kap. 3.

Literatur

Allen CK (1985) Occupational therapy for psychiatric disorders: measurement and management of cognitive disabilities. Little Brown, Boston

Christiansen C, Baum C (eds) (1997) Occupational therapy – enabling function and well-being, 2nd edn. Slack, New Jersey

Hagedorn R (1995) Occupational therapy, perspectives and processes. Churchill Livingstone, Edinburgh

Hagedorn R (1997) Foundations for practice in occupational therapy. Churchill Livingstone, Edinburgh

Henderson A (1997) The scope of occupational science. In: Zemke R, Clarke F (eds) Occupational Science, the evolving discipline. FA Davies, Philadelphia

Hopkins H, Smith H (eds) (1993) Willard and Spackman's Occupational therapy, 8th edn. Lippincott, Philadelphia

Kielhofner G (1995) A model of human occupation: theory and application, 2nd edn. Williams & Wilkins, Baltimore

Kielhofner G (1997) Conceptual foundations of occupational therapy, 2nd edn. FA Davies, Philadelphia

Kortman B (1994) The eye of the beholder: models in occupational therapy. Australian Journal of Occupational Therapy 41:115–122

Law M, Cooper BA, Strong S, Stewart D, Rigby P, Letts L (1997) Theoretical contexts of practice of occupational therapy. In: Christiansen C, Baum C (eds) Occupational therapy – enabling function and well-being, 2nd edn. Slack, New Jersey

Miller RJ, Walker KF (1993) Perspectives on theory for the practice of occupational therapy. Aspen Publications, Gaithersberg
Mosey AC (1968) Recapitulation of ontogenesis: a theory for the practice of occupational therapy. American Journal of Occupational Therapy 22: 426–438
Mosey AC (1970) Three frames of reference for mental health. Slack, New Jersey
Mosey AC (1986) Psychosocial components of occupational therapy. Raven, New York
Pedretti LW, Zoltan B (1996) Occupational therapy practice skills for physical dysfunction, 4th edn. CV Mosby, Baltimore
Trombly CA (1995) Occupational therapy for physical dysfunction, 4th edn. Williams & Wilkins, Baltimore
Turner A, Foster M, Johnson SE (eds) (1996) Occupational therapy and physical dysfunction: principles, skills and practice, 4th edn. Churchill Livingstone, Edinburgh
Young ME, Quinn E (1992) Theories and principles of occupational therapy. Churchill Livingstone, Edinburgh
Zemke R, Clarke F (eds) (1997) Occupational science, the evolving discipline. FA Davies, Philadelphia

Umsetzung von Modellen in die Praxis

Rosemary Hagedorn

3.1 Wozu Modelle? – 30

3.2 Klinisches Reasoning – 30
Ergotherapeutischer Prozess und klinisches Reasoning – 31
Formen des klinischen Reasoning – 32

3.3 Rückwirkung von Modellen auf das klinische Reasoning – 32
Theoriebestimmte Praxis – 33
Prozessbestimmte Praxis – 35
Arbeiten mit einem „puren" ergotherapeutischen Modell – 37

3.4 Evaluation von Praxismodellen – 38
Genügen unsere heutigen Modelle den hohen Anforderungen? – 39

Glossar – 41

Literatur – 43

3.1 Wozu Modelle?

Eine amerikanische Pionierin der Ergotherapie, Gail Fiddler, erkannte das Problem klar während ihres ersten Studienpraktikums im Jahre 1944. Später schrieb sie darüber: "Die Ergotherapieabteilung genoss viel Respekt und war als wertvolle Dienstleistung für die Patienten anerkannt. Was aber fehlte – und dies störte mich –, waren **Grundprinzipien für die Praxis.** Man fragte sich nicht nach dem „Warum" und stellte sich einfach nicht der Herausforderung, Hypothesen bzw. theoretische Erklärungen zu formulieren" (Miller u. Walker 1993, S. 19).

Die **Definitionen** in Kap. 1 beschreiben, was Ergotherapie ist und was sie zu tun versucht. Sie bieten jedoch keine Argumente bezüglich des „Wie" und des „Warum" dieses Anspruchs bzw. bezüglich der Frage, ob der Anspruch auch erfüllt wird. Es ist nicht genug, dem Patienten zu sagen: „Wir glauben, dass das, was Sie hier bei uns tun sollen, gut für Sie ist." oder „Wir können Ihnen dabei helfen, Ihre Aufgaben besser zu bewältigen." Dasselbe kann auch jemand ohne Ausbildung behaupten, der irgendeine esoterische alternative Therapie praktiziert.

Wie weiß der Patient oder die Person, die eine Überweisung schreibt, dass Ergotherapie eine wirksame Form der Behandlung ist? Kann der Ergotherapeut, wenn er danach gefragt wird, Argumente anführen, die die grundlegenden Prinzipien, Annahmen und Praktiken der Therapie untermauern? Wir haben gesehen, dass sich im Rahmen **des reduktionistischen Paradigmas** eine Behandlungsform durch solide Forschung auf naturwissenschaftlichen Prinzipien ausweisen muss, wenn sie als wirksam anerkannt werden soll. Es muss klar sein, dass es eine kohärente Gesamtheit von Kenntnissen und Fertigkeiten gibt, die bei korrekter Anwendung die Gesundheit oder das Wohlbefinden eines Patienten wirksam unterstützt.

Dies galt 1944, als Gail Fiddler ihr Unbehagen über das **Fehlen von Grundprinzipien** für die Praxis ausdrückte, und es gilt noch heute, da Gesundheitsdienste den Wert einer solchen Vielzahl konkurrierender Therapieformen abwägen müssen und nach „Nachweisen" suchen, auf die sie ihre Entscheidungen gründen können.

Wichtig

Ohne Grundprinzipien kann man keine Auszubildenden unterrichten, keine Forschung durchführen und den Beruf nicht weiterentwickeln. Mit anderen Worten: Ohne klare Grundprinzipien kann und sollte man Patienten nicht behandeln.

Hat man statt rein persönlicher Versionen schriftlich fixierte **Praxismodelle**, so sollte dies helfen zu gewährleisten, dass die Ergotherapie weltweit eine kohärente Menge von Ideen, Annahmen und Praktiken beinhaltet.

Ein ▶ Modell sollte uns eine Reihe von Methoden und eine Perspektive zur Betrachtung von Situationen an die Hand geben, aber es sollte auch grundlegende Prinzipien bieten sowie Beweismaterial, das diese Prinzipien untermauert. Aber wie übersetzen wir ein Modell vom gedruckten Text in die Praxis? Wie wissen wir, dass wir das richtige Modell ausgewählt haben, und welcher Unterschied ergibt sich daraus für unsere Praxis, wenn es denn überhaupt einen gibt? Um die Antworten auf diese Fragen zu begreifen, muss man erst verstehen lernen, wie Therapeuten denken.

3.2 Klinisches Reasoning

Wichtig

"Klinisches Reasoning" (klinisches Schlussfolgern und Begründen) ist ein Begriff, der verwendet wird, um die gedanklichen Prozesse zu beschreiben, mit denen sich Therapeuten ein Bild von einem Fall machen und darüber entscheiden, was zu tun ist, um dem Individuum beim Erreichen seiner Ziele zu helfen.

Das ▶ klinische Reasoning in der Ergotherapie wurde noch nicht weitgehend genug untersucht. Viel bleibt noch zu entdecken. Mattingley u. Fleming führten eine einflussreiche Studie in den USA durch, deren Ergebnisse 1994 veröffentlicht wurden (Mattingley u. Fleming 1994). Eine Zusammenfassung **grundlegender Prinzipien des klinischen Reasoning** findet man bei Hopkins u. Smith (1993), Hagedorn (1995 und 1997) und Christiansen u. Baum (1997).

Insgesamt betrachtet geben uns das Werk von Mattingly u. Fleming (1994) und andere Forschungsprojekte in verschiedenen Ländern sowie Reasoning-Untersuchungen aus anderen Berufen einige Möglichkeiten an die Hand, die **verschiedenen Formen des Reasoning** zu identifizieren, die Therapeuten an verschiedenen Stellen des ergotherapeutischen Prozesses anwenden. Der ▶ ergotherapeutische Prozess wird in nahezu jedem grundlegenden Lehrbuch der Ergotherapie dargestellt, das in den USA und England seit 1985 veröffentlicht wurde. Jüngere Publikationen zum Thema „klinisches Reasoning" sind u. a. Reed u. Sanderson (1992), Turner et al. (1996), Hagedorn (1997) und Creek (1997). In der deutschen Ergotherapie ist das Thema bis auf wenige Ausnahmen (Feiler 1997, 2003) noch weitgehend unbekannt.

Ergotherapeutischer Prozess und klinisches Reasoning

Der Prozess des ▶ klinischen Reasoning ist aber nicht nur der Ergotherapie eigen – dieser **„Problemlösungsprozess" (Abb. 3.1)** wird auch in vielen anderen Berufen im Bereich des Gesundheitswesens immer wieder durchlaufen. Der Prozess verlangt vom Therapeuten:
- sich Informationen zu beschaffen,
- die Informationen zu analysieren,
- über das Wesen des „Problems" (in der Ergotherapie: über Zustand und Situation des Patienten) zu befinden,

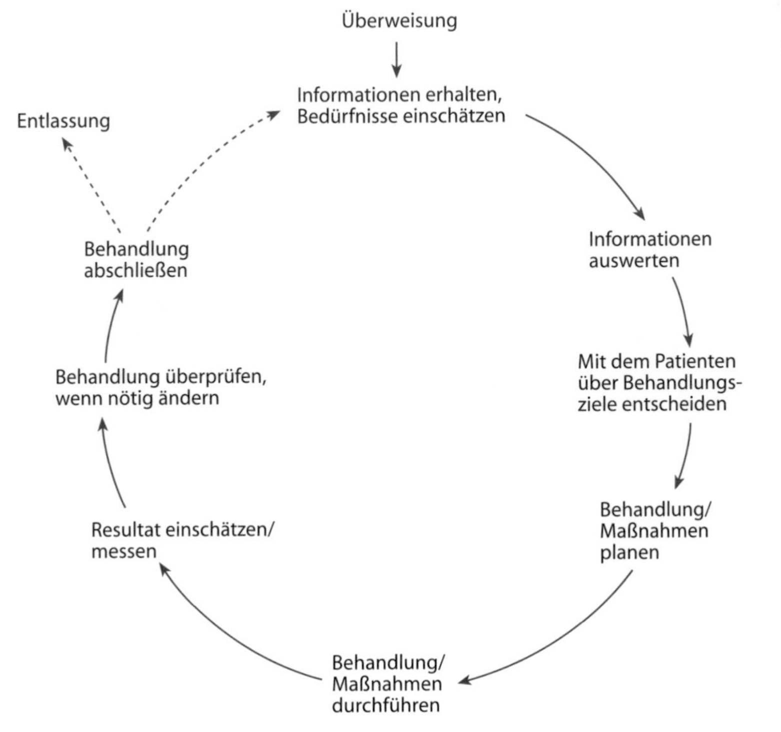

Abb. 3.1. Der Ergotherapieprozess. (Nach Hagedorn 1997)

- die angemessene „Lösung“ (Handlungsweise oder Therapie) auszuwählen.

Entsprechend wird dann gehandelt, und die Ergebnisse werden gesichtet. Wenn nötig, werden **Modifizierungen** vorgenommen. Dies mag in dieser Form recht restriktiv klingen – aber selbstverständlich macht der Therapeut seine Analyse zusammen mit dem Patienten, der sein eigenes Verständnis und seine Ideen beisteuert. Allerdings wird nicht alles, was im Kopf des Therapeuten vor sich geht, mit dem Patienten geteilt – nicht zuletzt deshalb, weil Denkprozesse oft zu schnell ablaufen, als dass man sie in allen Schritten mitteilen könnte oder sich ihrer auch nur bewusst wäre.

Formen des klinischen Reasoning

Unterschiedliche Autoren haben eine Reihe von Formen des ▶ klinischen Reasoning beschrieben. **In Tabelle 3.1** sind diese Beschreibungen zusammengefasst und jeweils leicht verständlich erklärt. Für nähere Informationen kann die angegebene Literatur konsultiert werden.

3.3 Rückwirkung von Modellen auf das klinische Reasoning

Es ist offensichtlich, dass die **Denkweise eines Therapeuten** eine direkte Auswirkung darauf hat, was er tut. Ein Therapeut, der klar und analytisch denkt und logisch argumentiert, kann gut Probleme lösen und setzt seine Erfahrung optimal ein, sodass seine Therapie wahrschein-

Tabelle 3.1. Klinisches Reasoning. (Nach: Hagedorn 1997)

Formen des klinischen Reasoning	Erläuterungen
„Diagnostic“ Reasoning (diagnostisches Reasoning; Rogers u. Holm 1991)	Hier handelt es sich um einen hypothetisch-deduktiven Prozess. Der Ergotherapeut sammelt Hinweise, bildet eine Hypothese über deren Bedeutung, überprüft seine Hypothese anhand früherer Kenntnisse und „diagnostiziert“ das Problem.
„Predictive“ Reasoning (voraussagendes Reasoning; Hagedorn 1995)	Der Ergotherapeut gebraucht seine Erfahrung aus ähnlichen Situationen, um vorauszusagen, was im aktuellen Fall (vermutlich) passieren wird.
„Procedural“ Reasoning (prozedurales Reasoning; Mattingley u. Fleming 1994)	Der Ergotherapeut gebraucht seine Erfahrung und seine Fähigkeiten zur Problemlösung bei der Entscheidung, was zu tun ist und in welcher Reihenfolge dies zu geschehen hat.
„Pragmatic“ Reasoning (pragmatisches Reasoning; Rogers u. Holm 1991)	Der Therapeut erwägt praktische Aspekte, etwa Ressourcen und Umstände, die die Therapie unterstützen oder einschränken können.
„Ethical“ Reasoning (ethisches Reasoning)	Der Therapeut beurteilt, ob vorgeschlagene Handlungen moralisch, vorteilhaft und im besten Interesse des Patienten sind.
„Interactive“ Reasoning (interaktives Reasoning; Mattingly u. Fleming 1994)	Bewusstes Vorgehen, das die Interaktionen zwischen Therapeut und Patient steuert.
„Narrative“ Reasoning (narratives Reasoning; Mattingly u. Fleming 1994)	Dem Patienten helfen, „seine Geschichte zu erzählen“, eine gemeinsame therapeutische Geschichte gestalten, gemeinsam mehrere Zukunftsgeschichten des Patienten konstruieren, die Anschlüsse für die Realisierung eines möglichst selbstständigen und zufriedenstellenden Lebens schaffen.

lich wirksam und gut organisiert ist. Wie kommen hier nun Praxismodelle ins Spiel?

Wichtig

Modelle können uns helfen, das ▶ klinische Reasoning zu verbessern, indem sie einen strukturierenden Rahmen für die Reasoning-Prozesse bieten.

Manche Modelle operieren als **Informationsfilter** – wie der Blick durch eine Linse oder durch eine gefärbte Brille, die ein bestimmtes Bild der Welt bietet und andere Informationen ausschließt. Andere Modelle operieren eher wie **Werkzeuge** in einem Regal. Sie bilden ein Set von alternativen Optionen, aus denen der Therapeut auswählen kann, so wie man das passende Werkzeug für eine bestimmte Aufgabe auswählt.

Wichtig ist zu erkennen, dass Modelle an verschiedenen Stellen des ▶ **therapeutischen Prozesses** zur Anwendung kommen können und dass dies ihre Auswirkung auf den Prozess verändert. Die wichtigste Unterscheidung liegt darin, ob man ein Modell vor dem ersten Treffen mit dem Patienten oder zu einem späteren Zeitpunkt auswählt.

Hat man ein Modell ausgewählt, bevor man den Patienten kennt, so beeinflusst dies natürlich die Art, wie man seinen Fall sieht. Den Gebrauch eines Modells in dieser Weise bezeichnet die Autorin als **„theoriebestimmt"**: Die theoretische Basis des Modells bestimmt die therapeutische Maßnahme (Hagedorn 1995 und 1997).

Andererseits kann man auch auf ein weit weniger klar umrissenes Problem treffen. Man muss einige Zeit investieren, um herauszufinden, was abläuft und was zu tun ist. Man muss die Situation vielleicht aus verschiedenen Perspektiven untersuchen, bevor man entscheidet, welche Perspektive die geeignete ist. Hat man das Problem verstanden, so kann man ein passendes Modell (oder „Werkzeug") für die Intervention auswählen. Den Gebrauch eines Modells als „Werkzeug" wurde von der Autorin als **„prozessbestimmt"** beschrieben: Der Therapeut benutzt die Struktur des ergotherapeutischen Prozesses, um das Problem zu definieren und zu entscheiden, was zu tun ist (Hagedorn 1995 und 1997).

Theoriebestimmte Praxis

Wieso sollte man überhaupt ein ▶ Modell auswählen, bevor man den Klienten zum ersten Mal trifft? Hier spielt der eigene **Arbeitsplatz** eine wichtige Rolle. In Kap. 2 wurde gezeigt, wie ▶ Bezugsrahmen oft entwickelt werden, um den Bedürfnissen bestimmter Klientengruppen zu entsprechen. Arbeitet man in einer orthopädischen Einrichtung, so wird man höchstwahrscheinlich irgendeine Form von körperbezogener Rehabilitation anwenden, die auf einem biomechanischen Bezugsrahmen basiert. Es wäre wenig sinnvoll, sich beispielsweise bei einem typischen orthopädischen Patienten auf einer Akutstation für den Einsatz einer kognitiv-verhaltenstherapeutisch orientierten Therapie zu entscheiden (selbst wenn dies in einem andern Kontext durchaus angemessen sein mag).

Die Praxisumgebung und die Tatsache, dass man theoriebestimmt arbeitet, beeinflussen die **Annahmen über den Patienten.** Auf einer orthopädischen Station erwartet man, Patienten mit Mobilitätsproblemen anzutreffen. In einer psychiatrischen Einrichtung erwartet man Menschen mit Depressionen oder Ängsten.

Manchmal ist man sich der Wahl eines ▶ Bezugsrahmens gar nicht bewusst – sie ergibt sich einfach aus der Situation. Aufgrund der persönlichen Erfahrung mit dem ▶ Ergotherapieprozess konzentriert man sich automatisch auf bestimmte Dinge, sodass man nur die entsprechend relevante Information aufnimmt, nur bestimmte Befunde erhebt, spezifische Annahmen trifft und in bestimmter Weise handelt. Dies ist einerseits sehr wirkungsvoll; andererseits kann es auch bedeuten, dass man es versäumt, Dinge zu beachten, die „nicht ins Bild passen". Psychologische Forschungen haben gezeigt, dass **Erwartungen** die Wahrnehmung und die Interpretation einer Situation beeinflussen. Dies mag nützlich sein, wenn die Situation so ist wie erwartet. Es kann aber auch dazu führen, dass der Ergotherapeut sozusagen mit Scheuklappen in die Therapie geht oder so gradlinig vorgeht, dass er nicht erkennt, wenn eine Situation nicht mit den Erwartungen übereinstimmt. Die Auswirkungen von Erwartungen kann man anhand eines einfachen Experiments demonstrieren.

Fallsituation

Stellen Sie sich vor, Sie betreten einen Raum. Sie sehen eine Frau zusammengesunken in einem Sessel sitzen. Sie bewegt sich nicht. Ihr Kopf hängt herab. Ihr rechter Arm liegt locker in ihrem Schoß. Sie gehen zu ihr hin und sagen: „Hallo, wie geht's?" Sie sagt nichts und bricht in Tränen aus. Wie würden Sie auf diese Situation reagieren? Was ist das Problem, und was werden Sie als Therapeut tun (denken Sie darüber nach, bevor Sie weiterlesen; nehmen Sie wahr, was Ihnen während dieser Beschreibung durch den Kopf gegangen ist)?

In diesem Stadium haben Sie keine weiteren Informationen über die Frau, also müssen Sie Ihre Erfahrung zu Hilfe nehmen, um das, was Sie beobachtet haben, zu analysieren und zu erklären, was Sie sehen. Vielleicht ist Ihre erste Reaktion der Gedanke, die Frau sei depressiv – ihre zusammengesunkene Haltung und ihre Tränen sind typische Merkmale einer Depression. Aber: Gibt es auch irgendwelche anderen Erklärungen?

Am Ende Ihrer Überlegungen sehen Sie sicher mehrere Möglichkeiten, die Situation zu interpretieren. Die Frau hat vielleicht einen Schlaganfall oder eine Kopfverletzung erlitten. Ihre Haltung und die Tatsache, dass sie nicht spricht, sprechen für diese Hypothese; ihre Tränen könnten die Folge emotionaler Labilität sein. Vielleicht ist sie aber gar nicht krank? Stellen Sie sich vor, dass ihr Sohn vor kurzem bei einem Autounfall getötet wurde und dass sie unter Schock steht und tiefe Trauer erleidet. Auch dies würde ihr Verhalten erklären.

In der Beschreibung gab es keine Angaben zum Alter und zum Umfeld der Frau. Nehmen Sie an, es sei eine alte Frau, die ihre Wohnung aufgeben musste und nun in einer Institution untergebracht ist. Sie fühlt sich von ihrer Familie, die sie nie besucht, verlassen. Sie hat keine richtige Aufgabe mehr, und vor kurzem hat eine Pflegerin etwas zu ihr gesagt, das sie verletzt hat.

Die Frau könnte auch ganz gesund sein. Wäre der Raum eine Theaterbühne, könnte sie eine Schauspielerin sein, die eine Rolle spielt. Man könnte sich auch noch weitere Szenarien ausdenken, die ihr Verhalten erklären.

Da die Informationen über die Frau in diesem Beispiel mehrdeutig sind, sucht man beim Lesen im Geiste nach möglichen **Erklärungen.** In der Praxis hat man natürlich viel mehr Informationen, an denen man seine Analyse orientieren kann. Man weiß beispielsweise, wo die Frau sitzt. Sitzt sie auf einer medizinischen Krankenstation, so neigt man vielleicht zu dem Schluss, dass sie einen Schlaganfall erlitten hat. Was man sieht, passt zu dieser Schlussfolgerung. Wenn sie andererseits in einer psychiatrischen Umgebung sitzt, so nimmt man wahrscheinlich eher an, sie sei depressiv.

Wichtig

Legt man sich auf einen ► Bezugsrahmen fest, bevor man den Patienten zum ersten Mal sieht, so läuft man Gefahr, ganz bestimmte Annahmen zu machen.

Infolgedessen werden vielleicht die Probleme einer Person auf einer orthopädischen Krankenstation, die unter Ängsten und Depressionen leidet, nicht erkannt, weil sie „nicht in den Rahmen passen". Werden diese Symptome erkannt, so gibt es vielleicht Schwierigkeiten,

„das System" zu veranlassen, diesbezüglich irgend etwas zu unternehmen – die Struktur basiert auf der Versorgung zur körperlichen Rehabilitation und erschwert daher die Arbeit im Rahmen eines anderen Modells.

Wichtig

Ein passender ▶ Bezugsrahmen trägt jedoch auch dazu bei, Untersuchung und Handeln auf die relevanten Gegenstände zu lenken und unnötige Spekulationen sowie die unnötige Auswertung von Alternativen auszublenden. Insgesamt ist es sinnvoll, nach der Entscheidung für einen Bezugsrahmen flexibel zu bleiben.

Der Therapeut, der mit einem **engen Bezugsrahmen** arbeitet, muss sich seiner Begrenztheit bewusst sein und die Möglichkeit offen halten, nötigenfalls einen andern Bezugsrahmen zu verwenden.

Ein weiteres Problem ergibt sich aus der Tatsache, dass Bezugsrahmen wesentlich aus **„geborgtem" Wissen** aufgebaut sind, das Therapeuten in ihre Praxis integriert haben. Dieses Wissen mag wohl dazu geeignet sein zu bestimmen, was in diesem Fall relevant ist und was zu tun ist. Doch sind die als relevant identifizierten Aspekte auch ein legitimer Bestandteil der Ergotherapie?

Cave

Je höher der Spezialisierungsgrad eines ▶ Bezugsrahmens ist, desto größer ist die Gefahr, dass Ergotherapeuten, die sich darauf beziehen, nur einen Bruchteil ihrer ergotherapeutischen Fertigkeiten einsetzen.

Manche Formen der **Gruppenarbeit** haben beispielsweise keine Aktivitätskomponente. Der Therapeut wird so vielleicht ununterscheidbar von einer Krankenschwester oder einem Psychologen, die denselben Bezugsrahmen zugrunde legen. Die Bezugsrahmen der motorischen Kontrolle und der sensorischen Integration veranlassen einen Ergotherapeuten vielleicht dazu, eine ganz ähnliche Behandlung anzubieten wie ein Physiotherapeut.

So wurden ▶ Ergotherapiemodelle nicht nur aus dem Grund entwickelt, die „legitimen Werkzeuge" (Mosey 1981) der Ergotherapie zu definieren – man sorgte sich auch über den Verlust eines **„ergotherapeutischen Mittelpunkts"** in manchen Bezugsrahmen.

Prozessbestimmte Praxis

Cave

Wenn man in einer kommunalen Einrichtung oder in einem Krankenhaus arbeitet, wo man mit sehr verschiedenen und nicht vorhersagbaren Fällen zu tun hat, lässt sich kein ▶ Bezugsrahmen auswählen, bevor man den Patienten getroffen hat – denn der Bezugsrahmen könnte sich als unbrauchbar erweisen.

Man muss den **therapeutischen Prozess** dazu benutzen, Informationen über den Patienten zu sammeln, sie auszuwerten und zu entscheiden, worin das Problem besteht und was zu tun ist. Man nutzt die Stadien des ▶ „ergotherapeutischen Prozesses", um das Problem zu benennen und zu umreißen. Das Problem benennen heißt zu sagen, worum es geht. Mit dem Umreißen bieten sich alternative Erklärungen und Vorgehensweisen an.

Im oben genannten Beispiel der Frau ist es nicht schwer, einige der Probleme zu benennen, denn sie lassen sich beobachten: Die Frau scheint unbeweglich, ihre Haltung ist jämmerlich, sie weint, anstatt zu sprechen. Aber warum? Wenn Sie, die Therapeutin oder der Therapeut, über die Gründe dessen, was Sie beobachtet haben, nichts wissen und die Situation selbst Ihnen darüber nicht genug Aufschluss gibt, dann ziehen Sie nicht einfach irgendeinen Schluss. Sie erstellen eine Reihe **hypothetischer Erklärungen.** Diese ordnen Sie nach ihrer Wahrscheinlichkeit und finden Wege, sie von verschiedenen Seiten zu beleuchten. Sie suchen nach weiteren Informationen. Schließlich sind Sie in der Lage, das Problem zu umreißen – die Frau ist entweder depressiv, neurologisch beeinträchtigt, hat einen schweren Verlust erlitten oder ist sozial isoliert und inaktiv.

Haben Sie das Problem einmal verstanden, so können Sie entscheiden, was zu tun ist. Sie können einen passenden ► **Bezugsrahmen** wählen. Wird das Problem als „Depression" umrissen, so könnte man einen kognitiv-verhaltenstherapeutischen Ansatz der Behandlung wählen. Handelt es sich um einen Schlaganfall, wird vielleicht ein neurophysiologisch orientierter Ansatz motorischer Kontrolle gewählt. Ein personenzentrierter beratender Ansatz wäre sinnvoll, um die Auswirkungen eines schweren Verlusts anzugehen, ein ► biopsychosozialer Ansatz, um den Umgang mit dem Verlust von Rolle und Aufgabe und mit den belastenden Auswirkungen der ► Umwelt zu erleichtern.

Jeder Bezugsrahmen führt zu ganz unterschiedlichen Gedanken, Handlungen und Erwartungen bezüglich der Frau. Wählt der Therapeut den falschen Ansatz, so ist dies bestenfalls wirkungslos und schlimmstenfalls schädlich. Manchmal bedarf es mehrerer Erklärungen, um eine Situation ganz zu erklären. Allerdings passen die Ansätze nicht immer zusammen.

Wichtig

Man sollte sich der Tatsache bewusst sein, dass manche ► Bezugsrahmen mit anderen nicht kompatibel sind. Dies kann daran liegen, dass einem der Modelle eine reduktionistische und einem anderen eine ► phänomenologische Philosophie zugrunde liegt.

Man kann beispielsweise nicht mit einem ► klientenzentrierten Ansatz auf eine Person zugehen (und so auf seine persönliche Wahl, Bedeutungen und Wünsche Wert legen) und gleichzeitig verhaltensändernde Techniken anwenden. Letztere beruhen auf der Theorie, dass **Verhalten** lediglich eine erlernte Reaktion ist, die auf Belohnungen oder Sanktionen für früheres Verhalten basiert.

Inkompatibilität kann sich auch aus den unterschiedlichen theoretischen Grundlagen mehrerer verwendeter Bezugsrahmen ergeben. So kann man z. B. bei der Behandlung eines Schlaganfallpatienten einen neurophysiologischen Ansatz der motorischen Kontrolle wählen (etwa den Bobath-Ansatz). Dieser Ansatz lässt sich jedoch nicht mit Aspekten einer auf Biomechanik beruhenden Rehabilitation kombinieren, denn die Prinzipien, die diesen Bezugsrahmen zugrunde liegen, sind grundverschieden und widersprechen sich weitgehend (Hagedorn 1997). Bei der Anwendung von Bobath-Techniken wird man z. B. einen Patienten nicht zum Gehen ermutigen, bevor er sitzen, stehen und Schritte machen kann. Bei einem biomechanischen Ansatz hingegen wird der Patient mit einer Gehhilfe ausgestattet und ermutigt, so bald wie möglich zu gehen.

Viele Bezugsrahmen passen jedoch gut zusammen und lassen sich recht erfolgreich kombinieren oder aber in verschiedenen **Stadien** desselben Behandlungsprogramms benutzen.

Wichtig

Ergotherapeuten, die „eklektisch" praktizieren wollen, indem sie Elemente aus vielen verschiedenen ► Bezugsrahmen auswählen, müssen verstehen, dass die jeweils zugrunde liegenden Prinzipien konsistent sein müssen.

Manche Ergotherapeuten scheinen „intuitiv" zu praktizieren – ohne erkennbaren Gebrauch unterstützender ► Theorien. Doch der Eindruck trügt. Was wahrscheinlich wirklich stattfindet, ist eine komplexe und sehr schnelle Form **klinischen Reasonings** aufgrund schneller mentaler Verarbeitung, deren sich der Therapeut selbst nicht bewusst ist. Mit seiner vielzitierten Bemerkung, dass Professionelle mehr wissen, als sie sagen können, hat Donald Schön (1983) eines der Paradoxa der Praxis hübsch formuliert. Je sachverständiger und erfahrener man wird, umso mehr drückt sich das eigene Wissen im „Tun" aus und umso schwieriger kann es sein, sich die der Praxis zugrunde liegende Theorie ins Gedächtnis zu rufen.

Arbeiten mit einem „puren" ergotherapeutischen Modell

Der Gebrauch eines solchen ► Modells gewährleistet, dass der Therapeut alle Aspekte des Lebens und der Funktionen des Individuums im Verhältnis zu seinen ► Betätigungen und seiner ► Umwelt erwägt. Ein solches Modell trägt auch dazu bei zu garantieren, dass die **Handlungen des Therapeuten** mit den Kernprinzipien der Ergotherapie vereinbar sind.

Manche dieser Modelle sind als eine Art „erster Filter" oder „großer Schirm" konzipiert, die der Therapeut jederzeit gebraucht. In diesem Sinne kann man sagen, sie fördern eine **theoriebestimmte Praxis.** Das Modell menschlicher ► Betätigung („Model of Human Occupation") von Kielhofner (1995) ist dafür ein gutes Beispiel. Der Therapeut legt Philosophie, Konzepte, Sprache und Werkzeuge zur Befunderhebung sowie die Art des Zugangs zum Patienten gemäß dem Modell fest, noch bevor er beginnt, die Bedürfnisse des Patienten zu evaluieren. Bedürfnisse und Ziele werden anschließend in der Sprache und der Struktur des Modells ausgedrückt.

Unglücklicherweise funktioniert die **Unterscheidung zwischen theoriebestimmter und prozessbestimmter Praxis,** die auf einfachere ► Bezugsrahmen recht gut passt, bei ergotherapeutischen Modellen nicht mehr so gut. Nachdem sie den „großen Schirm" gespannt haben, geben viele dieser Modelle dem Ergotherapeuten nämlich keine Anhaltspunkte mehr, was er als nächstes tun soll. Der Therapeut arbeitet letztlich vielleicht doch prozessbestimmt, indem er einen Ansatz aus einem Bezugsrahmen wählt. Dann werden Prozess und Ansatz jedoch so modifiziert, dass sie zum Modell passen, und mancher Ansatz wird zurückgewiesen, weil er inkompatibel oder ein für die Ergotherapie „illegitimes Werkzeug" ist.

Andere ergotherapeutische Modelle sind offener **prozessbestimmt.** Kathlyn Reeds Version des Modells der persönlichen Anpassung durch Betätigung („Model of Personal Adaptation through Occupation") basiert auf der Sequenz des Problemlösungsprozesses und auf Theorien über erfolgreiche und verfehlte Anpassung des Menschen.

Wichtig

Will man verstehen, wie Praxismodelle das ergotherapeutische Reasoning und die ergotherapeutische Praxis beeinflussen, ist es am einfachsten, sie als Einflussfaktoren auf die Prioritäten und Werte des Therapeuten zu betrachten.

Die Modelle veranlassen den Therapeuten dazu, das Individuum statt mit einem „Bottom-up"-Ansatz mit einem **„Top-down"-Ansatz** zu betrachten. Bevor der Therapeut Geschicklichkeitsaspekte, wie Bewegung oder Wahrnehmung, exploriert, muss er zunächst die Rollen, das Selbstbild, die Motivationen, die Wünsche und die Bedürfnisse seines Gegenübers erwägen. Er muss die reaktive und interaktive Natur menschlicher Betätigungsperformanz in Betracht ziehen. Menschen haben Rollen und Beziehungen, die ihre ► Betätigungen beeinflussen und umgekehrt.

Das Problem liegt vielleicht nicht beim **Individuum** (wie in den meisten ► Bezugsrahmen angenommen wird), sondern in der ► **Umwelt** oder im Wesen der Aufgaben, die das Individuum bewältigen will oder muss. Der Therapeut kann entscheiden, wo das Problem liegt und wie es beschaffen ist. Die meisten Modelle der Ergotherapie erinnern den Therapeuten zudem daran, auch die positiven Aspekte einer Situation zu erwägen, etwa persönliche Begabungen oder eine vorteilhafte Umgebung.

Sämtliche Modelle sind sehr stark ▶ klientenzentriert und gewichten daher die Meinungen und Prioritäten des Klienten ebenso stark wie die des Therapeuten. Therapeut und Patient werden Partner im ▶ therapeutischen Prozess. Ein ergotherapeutisches Modell bietet also einen strukturierenden Rahmen für das ▶ klinische Reasoning, der eine zusätzliche Schicht von Konzepten und Werten zwischen Therapeut und Patient einfügt. Diese **konzeptionelle Schicht** hilft zu gewährleisten, dass sich der Therapeut an die Kernprinzipien der Ergotherapie hält und jeden anderen Ansatz, den er gebraucht, durch den „Filter" dieser Kernkonzepte interpretiert und auf diese Weise anwendet.

3.4 Evaluation von Praxismodellen

Die Vielzahl von ▶ Modellen, aus denen der Therapeut wählen kann, führt leicht zu Verwirrungen. Der Therapeut muss nicht nur in einer bestimmten Situation ein passendes Modell auswählen; er steht auch vor der Frage, wie sich beurteilen lässt, ob ein Modell „gut" oder „schlecht" ist, ob es in Betracht kommt oder nicht. Verschiedene Autoren haben versucht, die **Kriterien** zu definieren, die ein Modell erfüllen sollte.

Laut Reed (1984) sollte ein **Praxismodell** folgendes leisten:

- Es sollte den ▶ Bezugsrahmen identifizieren, der die Praxis untermauert (für Reed käme wohl Betätigungsperformanz als Bezugsrahmen infrage).
- Es sollte dabei helfen, die Annahmen, Konzepte und Definitionen zu strukturieren und zu ordnen, die die Praxis unterstützen.
- Es sollte die spezifischen Eigenheiten der ergotherapeutischen Praxis herausstellen, durch die sich die Ergotherapie von andern Berufen unterscheidet.
- Es sollte weitere ergotherapeutische Forschung anleiten.
- Es sollte logische Argumente für eine Spezialisierung ohne Verlust des Wesentlichen der Ergotherapie bieten.
- Es sollte Änderungen des Modells im Zuge fortschreitenden Wissens zulassen.
- Es sollte helfen, anderen Menschen Ergotherapie zu erklären.
- Es sollte Interessensgebiete und Praxisbereiche aufzeigen, die die Ergotherapie mit andern Berufen teilt, und so die interdisziplinäre Arbeit fördern.
- Es sollte Hilfestellung für die Theorieentwicklung der ergotherapeutischen Praxis leisten.

Reed (1984) diskutiert anschließend 9 allgemeine Merkmale von Modellen und schlägt darauf beruhend **9 Fragen** vor, die man sich bei der **Evaluation eines Modells** stellen sollte:

- Reflektiert das Modell die Realität menschlicher Performanz (der Bewältigung von Aufgaben im Alltag)?
- Ist das Modell klar verständlich?
- Kann das Modell mit praktischen Begriffen die Vergangenheit erklären und die Zukunft voraussagen?
- Ist das Modell praktisch anzuwenden?
- Ist das Modell in sich konsistent?
- Ist das Modell ökonomisch (d. h. kommt es mit wenigen Konzepten und Annahmen aus, bietet es einfache Erklärungen)?
- Ist das Modell nützlich zur Anregung weiterer Studien und Forschungen und zur Förderung des Verständnisses?
- Ist das Modell vernünftig, klingt es „wahr", kommt es uns „richtig" vor?
- Erklärt es die Ursachen der untersuchten ▶ Phänomene?

Anhand dieser Liste wird deutlich, dass es Reed darum geht, Praxismodelle nach ihrem Inhalt, ihrem Zweck und ihrer Brauchbarkeit zu evaluieren.

Kielhofner (1992) präsentiert und evaluiert **Modelle** nach folgenden **Kriterien:**
- Fokus,
- interdisziplinäre Grundlagen,
- theoretische Argumente bezüglich Ordnung und Störung im menschlichen System,
- therapeutische Intervention,
- Methoden und Mittel zu ihrer Anwendung (Befunderhebung, Behandlung),
- Forschung.

Christiansen u. Baum (1997) diskutieren **Modelle** nach folgenden **Merkmalskategorien:**
- Urheber,
- Ursprung,
- Population (Charakteristika der Personen, auf die das Modell abzielt),
- theoretische Grundlagen,
- Konzepte und Annahmen (und Argumente, die für diese sprechen),
- Beziehung zwischen Klient und Therapeut,
- erwartetes Ergebnis,
- Befunderhebung,
- Intervention.

Bei Hopkins u. Smith (1993) sind die **Modellmerkmale** unter folgenden Überschriften zusammengefasst:
- theoretische Basis (Ursprünge und Konzepte),
- Funktions-Dysfunktions-Kontinua (Aspekte menschlicher Funktionen, mit denen sich das Modell befasst),
- Verhaltensweisen, die Hinweise auf Funktion–Dysfunktion geben (Bereiche für Befunderhebung und Anzeichen für den Schweregrad des Problems),
- Postulate bezüglich Veränderung und Intervention (wie kann der Therapeut arbeiten, und wie und warum kann das funktionieren?).

Insgesamt betrachtet ermöglichen diese **Merkmalskategorien** eine Vorstellung von der inhaltlichen Reichweite eines gut dargestellten Modells.

Wichtig

Eine kritische Modellanalyse kann (wie die Theorieanalyse auch) zu einer komplexen intellektuellen Aktivität werden, die außerhalb der Reichweite eines durchschnittlichen Ergotherapeuten liegt. Im wesentlichen muss der Ergotherapeut beurteilen, ob das ► Modell gut dargestellt ist, ob es auf zuverlässigem Beweismaterial basiert, ob es für die Ergotherapie relevant ist und ob es sich praktisch umsetzen lässt.

Modelle, die vage, verwirrend oder hochkompliziert sind, für die Nachweise fehlen, die nicht auf zuverlässigen Forschungen oder anerkanntem Wissen beruhen und die dem Therapeuten nicht klar sagen, wie er Befunde erheben soll, welcher Art seine Intervention sein soll und wie der erwartete Ausgang auszusehen hat, sollte man zurückweisen. Mit anderen Worten: Der **Therapeut** muss beurteilen, ob das Modell gut dargestellt ist, ob es auf zuverlässigem Beweismaterial basiert, ob es für die Ergotherapie relevant ist und ob es sich praktisch umsetzen lässt.

Genügen unsere heutigen Modelle den hohen Anforderungen?

Um diese Frage zu beantworten, ist es nötig, zwischen ► Bezugsrahmen und ► Ergotherapiemodellen zu unterscheiden. Es ist einfacher zu beurteilen, ob ein Bezugsrahmen klar dargestellt ist, auf verlässlichen Fakten und Erkenntnissen beruht und für die ergotherapeutische Praxis auf einem speziellen Gebiet Relevanz hat, als ein Ergotherapiemodell zu bewerten.

Bei einem ► Bezugsrahmen stellt üblicherweise die **Evaluation der Tatsachen und Einsichten**, auf denen er basiert, das größte Problem dar. Dabei spielen vor allem **2 Fragen** eine Rolle:

- Erhärtet die Forschung auf anderen Gebieten die grundlegenden Annahmen bzw. Prinzipien, auf denen der Bezugsrahmen basiert, und belegt sie deren Wirksamkeit?
- Gibt es bekräftigende Fakten aus der Ergotherapiepraxis?

In manchen Fällen, wie etwa beim Einsatz eines kognitiv-verhaltenstherapeutischen Bezugsrahmens zur Behandlung von Depressionen oder Ängsten, gibt es solide und weithin akzeptierte Belege für dessen Wirksamkeit. In anderen Fällen ist nicht so klar, ob das präsentierte Beweismaterial auch zuverlässig ist. Dafür mag es viele Gründe geben. Es kann z. B. an sich schwierig sein, die Wirksamkeit unumstößlich zu belegen – viele psychotherapeutische Techniken etwa werden weitverbreitet akzeptiert und praktiziert, obwohl sich nur wenige streng wissenschaftliche Beweise für ihre Nützlichkeit anführen lassen und sich die Vertreter verschiedener psychotherapeutischer Schulen nicht über grundlegende Prinzipien einig sind. Vielleicht wurde auch noch nicht ausreichend geforscht, um „Beweise" vorlegen zu können. Ein gewissenhafter Therapeut wird jedoch in der Lage sein, durch methodisches Untersuchen und Infragestellen zu einem begründeten Schluss über **Gültigkeit und Anwendbarkeit eines Bezugsrahmens** zu kommen.

Mit **Ergotherapiemodellen** dagegen hat man es viel schwerer. Man muss zugeben, dass kaum ein Modell sämtliche genannte Kriterien erfüllt. Dies ist zum jetzigen Zeitpunkt der Theorieentwicklung unvermeidlich. Wir haben die Ideen, wir haben einige Methoden und Befunderhebungsverfahren, aber bislang haben wir nur wenig Beweise für die Wirksamkeit der Ergotherapie als Ganzes oder irgendeines speziellen Modells.

Die **grundlegenden Konzepte** und die **Philosophie der Ergotherapie** sind inzwischen in einem akzeptablen Ausmaß geklärt. Die Darstellung von Modellen verbessert sich, aber viele Theoretiker benutzen weiterhin eine komplexe Sprache und schaffen neue Fachbegriffe, um ihre Ideen zu erklären.

Manche Modelle, wie etwa **Kielhofners Modell menschlicher ► Betätigung** (1995), präsentieren gut organisierte und sorgfältig durchdachte Methoden der Befunderhebung, viele andere jedoch geben zwar die Bereiche an, die eingeschätzt werden sollen, nicht aber die dazugehörige Methode. Wenige sagen dem Therapeuten, wie er den Patienten behandeln soll.

Doch diese Unfähigkeit zu sagen, was zu tun ist, mag unumgänglich sein. Die meisten Verfasser von Ergotherapiemodellen geben sich die größte Mühe auszudrücken, wie individuell Ergotherapie ist, und jede Darstellung der Therapie in Form einer „therapeutischen Formel" zu vermeiden. Dennoch wären einige **allgemeine Richtlinien** hilfreich. Hier ist die Zusammenarbeit zwischen Theorie und Praxis gefragt.

Wichtig

Ein intensiverer Dialog zwischen Theoretikern und Praktikern ist die unabdingbare Voraussetzung für die Entwicklung guter ► Ergotherapiemodelle.

Praktiker müssen mehr mitbekommen, um welche Fragen es geht, und müssen mehr Möglichkeiten zur Kritik der verfügbaren Modelle erhalten. Sie müssen ihre Versuche, Modelle in die Praxis umzusetzen, evaluieren und darüber berichten – und sie müssen diese Informationen an die **Theoretiker** weiterleiten. Die Theoretiker sind dafür verantwortlich, ihre Ideen auf eine Weise mitzuteilen, die sowohl Praktikern als auch Akademikern zugänglich ist. Sie müssen die Kommunikation mit Praktikern aufrechterhalten und ein partnerschaftliches Verhältnis mit ihnen pflegen, das der Entwicklung der nächsten Generation von Ergotherapiemodellen nützt und für die Praxis eine echte Verbesserung bringt.

Glossar

▶ **Aktivität („activity"):** Eine Folge von Aufgaben, die zu einer bestimmten Gelegenheit, während eines begrenzten Zeitraums und zu einem bestimmten Zweck ausgeführt werden. Aktivität wird auch (ungenau) als Synonym für Betätigung („occupation") verwendet. Manche Autoren verstehen darunter eine einfache spezifische Handlung oder Aufgabe, andere den Zustand des Aktivseins, der ein Endprodukt hervorbringen kann oder auch nicht.

▶ **Anforderung („demand"):** Die einer Aufgabe (oder einer spezifischen Umwelt) innewohnenden Durchführungsmerkmale, die den Ausführenden zwingen, passend zu reagieren.

▶ **Betätigung („occupation"):** Teile von Aktivität, die im Wortschatz einer Kultur vorkommen und im Fluss der Zeit stattfinden.

▶ **Bezugsrahmen („frame of reference"):** System von Fakten und Theorien, die dazu dienen, einer Gruppe von Umständen eine bestimmte Bedeutung zu verleihen und eine kohärente konzeptionelle Basis für die Therapie zu bilden. Ein Bezugsrahmen ist eine Synthese von Wissen, das einerseits aus ergotherapiefremden Quellen stammt und andererseits auf Methoden und Techniken beruht, die von Therapeuten bei ihrer Arbeit in einem Spezialgebiet entwickelt wurden.

▶ **Biopsychosozial:** Eine Sichtweise des Individuums, die biologische, psychische und soziale Aspekte einbezieht.

▶ **Deduktion:** Eine Form wissenschaftlicher Untersuchung, die allgemeine Prinzipien oder Theorien formuliert, die sich zur Erklärung oder Vorhersage bestimmter Gegenstände oder Vorkommnisse anwenden lassen.

▶ **Druck:** Die Auswirkung der sozialen, kulturellen und physischen Umwelt auf das Verhalten.

▶ **Ergotherapieprozess (ergotherapeutischer Prozess, therapeutischer Prozess):** Der problemzentrierte Ablauf, mit dem Therapeuten ihr Eingreifen strukturieren. Typischerweise gehört dazu, Informationen zusammenzutragen, sie zu analysieren, einen Befund zu erheben, Ziele festzulegen, die Behandlung zu planen und das Behandlungsergebnis zu begutachten

▶ **„Grounded theory" (fundierte Theorie):** Begriff aus der qualitativen Forschung. Der Forscher kategorisiert und analysiert Daten aus strukturierten Beobachtungen realer Situationen, um die Theorie zu entwickeln und zu verfeinern.

▶ **Hypothese:** Behauptung, die als Argumentationsgrundlage aufgestellt wird, ohne dass ihre Wahrheit angenommen wird; Vermutung, die zum Ausgangspunkt der weiteren Untersuchung bekannter Fakten formuliert wird.

▶ **Hypothetisch-deduktiv:** Eine auf formalen experimentellen Methoden basierende Form wissenschaftlichen Denkens, bei der eine Hypothese formuliert wird, die dann durch Forschung geprüft wird.

▶ **Induktion:** Eine Form wissenschaftlicher Untersuchung, bei der aus der wiederholten Beobachtung bestimmter Vorkommnisse ein allgemeines Gesetz abgeleitet wird.

▶ **Klientenzentriert:** Praxis, die zwischen Klient und Therapeut eine kooperative Beziehung herstellt. Der Therapeut bezieht den Klienten in die Entscheidungen ein, respektiert seine Entscheidungen, erkennt seine Erfahrungen und sein Wissen an und versucht, ihn dazu zu befähigen, seine persönlichen Ziele zu erreichen.

▶ **Klinisches Reasoning („clinical reasoning"):** Kognitive Prozesse, bei denen es um die Verarbeitung von Informationen, das Lösen von Problemen, das Beurteilen und das Entscheiden im Verlauf von Befunderhebung, Behandlungsplanung und Intervention geht.

▶ **Metaanalyse:** Eine Form statistischer Analyse zur systematischen Übersicht von Forschungspublikationen zu einem bestimmten Thema, mit der Ergebnisse verglichen und gemeinsame Erkenntnisse oder Resultate identifiziert werden sollen.

► **Metamodel:** Eine philosophische Weltsicht, die andere Modelle durchdringt und beeinflusst (z. B. Reduktionismus).

► **Modell:** Übergeordneter Begriff, der benutzt wird, um die Darlegungen theoretischer Konzepte in einem Beruf zu beschreiben.

► **Modell der Ergotherapie, Ergotherapiemodell:** Gesamtheit von Konzepten und Praktiken, die von einem Ergotherapeuten als Leitlinie für eine ergotherapiespezifische Praxis entwickelt wurde. Ergotherapiemodelle befassen sich damit, wie eine Person Betätigungen in ihrer Umwelt ausführt („performance of occupations within the environment").

► **Paradigma:** Konsens über die grundlegendsten Überzeugungen und Annahmen auf einem Gebiet. Das Paradigma eines Berufs bietet eine vereinheitlichende Struktur und ein Muster für die Praxis.

► **Paradigmenwechsel:** Radikaler Wechsel der Sichtweise aufgrund neuen Wissens; führt zu einem neuen Paradigma.

► **Phänomen:** Etwas, das als Teil menschlicher Erfahrung beobachtet oder berichtet wird.

► **Phänomenologisch:** Bezieht sich auf die Untersuchung von Phänomenen. Eines der Paradigmen sozialwissenschaftlicher Forschung.

► **Postmoderne:** Denkschule, die im späten 20. Jahrhundert entwickelt wurde. Sie führt zur Dekonstruktion des Paradigmas des wissenschaftlichen Rationalismus und behauptet, es gebe nicht nur eine einzige Version der Wahrheit.

► **Qualitativ:** Forschungsmethodik, bei der die nichtnummerische und interpretierende Analyse sozialer Phänomene wichtig ist.

► **Quantitativ:** Forschungsmethodik mit Schwergewicht auf der Erfassung nummerischer Daten und ihrer statistischen Analyse im Hinblick auf bestimmte Forschungshypothesen.

► **Randomisierung:** Verwendung einer Methode der Zufallsauswahl (etwa das Werfen einer Münze) zur unparteiischen Zuteilung von Subjekten zu Untersuchungsgruppen für eine Studie.

► **Randomisierter kontrollierter Versuch („randomized controlled trial"):** Experimentelle Methode, bei der ähnliche Subjekte nach dem Zufallsprinzip 2 oder mehreren Gruppen zugeteilt werden, sodass sich die Ergebnisse eines Eingriffs oder verschiedener Formen von Eingriffen miteinander vergleichen lassen.

► **Reduktionismus:** Ansatz zum Verständnis (der Wirklichkeit), der das Problem in Teile zerlegt und die Teile voneinander getrennt betrachtet und handhabt.

► **Systemtheorie:** Sichtweise, die den Menschen als eine Gesamtheit dynamischer Systeme auffasst, die untereinander und mit der Umwelt interagieren und so Betätigungsverhalten („occupational behaviour") hervorbringen.

► **Theorie:** Versammelt eine bestimmte Menge zueinander in Beziehung stehender Prinzipien, Annahmen und Konzepte, die für etwas, das beobachtet oder als wahr abgeleitet wird, eine konsistente und rationale Erklärung geben.

► **Triangulation:** Eine bei qualitativer Forschung angewandte Methode, bei der einer Aussage durch das Anführen unterstützender Belege aus einer Vielzahl von Quellen und Perspektiven mehr Gültigkeit verschafft werden soll; eine Methode zur Herstellung einer Perspektivenvielfalt zu einem bestimmten Phänomenbereich.

► **Umwelt („environment"):** Die äußeren sozialen und physischen Bedingungen und Faktoren, die die Performanz der Betätigung („occupational performance") einer Person beeinflussen.

► **Wissenschaftlicher Rationalismus (auch Positivismus oder logischer Positivismus):** Wissenschaftliches Paradigma zur Untersuchung beobachtbarer Phänomene, das auf der Überzeugung basiert, es sei möglich, durch Vernunft, unvoreingenommene Beobachtung und strikte wissenschaftliche Methoden universelle Fakten (oder letztgültige Wahrheiten) zu entdecken.

Literatur

Christiansen C, Baum C (eds) (1997) Occupational therapy – enabling function and well-being, 2nd edn. Slack, New Jersey

Creek J (ed) (1997) Occupational therapy and mental health, 2nd edn. Churchill Livingstone, Edinburgh

Feiler M (1997) Clinical Reasoning. Grundsätzliche Überlegungen beim therapeutischen Handeln. Ergotherapie – Fachzeitschrift der diplomierten ErgotherapeutInnen Österreichs 4: 46–51

Feiler M (2003) Klinisches Reasoning in der Ergotherapie, Springer, Heidelberg

Hagedorn R (1995) Occupational therapy. Perspectives and processes, Churchill Livingstone, Edinburgh

Hagedorn R (1997) Foundations for practice in occupational therapy. Churchill Livingstone, Edinburgh

Hopkins H, Smith H (eds) (1993) Willard and Spackman's occupational therapy, 8th edn. Lippincott, Philadelphia

Kielhofner G (1992) Conceptual foundations of occupational therapy, FA Davies, Philadelphia

Kielhofner G (1995) Model of human occupation, 2nd edn. Williams & Williams, Baltimore

Mattingley C, Fleming MH (1994) Clinical reasoning: forms of inquiry in a therapeutic practice. FA Davies, Philadelphia

Miller RJ, Walker KF (1993) Perspectives on theory for the practice of occupational therapy. Aspen Publications, Gaithersberg

Mosey AC (1981) Occupational therapy: configuration of a profession. Raven, New York

Reed KL (1984) Models of practice in occupational therapy. Williams & Wilkins, Baltimore

Reed KL, Sanderson S (1992) Concepts of occupational therapy, 3rd edn. Williams & Wilkins, Baltimore

Rogers CJ, Holm MB (1991) Occupational therapy diagnostic reasoning: a component of clinical reasoning. American Journal of Occupational Therapy 45/11: 1045–1053

Schön D (1983) The reflective practicioner: how professionals think in action. Arena, Aldershot

Turner A, Foster M, Johnson SE (eds) (1996) Occupational therapy and physical dysfunction: principles, skills and practice, 4th edn. Churchill Livingstone, Edinburgh

Das „Model of Human Occupation" (MOHO): Eine Übersicht zu den grundlegenden Konzepten und zur Anwendung

Gary Kielhofner, Christiane Mentrup, Anja Niehaus

4.1 **Theorie des Modells – 46**

Einleitung – 46

Der systemtheoretische Ansatz – 46

Der Fokus auf Betätigung – 48

Anwendung des Modells in der beruflichen Praxis – 58

4.2 **Fallbeispiel – 62**

Einleitung – 62

Volition – 63

Habituation – 64

Performanzvermögen – 65

Umwelt – 68

Überblick zum Betätigungsstatus – 69

Therapeutische Ziele – 69

Strategien therapeutischer Intervention – 71

4.3 **Schlussfolgerung – 71**

Erfahrungen mit dem „Model of Human Occupation" – 72

Glossar – 72

Literatur – 73

4.1 Theorie des Modells

Einleitung

Dieses Kapitel bietet eine Einführung in das **„Model of Human Occupation"** (MOHO; Modell der menschlichen Betätigung) und zu dessen Anwendung. Das Modell wurde in den vergangenen 25 Jahren entwickelt. Ursprünglich aus den USA stammend, sind das derzeitige Modell und seine Anwendungen das Ergebnis einer weltweiten Zusammenarbeit, v. a. mit europäischen Ergotherapeuten. Unsere Erörterung des Modells in diesem Kapitel basiert auf dem aktuellen Buch von Kielhofner (1995) „A Model of Human Occupation: Theory and Application".

Als das Modell zunächst in den späten 1970er Jahren entwickelt wurde, ging man in der Biologie und in den Gesundheitswissenschaften von einer engen mechanistischen Perspektive hin zu einer dynamischen, systemorientierten Sichtweise über. Das Modell der menschlichen Betätigung basiert auf **systemtheoretischen Denkansätzen** und reflektiert somit eine vorwiegend dynamische und ganzheitliche Sicht des Menschen. Das MOHO wurde zudem zu einer Zeit entwickelt, in der die amerikanischen Ergotherapeuten erkannten, dass sich ihre Orientierung zu eng auf die medizinischen Grundlagen beschränkt hatte und dass sie, als Folge davon, ihre frühere Ausrichtung auf und ihr Verständnis für Betätigung verloren hatten. Entsprechend wurde das MOHO mit der Absicht entworfen, das ursprüngliche Verständnis von „Betätigung" wieder aufzugreifen und es zum Zentrum der beruflichen Praxis werden zu lassen.

Das **Modell** bietet

- eine Theorie der Betätigung und deren Bedeutung im menschlichen Leben,
- eine Erklärung dafür, welchen Einfluss eine Funktionseinschränkung auf Betätigung ausübt,
- eine Perspektive, wie Betätigung als therapeutisches Mittel genutzt werden kann.

Somit dient dieses Modell sowohl als theoretische Grundlage als auch als Leitfaden für die berufliche Praxis.

Das Kapitel beginnt zunächst mit einem **Überblick zur Theorie des Modells.** Hier wird untersucht, wie das Modell Funktion und Dysfunktion im Bereich menschlicher Betätigung erklärt und wie es den therapeutischen Prozess versteht. Dann erläutern wir, wie das Modell in die Praxis umgesetzt wird und illustrieren die Anwendung anhand eines Fallbeispiels.

Der systemtheoretische Ansatz

Von den zahlreichen Konzepten und Perspektiven, die die Systemtheorie bietet, sind v. a. 2 Gedanken für das Modell der menschlichen Betätigung relevant:

- Erstens versteht das MOHO den Menschen als dynamisches, sich selbst organisierendes System, das sich im Verlauf der Zeit ständig fortentwickelt und verändert. Dem Modell zufolge spielt Betätigung eine zentrale Rolle in diesem Prozess der Selbstorganisation. So wie Menschen sich in Arbeit, Spiel und Alltagsaufgaben betätigen, erhalten, verstärken, formen und verändern sie eigene Fähigkeiten, Überzeugungen und Dispositionen.

Wichtig

Was Menschen innerhalb ihrer Betätigungen tun, formt sie zu den Personen, die sie in Zukunft sein werden. Somit ist Betätigung eine zentrale Kraft für Gesundheit, Wohlbefinden, Entwicklung und Veränderung.

- Das Spiel als Betätigung bietet z. B. einem Kind Möglichkeiten, motorische und kognitive Fähigkeiten zu entwickeln. Am anderen Ende des Altersspektrums unterstützt die weitergehende Einbindung in sinnvolle

Betätigungen die Aufrechterhaltung des körperlichen und psychischen Wohlbefindens, und man geht davon aus, dass Betätigung als lebensverlängernder Faktor eine Rolle spielt.
- Als zweite wichtige Systemannahme wird davon ausgegangen, dass Verhalten nicht einfach nur das Ergebnis innewohnender Fähigkeiten und Wünsche ist, sondern zudem von der Umwelt beeinflusst wird.

Wichtig

Betätigungsverhalten („occupational behavior") wird als Ergebnis der Interaktion von persönlichen und umweltbedingten Faktoren verstanden.

Ob eine Person z. B. in der Lage ist, eine Arbeitsstelle auszufüllen, hängt nicht nur von den Fähigkeiten und Grenzen der Person ab, sondern zudem vom räumlichen Zugang zum Arbeitsplatz, den Anforderungen der Arbeitsaufgaben und den Einstellungen des Vorgesetzten und der Kollegen.

Diese beiden systemtheoretischen Annahmen werden genutzt, um den **therapeutischen Prozess** zu erklären.

Wichtig

Als erstes ist festzustellen, dass die Ergotherapie Klienten mit der Intention in Betätigungen einbindet, sie zu einer Neustrukturierung ihres täglichen Lebens zu befähigen.

Manchmal werden Betätigungen als Mittel genutzt, um **grundlegende Fähigkeiten** wiederzuerlangen. Der Klient soll dazu befähigt werden,
- Kraft und Ausdauer aufzubauen,
- sich an veränderte Fähigkeiten anzupassen (z. B. um nach einer Halbseitenlähmung das Anziehen wiederzuerlernen),
- neue Motivation zu erlangen,
- sich neue Verhaltensgewohnheiten anzueignen.

Fallsituation

Betätigung als Mittel der Therapie weckt Motivation, z. B. wenn ein Kind innerhalb der Therapie eigene Fähigkeiten und ▶ Interessen durch die Beschäftigung mit einem Spiel erforscht, das durch eine spezielle Beschaffenheit seinen individuellen körperlichen Möglichkeiten entspricht.
Verhaltensgewohnheiten werden z. B. etabliert, wenn ein Mensch an einem Programm zur Arbeitsrehabilitation teilnimmt, um sich an Pünktlichkeit, Aufmerksamkeit und die Beachtung der Qualität der Ausführung (im Folgenden auch ▶ Performanz) seiner Betätigungen zu gewöhnen.

In jeder dieser Therapiesituationen wird es Menschen ermöglicht, sich durch eine gezielte Teilnahme an Betätigung neu zu strukturieren.

Wichtig

Ein zweites Verständnis von Therapie ergibt sich aus der Erkenntnis, dass sich Verhalten aus dem Zusammenspiel zwischen Person und Umwelt ergibt. Aus dieser Perspektive heraus entsteht das Bemühen des Ergotherapeuten, die räumliche und soziale Umwelt zu adaptieren, damit die Person eine Betätigung besser ausführen kann.

Ob es um die Veränderung von am Arbeitsplatz erforderlichen Aufgaben geht, sodass sie für einen Menschen mit kognitiven Einschränkungen ausführbar werden, um das Bereitstellen einer speziellen Kommunikationshilfe für ein Kind mit schweren motorischen Einschränkungen oder um die Veränderung einer Küche für eine Hausfrau oder einen Hausmann mit einer Fähigkeitsstörung: Therapeuten sind in der Lage, kompetentes Verhalten durch **Veränderung in der Umwelt** zu ermöglichen.

Systemtheoretische Konzepte ermöglichen zudem eine **ganzheitliche therapeutische Sichtweise,** nach der sowohl die Person als auch die Umwelt verändert werden können. Sie bieten eine Perspektive, die in der Therapie nicht nur als Möglichkeit gesehen wird, geringe Veränderungen (wie etwa erhöhte Kraft, ein erweitertes Bewegungsausmaß oder verbesserte Wahrnehmungsfähigkeiten), sondern auch eine allumfassende Neustrukturierung zu erzielen. In einer erfolgreichen Therapie organisiert sich die Person in einer Weise, in der Fähigkeit, Einstellung, Gewohnheit, Umwelt und andere Faktoren zu einem neuen Muster zusammengefügt werden. Als Ergebnis dieser Selbstorganisation wird die Person darin unterstützt, ein kompetenteres und zufriedeneres Betätigungsverhalten zu erreichen.

Der Fokus auf Betätigung

Um das aktive Wesen des Menschen zu erklären, betrachtet das Modell den Menschen als aus **3 Subsystemen** bestehend:

- Das Subsystem der ▶ Volition bezieht sich auf die Motivationsaspekte des Betätigungsverhaltens und erklärt, wie Menschen Betätigungen wählen.
- Das Subsystem der ▶ Habituation ist für die Routineaspekte von Betätigungsverhalten zuständig.
- Das Subsystem des ▶ Performanzvermögens erklärt, wie die zugrunde liegenden Fähigkeiten die Fertigkeiten unterstützen, die für die Performanz benötigt werden.

Die Theorie befasst sich zudem mit dem **Einfluss der Umwelt** auf das Betätigungsverhalten. **Abbildung 4.1** zeigt die Subsysteme im Zusammenhang mit dem Einfluss der Umwelt auf das Verhalten.

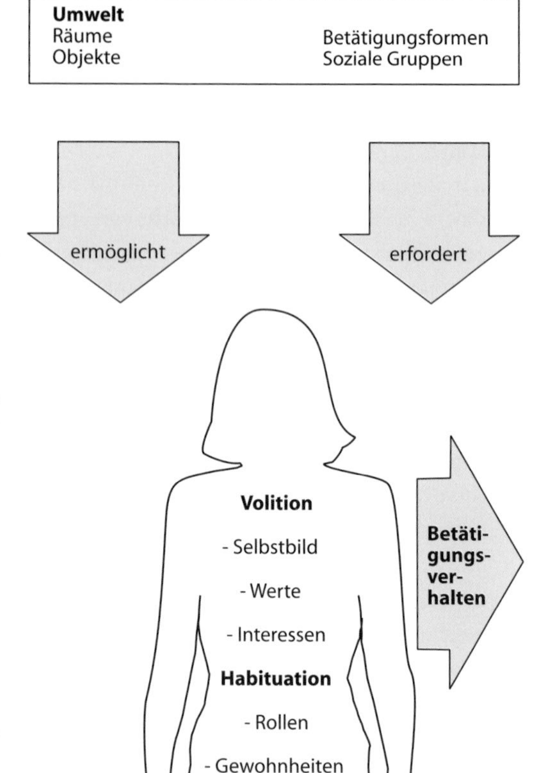

Abb. 4.1. Grundschema des „Model of Human Occupation"

In den folgenden Abschnitten werden die wichtigsten **Theoriekomponenten** erläutert und ihre Relevanz für Funktion und Dysfunktion dargestellt.

Subsystem der Volition („volition subsystem")

Das grundlegende Motiv für die Aufnahme von Betätigung ist das Bedürfnis aller Menschen zu **handeln.** Dieses Bedürfnis drückt sich im Betätigungsverhalten jedes Menschen anders aus, da jede Person unterschiedliche Neigungen und ein unterschiedliches Selbstbewusstsein entwickelt. Somit erwerben Menschen durch ihr Verhalten ein einzigartiges Gefühl eigener Effektivität, ein Bewusstsein ihrer Fähigkeit, Freude und Zufriedenheit zu empfinden, und eine Einstellung zum Leben, die sie dazu veranlasst, sich in einer bestimmten Weise zu verhalten.

Wichtig

Das Bedürfnis zu handeln in Verbindung mit diesen erworbenen Dispositionen und dem Selbstbewusstsein des Einzelnen machen die Volition aus.

Deshalb wird argumentiert, dass ▶ **Volition** auf dem Bedürfnis zu handeln basiert und aus **3 Teilen** besteht:
- dem Selbstbild, das sich auf das eigene Gefühl von Fähigkeit und Wirksamkeit bezieht;
- den Interessen, die sich auf das eigene Vergnügen und die Zufriedenheit im Zusammenhang mit Betätigung beziehen;
- den Werten, die den Bezug zu den eigenen Überzeugungen und Anliegen herstellen, denen man sich persönlich verpflichtet fühlt.

Diese Anteile der Volition beeinflussen gemeinsam, wie ein Mensch sein eigenes Betätigungsverhalten vorausahnt (antizipiert), wählt, erlebt und interpretiert.

Selbstbild („personal causation"). Die Erfahrung lehrt uns, was wir gut und weniger gut beherrschen, und vermittelt uns damit eine Haltung der Sicherheit oder Unsicherheit bezüglich unserer körperlichen, intellektuellen und zwischenmenschlichen Fähigkeiten. Die Erfahrung lässt zudem erkennen, wie wirksam wir unsere Fähigkeiten nutzen, wie gut wir eigenes Verhalten steuern und ob wir unsere Wünsche verwirklichen können.

Wichtig

Das Selbstbild ist die Kombination dessen, was wir durch Erfahrung über unsere Fähigkeiten und Wirksamkeit innerhalb von Betätigungen lernen.

Menschen mit einer Fähigkeitsstörung müssen sich möglicherweise mit der Erkenntnis auseinandersetzen, dass ihr **Leistungsvermögen** („capacity") schwerwiegend eingeschränkt ist oder ihre früheren Fähigkeiten nicht länger verfügbar sind. Sie sehen sich vielleicht weniger als früher oder auch weniger als andere in der Lage, sich eigene Wünsche zu erfüllen. Gefühle von Unzulänglichkeit, Scham, Angst oder Versagen können dann das ▶ Selbstbild dominieren.

Manchmal ist es für einen Menschen angesichts einer fortschreitenden Erkrankung oder einer sich verändernden Umwelt sehr schwer, seine Möglichkeiten einzuschätzen. Zudem kann es passieren, dass Menschen eigene Fähigkeiten und Erfolgschancen über- oder unterschätzen. Die Gewissheit des Verlusts oder der Einschränkung der eigenen Leistungsfähigkeit kann sehr schmerzhaft sein und zu **Depression und Entmutigung** führen.

Cave

Wenn das Selbstbild negativ beeinflusst ist, treffen Menschen möglicherweise Entscheidungen, die ihr Verhalten einschränken und Möglichkeiten zur weiteren Entwicklung verhindern.

Werte. Werte sind als Überzeugungen definiert, an denen wir im Hinblick auf die Bedeutsamkeit und die Ausführungsnorm einer Betätigung festhalten. Unsere Werte vermitteln uns, welche Handlungen sich lohnen, wie wir eine Betätigung ausführen sollten und welche Ziele oder Bestrebungen unser Engagement verdient. ▶ Werte gründen sich auf den gesunden Menschenverstand, der uns dazu bringt, die Art von Leben zu führen, die wir anstreben.

Werte rufen auch starke Emotionen hervor, die die Lebensführung betreffen. Man verhält sich nicht entgegen seiner eigenen Werte, ohne ein Gefühl von Scham, Schuld, Versagen und Unzulänglichkeit zu empfinden.

Die **Verbindung zwischen Dysfunktion und Werten** ist komplex. Manche Dysfunktionen können zum Teil durch abweichende, innerlich konfliktbeladene Werte verstärkt werden oder zu unangepasstem Betätigungsverhalten führen. Wenn sich jemand unerreichbaren Idealen verpflichtet, so kann dies zu einem Gefühl von Wertlosigkeit führen. Steht das wertorientierte Verhalten eines Menschen in Konflikt zu den Werten seiner Umwelt, werden die anderen dieses Verhalten nicht wertschätzen.

Menschen mit eingeschränktem Leistungsvermögen erleben sich oft als unfähig, **gesellschaftlichen Werten**, wie Selbstbewusstsein und körperliche Schönheit, zu genügen. Wenn sie gesellschaftliche Werte dieser Art übernehmen, kann dies dazu führen, dass sie sich selbst entwerten. Andererseits können sie sich, wenn sie weitverbreitete Werte ablehnen, in der Position gesellschaftlicher Außenseiter wiederfinden.

Sobald Menschen in ihrer Leistungsfähigkeit eingeschränkt sind, können sie sich unfähig fühlen, etwas auf die Weise auszuführen, wie es ihnen wichtig ist. Sie sind vielleicht gezwungen, Aktivitäten aufzugeben, die wertvolle Sinnquellen für sie waren. Wenn Einschränkungen Menschen daran hindern, ihren eigenen Werten gerecht zu werden, riskieren sie den **Verlust ihres Selbstwertgefühls** und empfinden ihr Leben möglicherweise als sinnlos. Entsprechend kann eine Fähigkeitsstörung für eine Person durch die Konflikte zwischen gesellschaftlichen Idealen, eigenen Werten und den verbleibenden (Leistungs-)Fähigkeiten zu einer großen Herausforderung werden.

Interessen. Interessen werden definiert als Voraussetzungen, Freude und Zufriedenheit in Betätigungen zu finden, und als Bewusstsein um das Vergnügen, das diese Betätigungen bereiten. ► Interessen spiegeln sowohl natürliche Voraussetzungen (z. B. die Neigung, körperliche oder intellektuelle Aktivitäten zu genießen) als auch erworbene Vorlieben wider. Handlungserfahrungen schaffen ein Bewusstsein darüber, dass uns manche Betätigungen ein Gefühl von Zufriedenheit und Freude vermitteln, während uns andere langweilen, bedrohen oder einfach nicht ansprechen. Interessen ergeben sich aus solchen Erfahrungen. Jeder Mensch entwickelt eine individuelle Neigung, Handlungen auf eine bestimmte Art durchzuführen oder bestimmte Aktivitäten anderen vorzuziehen.

Die **Anziehungskraft** („attraction"), die eine Betätigung auf jemanden ausübt, spiegelt das Zusammentreffen verschiedener Faktoren (z. B. Freude an Herausforderungen, an Ästhetik, an Ergebnissen und an menschlichen Interaktionen) wider, die durch die Aktivität geboten werden. Die Erfahrung und das Bewusstsein, eine Betätigung zu genießen, führen zu einer Disposition bzw. Vorwegnahme („anticipation") zukünftiger positiver Handlungsmöglichkeiten. Entsprechend werden Interessen als Wunsch empfunden, an bestimmten Betätigungen teilzunehmen.

Wichtig

Eine der schwerwiegendsten Auswirkungen einer Fähigkeitsstörung auf eine Betätigung ist die Unterbrechung der Interessen.

Schädigungen, die Verhaltensmöglichkeiten begrenzen, können auch die **Erfahrungsmöglichkeit** einschränken, sich von Betätigungen angezogen zu fühlen. Die Freude, die Beruhigung und die Zufriedenheit, die sich aus der Ausführung von Betätigungen ergeben und die den Alltag beleben, können durch eine Fähigkeitsstörung reduziert oder ausgeschlossen werden. Außerdem können Erschöpfung, Schmerz und Angst vor Versagen, die eine solche Störung möglicherweise begleiten, das Gefühl der Freude an Betätigungen verringern oder ausschließen. Zum Gelingen von ► Performanz notwendige Anpassungen können die Atmosphäre („ambience") und den „Geist" der Aktivitäten verändern sowie den Genuss oder die Zufriedenheit während der Ausführung reduzieren. Eine Schädigung hält Menschen möglicherweise ganz und gar davon ab, sich in früheren Interessengebieten zu engagieren, und erfordert eine neue Herangehensweise oder das Finden neuer Interessen.

Menschen mit emotionalen Fähigkeitsstörungen empfinden häufig einen **Verlust der Anziehungskraft von Betätigungen.** So stehen z. B. eine Depression und reduziertes Empfinden von Freude an Aktivitäten miteinander in Zusammenhang. Menschen mit einer Suchtproblematik werden mit geringer Wahrscheinlichkeit ihre Interessen verfolgen und die Freude an der Gestaltung von Interessen durch den Genuss der Suchtmittel ersetzen.

Auswählen im täglichen Leben. Selbstbild, Werte und Interessen bestimmen das alltägliche Verhältnis des Einzelnen zu sich selbst und zur eigenen Welt. Sie beeinflussen, wie jemand dazu steht, an Betätigungen teilzunehmen, und wie er Aktivitäten erlebt und interpretiert. Der Prozess des Auswählens, Erlebens und Interpretierens des Betätigungsverhaltens ist ein dauerhafter Kreislauf, der die ► Volition aufrechterhält und verändert. Auf diese Weise sind ► Selbstbild, ► Werte und ► Interessen sowohl das Motiv für als auch das Produkt des eigenen Betätigungsverhaltens.

Wichtig

Menschen wählen bewusst viele Aktivitäten, die ihren Tag ausfüllen. Die Wahl von Aktivitäten („activity choices") ist definiert als kurzfristige, bewusste Entscheidung, Aktivitäten zu beginnen oder zu beenden.

Fallsituation

Die Entscheidung, mit einem Kollegen die Mittagspause zu verbringen, einen Film anzuschauen, das Auto zu waschen, den Rasen zu mähen, einen Spaziergang zu machen, einen Kuchen zu backen oder eine Zeitung zu lesen – all dies sind Beispiele für die Wahl von Aktivitäten.

Individuen entscheiden sich zudem, bestimmte Betätigungen zum Teil ihres Lebens zu machen. Diese Entscheidung treffen sie, wenn sie neue Rollen übernehmen (z. B. die des Ehepartners, Elternteils oder Studenten), eine neue Gewohnheit annehmen (z. B. regelmäßig Sport treiben) oder ein neues Projekt beginnen (z. B. das Anlegen und Pflegen eines Gartens, die Herausgabe eines Buches, das Bauen eines Zaunes um das Grundstück herum). Solche Entscheidungen erfordern es, dass man sich auf eine Verpflichtung einlässt, in einen Handlungsablauf einsteigt oder über einen Zeitraum hinweg regelmäßig Handlungen durchführt. Die Wahl von Betätigungen („occupational choices") ergibt sich üblicherweise aus umfangreichen Überlegungen und kann einen ausgedehnten Prozess beinhalten, der aus dem Sammeln von Informationen, aus Reflexion und kreativen Anstrengungen besteht.

Wichtig

Die Wahl von Betätigungen wird definiert als das bewusste Eingehen der Verpflichtung, eine tätige Rolle („occupational role") zu übernehmen, eine neue Gewohnheit zu erwerben oder ein persönliches Projekt durchzuführen.

Betätigungsnarrative ("occupational narrative"). Der Volitionsprozess des Antizipierens, Auswählens, Erlebens und Interpretierens des eigenen Betätigungsverhaltens ist ein Teil des alltäglichen Lebens. Volitionale Gedanken, Gefühle und das Auswählen spiegeln aktuelle Umstände, Erinnerungen an Vergangenes und Vorstellungen von einer möglichen Zukunft wider.

Wichtig

Menschen integrieren Vergangenheit, Gegenwart und Zukunft in ihren hochgradig persönlichen Lebensgeschichten in ein zusammenhängendes Ganzes, das als Betätigungsnarrative bezeichnet wird (Helfrich u. Kielhofner 1994; Helfrich et al. 1994).

Für Menschen ist es etwas Natürliches, den Dingen anhand einer Geschichte einen Sinn zu verleihen und sich selbst als zentralen Charakter in einem sich entwickelnden **„Lebensschauspiel"** wahrzunehmen. Innerhalb der eigenen Geschichte gelingt es, eigenen Kompetenzen einen Sinn zu geben und den Weg zu Zufriedenheit und Wert im Leben festzulegen. Volitionsnarrative fügen die Fragestellungen, Sorgen, Hoffnungen und Ängste in Bezug auf das ► Selbstbild, die ► Werte und die ► Interessen in die Ereignisse und Umstände des jeweiligen Lebens ein. Da Geschichten die Zukunft sowohl anregen als auch vorwegnehmen (antizipieren) – z. B. wenn sie die Angst, dass sich etwas verschlechtert, oder auch die Hoffnung, dass es sich verbessert, zum Thema machen –, können sie die volitionale Wahl („volitional choice") des Einzelnen sowohl energetisch aufladen als auch lähmen. Menschen erfahren das sich entfaltende Leben als die Fortsetzung ihrer Betätigungsnarrative. Daher bemühen sie sich, die Geschichte durch ihr Betätigungsverhalten auf eine Art fortzuführen, die ihnen wichtig, für sie zufriedenstellend und erreichbar erscheint.

Zusammenfassung

Wenn die ► Volition eines Menschen durch eine Dysfunktion negativ beeinflusst wird, wählt er möglicherweise Aktivitäten und Betätigungen aus, die sich nicht als förderlich erweisen. Aus diesem Grund ist es wichtig, die Volition des einzelnen Klienten zu verstehen sowie seine Erfahrungen und Entscheidungen zu berücksichtigen, die sich aus der Volition ergeben. Ebenso wichtig ist es, die notwendige Unterstützung und die Möglichkeit zu Veränderungen der Volition anzubieten, wenn sie sich als erforderlich erweisen. Am wichtigsten ist jedoch, dass die Therapeuten die Volition des Klienten absolut respektieren.

Subsystem der Habituation („habituation subsystem")

Kompetent zu sein erfordert von Menschen, sich in Rhythmen und Bräuche zu integrieren, die ihre räumlichen, sozialen und zeitlichen Welten ausmachen. Darüber hinaus bewegen sich die Menschen durch ihr Leben, indem sie eine Reihe von sozialen Positionen als Familienmitglieder, Studenten, Eltern, Arbeitende etc. ausfüllen. Man erwartet von ihnen, dass sie lernen, sich aufgrund dieser Rollen in bestimmter Weise zu verhalten. Daraus ergibt sich, dass Menschen wiederkehrende Betätigungsmuster erwerben und zeigen, die einen Großteil ihres täglichen Lebens ausmachen.

Wichtig

Das Subsystem der Habituation wird definiert als innere Organisation von Informationen, die das System dazu bewegt, sich wiederholende Verhaltensmuster zu zeigen. Dieses Subsystem erlaubt es den Menschen, sich in den ihnen vertrauten räumlichen, zeitlichen und sozialen Umwelten effektiv und automatisch zu bewegen. ► Habituation schließt die eigenen ► Gewohnheiten und Rollen mit ein.

Habituation ermöglicht es dem Einzelnen, ohne Überlegung oder besondere Aufmerksamkeit ein ihm **vertrautes Verhalten** auszuführen. Habituation befähigt eine Person, bestimmte Umstände zu berücksichtigen, ohne vorher zu reflektieren, wie man in der Situation angemessen handelt. So erkennen in den meisten Kulturen die Menschen automatisch die ausgestreckte

Hand als Grußangebot und wissen instinktiv, wie sie dieses Verhalten erwidern müssen.

Gewohnheiten („habits"). Während Menschen ihrer täglichen Routine nachgehen, werden sie von ► Gewohnheiten geleitet. Man weiß intuitiv, wann die Zeit zum Frühstücken gekommen ist, welche Strecke man auf dem Weg zur Arbeit zurücklegen und welchen Schritt man als nächstes bei einer Aufgabe am Arbeitsplatz ausführen muss, weil verinnerlichte Gewohnheiten es einem ermöglichen, die vertraute Welt zu verstehen und sich darin zu bewegen. Gewohnheiten halten eine bestimmte Art und Weise etwas zu tun aufrecht, die in einer früheren ► Performanz erworben wurde. Einmal etablierte Gewohnheiten ermöglichen es, Verhalten automatisch zu entfalten.

Wichtig

Entsprechend werden Gewohnheiten definiert als latente Neigungen, die durch stetige Wiederholung erworben wurden, sich auf einer vorbewussten, automatisierten Ebene abspielen und ein breites Spektrum an Verhaltensmustern beeinflussen.

Gewohnheiten strukturieren Betätigungsverhalten, indem sie:
- beeinflussen, wie jemand seine Routinehandlungen durchführt;
- regulieren, wie Zeit üblicherweise genutzt wird;
- einen Verhaltensstil erzeugen (z. B. etwas sorgfältig statt nachlässig oder langsam statt schnell ausführen).

Gewohnheiten fungieren nicht als Anleitungen zu spezifischem Verhalten. Sie dienen eher als Landkarten zur **Orientierungshilfe** und zur Steuerung eigenen Verhaltens im Zusammenhang der sich entfaltenden Ereignisse. Somit ermöglichen es die Gewohnheiten einer Person, sich innerhalb vertrauter Ereignisse oder Kontexte zu bewegen.

Gewohnheiten können eine Quelle für **Dysfunktion** sein, wenn sie eine bislang wirkungsvolle Betätigungsperformanz („occupational performance") einschränken. Schlecht organisierte oder rigide Gewohnheiten können eine ernsthafte Belastung darstellen. Menschen mit dysfunktionalen Gewohnheiten können ihre Routinen als unbefriedigend erleben, was dazu führt, dass sie ihren eigenen Wünschen und denen anderer nicht gerecht werden können.

Eine **Fähigkeitsstörung** kann wichtige Einschränkungen und Anforderungen für die Gewohnheiten darstellen. Zum Beispiel grenzt es die Zahl von Aktivitäten ein, die an einem Tag erledigt werden können, wenn bereits sehr viel Zeit für die Selbstversorgung aufgebracht werden muss. Besondere Abläufe können nötig sein, um mit einer chronischen Erkrankung oder einer Fähigkeitsstörung zurechtzukommen (z. B. die routinemäßige Blasen- und Darmentleerung, Gelenkschutz oder Kraftkonservierung).

Menschen, die eine Fähigkeitsstörung erwerben, erleben möglicherweise, dass ein Großteil ihrer bisherigen Routine untauglich geworden ist. Der Eintritt einer Fähigkeitsstörung kann die **räumlichen und zeitlichen Dimensionen** eines Routineablaufs radikal verändern. Was einst als vertrautes Territorium des täglichen Lebens galt, kann fremd werden, wenn jemand die Welt nicht länger in der gleichen automatisierten Weise wahrnehmen und sich in ihr bewegen kann.

Verinnerlichte Rollen („internalized roles"). Im Betätigungsverhalten spiegeln sich die Rollen wider, die jemand verinnerlicht hat. So handeln Menschen als Partner, Elternteile, Arbeitende, Studenten etc. Rollen formen zudem die Identität einer Person. Menschen betrachten sich als Partner, Elternteile, Arbeitende oder Studenten, wenn sie sich in diesen Rollen bewegen.

Wichtig

Die verinnerlichte Rolle ist definiert als generelles Bewusstsein einer bestimmten sozialen Identität und der damit verbundenen Verpflichtungen. Sie bildet den Rahmen für die Berücksichtigung relevanter Situationen zur Entwicklung angemessenen Verhaltens.

Wenn Menschen rollenbezogen handeln, berücksichtigen sie die jeweilige soziale Situation und die sozialen Erwartungen und entwickeln ein Verhalten, das ihrer spezifischen Rolle entspricht. ▶ **Verinnerlichte Rollen** erlaubt es beispielsweise, automatisch unterschiedliche Grußformen gegenüber dem Vorgesetzten während einer Besprechung und gegenüber einem engen Freund in einem Restaurant zu zeigen. Sie ermöglichen es, die eigene Rolle im jeweiligen Kontext wahrzunehmen und zu wissen, welches Verhalten der Rolle und der Situation entspricht.

Die Rollen, die jemand übernimmt, wecken zudem **Erwartungen bezüglich der ▶ Performanz** gewisser Betätigungen. Die Elternrolle z. B. erfordert es, bestimmte Versorgungsaufgaben zu erfüllen, während die Studentenrolle Lernen erfordert. Der Mensch hat üblicherweise eine ganze Reihe von Rollen, deren Routinen Zeit und Raum einnehmen. Während der Woche nimmt er i. Allg. die Rolle des Arbeitenden am Arbeitsplatz und außerhalb der Arbeitszeit, v. a. zu Hause, die Rolle des Partners ein.

Somit strukturieren Rollen das Betätigungsverhalten durch

- den Einfluss auf die Art und den Inhalt der Interaktionen mit anderen,
- die Routineaufgaben, die sie erfordern,
- die Aufteilung täglicher und wöchentlicher Zyklen in Zeiten, in denen jemand üblicherweise die unterschiedlichen Rollen einnimmt.

Eine Vielfalt an Rollen lässt den Menschen **Rhythmus und Abwechslung** zwischen den unterschiedlichen Identitäten und Handlungsarten erleben.

Rollendysfunktion („dysfunction in roles") kann sowohl die Konsequenz als auch die Ursache einer psychosozialen Dysfunktion sein. Rollenversagen kann vorkommen, wenn jemand nicht über angemessene verinnerlichte Rollen verfügt und den Rollenerwartungen anderer nicht gerecht wird. Kognitive oder emotionale Einschränkungen und begrenzte Lernerfahrung können die Erfahrungen limitieren, die nötig sind, um Rollen zu verinnerlichen.

Erworbene Schädigungen können die Übernahme von Rollen unterbrechen oder beenden. Jemand ist möglicherweise unfähig, eine Rolle so zu übernehmen, dass die eigenen Rollenerwartungen oder die anderer erfüllt werden, was zu einer Rollenbelastung oder einem zwischenmenschlichen Konflikt führen kann. Ein **Rollenverlust** bzw. die Notwendigkeit, eine weniger befriedigende oder weniger geschätzte Rolle anzunehmen, kann die eigene Identität und das Selbstwertgefühl verändern.

Menschen mit einer **Fähigkeitsstörung** fühlen sich oft aufgrund sozialer Vorbehalte von bestimmten Rollen ausgeschlossen. So haben Menschen mit einer Fähigkeitsstörung immer noch größere Probleme bei der Stellensuche. Zudem fühlen sie sich oft durch andere in die Rolle des kranken oder behinderten Menschen gedrängt. Mit anderen Worten: Andere betrachten sie nicht als fähig und erwarten kein normales Rollenverhalten von ihnen. So kann die Tatsache, dass jemand in einem Rollstuhl sitzt, die Art verändern, wie er von anderen gesehen wird. Auf diese Weise erleben Menschen mit einer Fähigkeitsstörung ihre Rollen oft als gesellschaftlich begrenzt.

Zusammenfassung

Gewohnheiten und Rollen tragen gemeinsam zu der Fähigkeit bei, Aspekte und Situationen in der Umwelt zu erkennen und sich automatisch entsprechend zu verhalten.

▼

Rollen leiten uns beim Ausfüllen sozialer Positionen, Gewohnheiten regulieren andere Aspekte der individuellen Routine und andere Arten der Betätigungsperformanz. Gewohnheiten und Rollen sind in das Alltagsleben verwoben und strukturieren ihrerseits routinemäßiges Verhalten. ▶ Habituation versetzt den Menschen in das vertraute Territorium des Alltags und macht ihn bereit, die Umstände zu berücksichtigen und sich gleichbleibend – wie gewohnt – zu verhalten.
Ein großer Teil des **Betätigungsverhaltens** gehört zum vertrauten täglichen Leben. Die meisten Menschen wiederholen z. B. an 5 Tagen der Woche jeden Morgen das gleiche Szenario des Aufstehens und der Körperpflege, den Gang zur Arbeit oder Schule. Dank der Rollen und Gewohnheiten sind diese Routinehandlungen leicht und regelmäßig auszuführen.
Entsprechend kann das ganze Lebensgefüge eines Menschen erschüttert werden, wenn die Habituation durch eine **Fähigkeitsstörung** beeinträchtigt wird. Die Fähigkeitsstörung kann Rollen und Gewohnheiten untauglich machen, einschränken und ihnen zusätzliche Anforderungen auferlegen, wodurch die Routine verändert wird. Zudem können Gewohnheiten und Rollen zu einer Fähigkeitsstörung beitragen, wenn sich unangepasste Verhaltensmuster ergeben. Für Ergotherapeuten, die mit Klienten mit Fähigkeitsstörungen arbeiten, ist es wichtig, über die eigentlichen Schädigungen oder Einschränkungen hinauszuschauen und zu verstehen, auf welche Art die Gewohnheiten und Rollen der Person betroffen sind.

Performanzvermögen

Das 3. Subsystem, dasjenige des ▶ Performanzvermögens („performance subsystem"), ermöglicht die ▶ Performanz bzw. **Ausführung täglicher Betätigungen.**

Wichtig

Der Begriff „Performanz" bezieht sich auf die spontane Ausführung der Handlungen, die für eine Betätigung notwendig sind. Performanz beinhaltet ein komplexes Zusammenspiel skelettmuskulärer, neurologischer, perzeptiver und kognitiver Phänomene.

Diese skelettmuskulären, neurologischen, kardiopulmonaren und symbolischen Anteile sind in dem Performanzsubsystem, organisiert. Betätigungsperformanz ist das Ergebnis einer vereinten Aktion aller **Anteile des Performanzsubsystems,** wenn diese innerhalb der sich entfaltenden Umstände und Umweltbedingungen zusammenarbeiten.

Wichtig

Fertigkeit wird konzeptionell von Leistungsfähigkeit unterschieden. Während sich die Leistungsfähigkeit auf das zugrunde liegende Verhaltenspotenzial bezieht, betrifft Fertigkeit die typischen Merkmale der eigentlichen Performanz. Entsprechend wird Fertigkeit als ein beobachtbares, funktionelles Element einer Handlung betrachtet.

Das Modell identifiziert **3 Fertigkeitsbereiche:**
- motorische Fertigkeiten, die das Bewegen der eigenen Person und von ▶ Objekten im Raum einschließen;
- prozesshafte Fertigkeiten, die sich auf den Umgang mit und die Anpassung von Abläufen beziehen;
- Kommunikations-/Interaktionsfertigkeiten, die den Umgang mit anderen und das Mitteilen von Informationen einschließen.

Fähigkeitsstörungen können Störungen der neurologischen, skelettmuskulären und symbolischen Anteile des ► Performanzsubsystems von Geist–Gehirn–Körper beinhalten.

Wichtig

Das Modell der menschlichen Betätigung bezieht sich nicht direkt auf die Schädigungen. Sie werden von anderen Praxismodellen und Ansätzen angesprochen, die sich mit dem MOHO kombinieren lassen. Das Modell betont jedoch, wie wichtig es ist, die persönliche Erfahrung einer Geist-Gehirn-Körper-Fähigkeitsstörung zu verstehen. Somit lenkt das MOHO die Aufmerksamkeit darauf, wie es jemandem ergeht, der Einschränkungen in den motorischen Leistungsfähigkeiten, der Empfindung, Wahrnehmung oder Kognition erlebt.

Das Modell unterstreicht, dass die **Erfahrung** der subjektive Rahmen ist, in dem die Person existieren und handeln muss. Zudem lenkt es die Aufmerksamkeit auf die aktuellen Performanzfertigkeiten („performance skills"), die eine Person zeigt. Einschränkungen in den motorischen und prozesshaften Fertigkeiten sowie in den Kommunikations-/Interaktionsfertigkeiten können die Wirkmöglichkeit eines Menschen verringern.

Einflüsse der Umwelt auf Betätigung

Wie bereits an anderer Stelle bemerkt, betont das MOHO die **wechselseitige Abhängigkeit von Person und Umwelt.** Das Betätigungsverhalten des Menschen wird als Ergebnis der Interaktion zwischen den inneren Merkmalen der Person und den Umweltaspekten angesehen.

Dem Modell zufolge **beeinflusst die Umwelt Betätigungsverhalten** auf zweierlei Weise:

- Sie ermöglicht oder schafft Gelegenheiten für die ► Performanz.
- Sie fordert ein bestimmtes Verhalten.

Wichtig

Umwelten ermöglichen und fordern Betätigungsverhalten. Indem sie gleichzeitig Möglichkeiten und Beschränkungen bieten, kreieren Umwelten Verhaltenswege. Darüber hinaus haben Umwelten räumliche und soziale Dimensionen. Zur Betätigung gehört die Begegnung mit einer räumlich und sozial verflochtenen Umwelt.

Die **räumliche Umwelt** besteht aus ► Räumen und darin enthaltenen ► Objekten. Der Begriff „Raum" bezieht sich auf physikalische Kontexte, in denen sich Personen mit ihrem Betätigungsverhalten engagieren können. Der Begriff schließt sowohl natürliche Räume – wie ein offenes Feld, einen Strand oder einen See – als auch geschaffene Räume – wie eine Eingangshalle, eine Küche, einen Klassenraum, ein Büro oder eine Fabrik – ein. Der Begriff „Objekt" bezieht sich auf natürliche und geschaffene Gegenstände, mit denen der Mensch interagiert. Entsprechend umfasst der Begriff Bücher, Bäume, Autos, Felsen, Stühle, Kleidung etc. Die Räume, in denen wir uns bewegen, beeinflussen gemeinsam mit den Objekten, die wir nutzen, unser Verhalten.

Die **soziale Umwelt** beinhaltet Personengruppen und die ► Betätigungsformen („occupational forms"), die von Menschen ausgeführt werden. Der Begriff „soziale Gruppe" bezieht sich auf das regelmäßige Zusammenkommen von Menschen. ► Soziale Gruppen bieten und definieren Rollenerwartungen und bilden ein Milieu oder einen sozialen Raum, in dem diese Rollen übernommen werden. Das Ambiente, die Normen und das Klima einer Gruppe bieten Möglichkeiten und erfordern bestimmte Arten von Betätigungsverhalten. Dazu gehören z. B. Gruppen, die sich zusammenfinden, um Poker zu spielen, in der Kirche zu beten, gemeinsam mit der Familie eine Mahlzeit einzunehmen oder ein Haus zu bauen. In jeder dieser Situationen sind die Einstellungen, das Verhalten und die Gespräche, die erwartet werden und deren Inhalt allgemein akzeptiert ist, sehr unterschiedlich. Dieselbe Person könnte in jedem dieser Kontexte unterschiedlichste Verhaltensvarianten zeigen.

Betätigungsformen sind regelgebundene Handlungssequenzen, die sofort einen Zusammenhang bilden und zweckorientiert, im kollektiven Bewusstsein vorhanden, kulturell erkennbar und mit einem Namen versehen sind. Eine Betätigungsform, die Teil eines typischen Gruppenverhaltens ist, kann von den Mitgliedern erkannt und beschrieben werden. Die Aussage, dass Betätigungsformen regelgebunden sind, bedeutet, dass es einen üblichen oder korrekten Weg der Ausführung gibt. Die Verfahren, Ergebnisse und Standards einer Betätigungsform werden innerhalb einer sozialen Gruppe aufrechterhalten und weitergereicht, wenn jemand eine Betätigungsform erlernt. Zu lernen, wie man tanzt, Fußball spielt, einen Vortrag hält, eine Abschlussarbeit schreibt, Kuchen backt oder reitet, bedeutet, sich in etwas zu üben, was mit vorhersagbaren Ergebnissen, Abläufen und konventionellen Formen verbunden ist. Die Durchführung einer Betätigung zu erlernen, bedeutet, eine bestimmte Betätigungsform zu reproduzieren.

Die Umwelten, in denen jemand Betätigungen ausführt, sind Kombinationen aus räumlichen und sozialen Aspekten. Diese **Settings** des Betätigungsverhaltens sind Kombinationen aus ► Räumen, ► Objekten, ► Betätigungsformen und/oder ► sozialen Gruppen, die einen bedeutungsvollen Kontext für die Performanz bilden. Settings für Betätigungsverhalten sind Lebensorte zum Verweilen und Handeln. Sie umschließen uns und werden ein Teil all unserer Handlungen. Zu diesen Settings gehören das Zuhause, die Nachbarschaft, die Schule oder der Arbeitsplatz, Versammlungsorte, Freizeitstätten und andere Ressourcen (z. B. Theater, Kirchen, Clubs, Büchereien, Museen, Restaurants und Geschäfte). Das Betätigungsverhalten einer Person wird von diesen Settings ausgelöst und geformt.

Die räumliche/soziale Umwelt kann eine große Bandbreite an Auswirkungen auf eine Betätigungsdysfunktion haben. Physikalische Räume können natürliche und architektonische Barrieren darstellen, die sich für einen Menschen mit einer Schädigung bei der Betätigungsperformanz als störend erweisen. Die meisten Objekte des täglichen Lebens wurden für Menschen ohne Behinderungen entwickelt und können für Menschen mit einer **körperlichen Schädigung** zum Hindernis oder zu einer Herausforderung werden. Zudem macht es die Fähigkeitsstörung möglicherweise erforderlich, neue Objekte zu nutzen, um die eingeschränkte Leistungsfähigkeit zu erweitern oder zu ersetzen. So können Rollstühle, Hilfsmittel, Instrumente zum Katheterisieren, Haltegriffe und andere ungewöhnliche Objekte die Welt des Menschen mit einer Fähigkeitsstörung ausfüllen.

Menschen mit **emotionalen oder kognitiven Fähigkeitsstörungen** finden sich häufig in institutionellen Umfeldern wieder, in denen es an normalen alltäglichen Objekten mangelt. Ob es sich um die Unerreichbarkeit von Objekten, die Notwendigkeit spezieller Objekte zur Funktionsverbesserung oder den institutionellen Mangel an Objekten handelt – Menschen mit einer Fähigkeitsstörung werden oft sehr stark durch die Objekte ihrer Umwelten beeinflusst.

Die meisten **sozialen Gruppen** verhalten sich Menschen mit einer Behinderung gegenüber sehr ambivalent. Gruppenpraktiken und -haltungen verraten oft Unbehagen im Umgang mit Menschen mit einer Fähigkeitsstörung. Die Fähigkeitsstörung entfernt die betroffene Person von Gruppen, in denen sie sich vorher bewegt hat. Zudem stellt der Mensch mit einer neu erworbenen Funktionseinschränkung möglicherweise fest, dass Kollegen, Freunde und andere verunsichert sind, sich zurückziehen oder nicht die Absicht haben, die vorherigen Beziehungen aufrechtzuerhalten.

Wichtig

Für einen Menschen mit einer Fähigkeitsstörung verändern sich Betätigungsformen auf dramatische Weise. Schädigungen können Betätigungsformen unmöglich machen oder deren Ausführung verändern. Betätigungsformen, die früher private und einfache Angelegenheiten waren, erfordern nach Eintritt der Fähigkeitsstörung die Unterstützung anderer, einen hohen Aufwand und viel Zeit.

Zusammenfassend kann gesagt werden, dass sich die Umwelt für einen Menschen durch eine Funktionseinschränkung völlig verändert. Objekte, Räume, Betätigungsformen und soziale Gruppen können zum Ursprung von **Frustration und Abwertung** werden. Sie können soziale und räumliche Hindernisse für Betätigungsperformanz und Zufriedenheit darstellen.

Anwendung des Modells in der beruflichen Praxis

Wie das MOHO den Prozess der Anpassung an eine Fähigkeitsstörung erfasst, wird im Folgenden beschrieben. Durch positive Wahlmöglichkeiten ein zufriedenstellendes und produktives Leben aufrechtzuerhalten, ist für Menschen mit einer Funktionseinschränkung eine wichtige Aufgabe. Sie müssen oft lernen, die **Einschränkungen im Bereich der ▶ Volition** und die erlebte **Dysfunktion** zu überwinden und zu kompensieren. Wenn sie auf frühere Erfolge, auf den Glauben an ihre eigene Effizienz, auf Gefühle der Anziehungskraft von Betätigungen und der Zufriedenheit bei deren Ausführung sowie auf persönliche Überzeugungen zurückgreifen können, sind sie besser darauf vorbereitet, mit der Funktionseinschränkung umzugehen.

Das Subsystem der **▶ Habituation** ist ebenfalls grundlegend daran beteiligt, wie Menschen sich mit ihrer Funktionseinschränkung arrangieren und ihr Leben so organisieren, dass sie zur eigenen Zufriedenheit und zur Zufriedenheit anderer routinemäßig handeln können. Fähigkeitsstörungen werden subjektiv erfahren. Menschen müssen damit leben und handeln lernen. Zudem müssen sie lernen, die verbleibenden Fertigkeiten zu nutzen, um Defizite zu kompensieren und den Erfolg bei notwendigen und erwünschten ▶ Betätigungsformen zu maximieren.

Schließlich hat die **Umwelt** die Macht, emotionale, funktionelle und verhaltensbezogene Folgen der Schädigung zu mildern oder zu verschärfen. Tatsächlich ist dort, wo Schädigungen unveränderlich sind, die Umweltanpassung ein wichtiges Mittel zur Funktionsförderung. Das Bild davon, wie Menschen eine Fähigkeitsstörung bewältigen und sich ihr anpassen, dient als grundsätzlicher Rahmen für ein Verständnis dessen, was mit einer therapeutischen Intervention erreicht werden sollte.

Wichtig

Die Anwendung des Modells menschlicher Betätigung in der beruflichen Praxis erfordert die Fähigkeit, die Theorie als Leitfaden für das Sammeln und Interpretieren klinischer Daten sowie für die Intervention zu nutzen.

Innerhalb einer **klinischen Befunderhebung** sollten Therapeuten Daten zur Beantwortung von Fragen finden, die sich aus der theoretischen Perspektive des Modells ergeben haben. Therapeuten können beispielsweise folgenden **Fragen** stellen:

- Trägt das Gewohnheitsmuster der Person zur schlechten Rollenperformanz bei?
- Wie hat sich der chronische Schmerz auf die Freude des Menschen an früheren Interessen ausgewirkt?
- Steht das Gefühl fehlender Effizienz der Fähigkeit im Wege, eine wichtige Entscheidung für eine Betätigung zu treffen?

- Zögert das Kind, sich auf ein soziales Spiel einzulassen, weil es Angst davor hat, vor Gleichaltrigen zu versagen?

Wenn **Befunderhebungsinstrumente** in der Therapie genutzt werden, dienen sie zur Beantwortung dieser Art von Fragen.

Instrumente zur Befunderhebung (Assessment)

Für verschiedene Alters- und Bevölkerungsgruppen wurde eine Anzahl strukturierter Methoden entwickelt, wovon einige auch in die deutsche Sprache übersetzt wurden. Hier werden nur die Instrumente vorgestellt, die im Fallbeispiel (siehe unten) genutzt wurden.

Das **„Assessment of Communication and Interaction Skills"** (ACIS, Assessment für Kommunikations- und Interaktionsfähigkeiten; Forsyth et al. 1995) misst die Fertigkeiten bezüglich der Kommunikation und der Zusammenarbeit mit anderen innerhalb von Betätigungen. Das ACIS ist eine Beurteilungsskala, die sich auf die Beobachtung einer Person bezieht, die in einer sozialen Gruppe handelt. Die Skala identifiziert Stärken und Schwächen in den Kommunikations- und sozialen Interaktionsfertigkeiten eines Menschen.

Die **Rollen-Checkliste** (Oakley et al. 1986) erfasst die Rollenidentifikation eines Klienten und hält den Wert fest, den er dieser Rolle beimisst (Abb. 4.2). Die üblichsten Betätigungsrollen sind aufgelistet, und die Person wird gebeten anzugeben, ob sie diese Rollen in der Vergangenheit übernommen hat, gegenwärtig übernimmt und sie für die Zukunft als möglich annimmt (antizipiert). Zudem wird der Klient nach dem Wert befragt, den er der jeweiligen Rolle beimisst. Die Liste kann in wenigen Minuten selbstständig oder mit Hilfe des Therapeuten ausgefüllt werden. Die Rollen-Checkliste wird interpretiert, indem das Antwortmuster ausgewertet wird. Ein Ergebnisbogen unterstützt diesen Vorgang visuell.

Die **Interessen-Checkliste (Abb. 4.3)** wurde 1969 ursprünglich von Matsutsuyu entwickelt und später modifiziert. In der aktuellen Version können die Befragten angeben, ob und wie sich ihre Interessenmuster verändert haben und an welchen Aktivitäten sie in Zukunft teilnehmen möchten. Wie die Rollen-Checkliste, wird auch dieses Instrument durch die Interpretation des Antwortmusters ausgewertet.

Die **„Occupational Case Analysis Interview and Rating Scale"** (OCAIRS, Interview und Bewertungsbogen zur Betätigungsanalyse; Kaplan u. Kielhofner 1989) ist ein Interview, das die ► Volition, die ► Habituation, die ► Performanz und die Umwelt eines Klienten untersucht. Nach dem Interview füllt der Therapeut eine Punkteskala aus, die ein Profil der Stärken und Schwächen der Person im Bereich „Betätigung" ergibt. In Anlehnung an die theoretischen Kategorien des Modells menschlicher Betätigung spiegelt das Interview eine ganzheitliche Sicht des Klienten wider. Zusätzlich zum Profil, das sich aus der Punkteskala ergibt, liefert das Interview noch wertvolle qualitative Informationen.

Für verschiedene Zwecke und Bevölkerungsgruppen existieren eine Reihe weiterer Beobachtungsinstrumente, Interviews und Klientenbögen. Zudem werden auf der Grundlage des Modells menschlicher Betätigung immer wieder **neue Assessments** entwickelt[1].

---

[1] Eine aktuelle vollständige Liste und Informationen zu den Befunderhebungsinstrumenten können unter folgender Adresse über die Website des „Model of Human Occupation" bezogen werden: http://www.uic.edu/hsc/acad/cahp/OT/MOHOC.

Grad des Interesses an bestimmten Aktivitäten

Anleitung: Markieren Sie für jede ausgeführte Aktivität alle Spalten, die Ihren Interessensgrad beschreiben.

Aktivität	Was war bisher das Ausmaß Ihres Interesses?						Nehmen Sie z.Zt. an der Aktivität teil?		Würden Sie ihr gern nachkommen?	
	in den letzten 10 Jahren			im letzten Jahr						
	stark	etwas	klein	stark	etwas	klein	ja	nein	ja	nein
Gartenarbeit		X			X			X	X	
Nähen, Sticken		X				X		X	X	
Kartenspielen		X			X			X	X	
Fremdsprachen		X			X			X	X	
Kirchengemeinschaft			X			X		X		X
Radio hören	X			X			X		X	
Spazieren gehen		X			X			X	X	
Autoreparaturen		X			X			X	X	
Schreiben		X			X			X	X	
Tanzen	X			X				X	X	
Golf			X			X		X		X
Fußball			X			X		X		X
Popmusik hören	X			X			X		X	
Puzzles	X			X			X		X	
Computer		X			X			X	X	
Haustiere, Vieh			X			X		X		X
Filme, Kino		X			X			X	X	
Klassische Musik hören										X
Ansprachen, Reden halten			X			X		X		X
Schwimmen		X			X			X	X	
Kegeln		X			X			X	X	
Besuche abstatten		X			X		X		X	
Museen, Ausstellungen		X			X			X	X	
Schach, Dame			X			X		X		X
Grillen	X			X			X		X	
Lesen		X			X		X		X	
Reisen	X			X				X	X	
Parties		X			X		X		X	
Kampfsportarten			X			X		X		X
Putzen	X			X			X		X	
Modellbau			X			X		X		X
Fernsehen		X			X		X		X	
Konzerte		X				X		X	X	
Töpfern			X			X		X		X

Abb. 4.2. Interessen-Checkliste: Interesse an bestimmten Aktivitäten; Patientenbeispiel

Rollen-Checkliste

Name Herr B. Alter 26 Datum 11/96

Geschlecht: (männlich) weiblich Rentner: ja (nein)

Familienstand: (Single) verheiratet getrennt geschieden verwittwet

Der Zweck dieser Checkliste ist es, die wichtigsten Rollen in Ihrem Leben zu bestimmen. Diese Checkliste, die in zwei Abschnitte unterteilt ist, stellt 10 Rollen vor, welche jeweils definiert sind.

Teil 1

Indem Sie das entsprechende Feld ankreuzen, kennzeichnen Sie neben jeder Rolle, ob Sie diese in der Vergangenheit ausgefüllt haben, es zurzeit tun und/oder für die Zukunft planen. Pro Rolle kann mehr als nur ein Feld angekreuzt werden. Wenn Sie z.B. in der Vergangenheit eine ehrenamtliche Tätigkeit ausgeübt haben,, diese zuzeit nicht wahrnehmen, es aber für die Zukunft planen, markieren Sie bitte die Spalten "Vergangenheit" und "Zukunft".

Rolle	Vergangenheit	Gegenwart	Zukunft
Student/in Schüler/in: Teilnahme am Unterricht auf Vollzeit- oder Teilzeitbasis	X		
Arbeitnehmer/in: Bezahlte Vollzeit- oder Teilzeitstellung	X		X
Ehrenamtliche/r: Anbieten von Dienstleistungen mindestens einmal pro Woche innerhalb eines Krankenhauses, einer Gemeinde, eines politischen Rahmens usw.			X
Betreuer/in: Mindestens einmal pro Woche jemanden wie ein Kind, Ehepartner, Verwandten oder Freund betreuen			
Hausmann/Hausfrau: Mindestens einmal pro Woche Versorgung des Haushalts mit Putzen, Gartenarbeit etc.	X	X	X
Freund/in: Mindestens einmal pro Woche mit einem Freund/einer Freundin Zeit verbringen oder gemeinsam etwas untenehmen	X	X	X
Familienmitglied: Mindestens einmal pro Woche mit einem Familienmitglied wie Kind, Ehepartner, Elternteil oder anderem Verwandten Zeit verbringen oder etwas gemeinsam unternehmen	X	X	X
Religiöse/r Teilnehmer/in: Mindestens einmal pro Woche Teilnahme an Gruppen oder Aktivitäten, welche mit der eigenen Religion in Verbindung stehen (außer beten)			
Hobbyist Mindestens einmal pro Woche Ausübung eines Hobbys oder einer Amateuraktivität wie Nähen, Spielen eines Instruments, basteln, Sport treiben, Theater besuchen oder Teilnahme in einem Club oder Team	X		X
Organisationsmitglied: Mindestens einmal pro Woche Teilnahme in einer Organisation wie einer Frauen-/Männergruppe, Weigth Watchers, Alleinerziehendengruppe usw.			
Andere: Eine nicht aufgeführte Rolle, welche zurzeit, in der Vergangenheit oder in Zukunft ausgefüllt wird			

Abb. 4.3. Checkliste zur Rollenidentifikation; Patientenbeispiel

Reasoning (Begründen und Schlussfolgern) mit Daten

Therapeuten sammeln Daten, um eine **Erklärung der Umstände des Klienten** zu formulieren. Diese Erklärung ergibt sich, wenn der Therapeut die Daten des Klienten mit den Begriffen des Modells in Verbindung bringt. Daraus entsteht eine spezifische Theorie zu den individuellen Umständen.

Fallsituation

So ist das Werteerleben eines Menschen nie genau identisch mit dem eines anderen. Eine Person kann beispielsweise ein Wertesystem haben, das sich eng an fundamentalen religiösen Glaubenssätzen orientiert. Im Wertesystem eines solchen Menschen dominieren möglicherweise bestimmte Themen, wie Moral, persönliche Verpflichtungen und Verhaltensideale. Die Werte eines anderen dagegen können andere Aspekte betonen.

Wichtig

Bei der Datensammlung muss der Therapeut erfassen, wie die individuelle Art des Klienten, Werte zu erleben und auszudrücken, sein tätiges Leben beeinflusst und ob diese Art bei der Anpassung an eine Fähigkeitsstörung eine Stärke oder eine Schwäche darstellt.

Interventionsmethoden

Das Modell der menschlichen Betätigung betont, dass Menschen bei der Einbindung in Betätigungsverhalten durch die Ergotherapie dabei unterstützt werden, ihre Fähigkeiten, Motive und Lebensstile zu erhalten, wiederherzustellen, neu zu strukturieren oder zu entwickeln. Durch die **Teilnahme an therapeutischen Betätigungen** verändern sich Menschen zu anpassungsfähigeren und gesünderen Wesen.

Wichtig

Das Modell der menschlichen Betätigung betont, dass der Einsatz von Betätigungen in der Therapie wichtig ist und einer sorgfältigen Auswahl bedarf. Therapeutische Betätigungen sollten sich auf die Lebensumstände, die Wünsche und die Bedürfnisse des Einzelnen für zukünftige Betätigung beziehen.

Das Modell der menschlichen Betätigung wird im Folgenden durch die **Beschreibung eines ergotherapeutischen Falles** veranschaulicht, dessen Darstellungsform für die Leser vielleicht etwas ungewohnt ist. Die Fallbeschreibung wird durch die im theoretischen Teil eingeführten Kategorien

- Volition,
- Habituation,
- Performanz,
- Umwelt

strukturiert; im Anschluss wird dann auf die Behandlungsziele und den Behandlungsverlauf eingegangen. Die Kategorien des Modells integrieren verschiedene, zum Teil noch unvertraute Perspektiven auf den handelnden Menschen. Der Fall dient dazu, den theoretischen Gewinn für die ergotherapeutische Praxis deutlich zu machen. Dieser liegt sowohl in der durch das Modell ermöglichten, differenzierten Aufmerksamkeit für die soziale Bedingtheit menschlicher Betätigung und deren Störungen als auch in der Andeutung neuer ergotherapeutischer Aufgabenbereiche.

4.2 Fallbeispiel

Einleitung

Der 26-jährige Herr B. wurde mit **Zustand nach Apoplexie** im Juli 1996 in eine neurologische Rehabilitationsklinik in einem norddeutschen Kurort eingeliefert. Nach Eintritt einer Stabilisierung erfolgte im August 1996 eine

Überweisung in die angeschlossene neurologische Tagesklinik. Im Folgenden wird die ergotherapeutische Behandlung in der Klinik über einen Zeitraum von 2 Jahren dargestellt.

Herr B. ist ein 2 m großer, sportlich-gepflegter, alleinstehender Mann mit deutlicher **Halbseitensymptomatik** der gesamten linken Körperhälfte. Er stammt aus einer Handwerkerfamilie, hat einen Bruder und eine Schwester. Seit 9 Jahren war er ohne Unterbrechung als Tischler in einem mittelständischen Unternehmen tätig, dessen Schwerpunkt auf der individuellen Anfertigung von Möbelstücken liegt. Zurzeit kann er seinen Beruf nicht ausüben.

Die zuständige Ergotherapeutin folgte bei der Behandlung dem **MOHO** (Kielhofner 1995; Jongbloed 1994). Zudem ging sie die motorischen Probleme mit Hilfe des **Bobath**- und des **Perfetti-Konzepts** an. Den Befund erhob sie, indem sie seine Krankenakte einsah, direkte Beobachtungen vornahm, Interviews mit dem Klienten und der Familie durchführte, Befunderhebungsinstrumente – bezogen auf seine motorischen und kognitiven Fähigkeiten – einsetzte und den mentalen Status des Klienten sowie seine Fähigkeit zur Selbstversorgung und Arbeit untersuchte.

Die auf dem MOHO beruhenden **Befunderhebungsinstrumente**, die eingesetzt wurden, waren die Interessen-Checkliste, die Rollen-Checkliste, die „Occupational Case Analysis Interview and Rating Scale" und das Assessment für Kommunikations- und Interaktionsfähigkeiten („Assessment of Communication and Interaction Skills").

In den folgenden Abschnitten werden die Ergebnisse der Evaluationen genutzt, um den **Betätigungsstatus** von Herrn B. in Bezug auf Volition, Habituation, Performanz und die relevanten Umweltbedingungen darzustellen.

Volition

Vor seinem Schlaganfall war die ▶ Volition von Herrn B. sehr anpassungsfähig. Durch die Erkrankung ist sie jedoch in vielerlei Hinsicht beeinträchtigt. Die ▶ Interessen, die ▶ Werte und das ▶ Selbstbild vor und nach dem Schlaganfall werden im Folgenden beschrieben.

Interessen. Wie die Interessen-Checkliste (Abb. 4.3) zeigt, war Herr B. vor dem Schlaganfall einer Reihe von ▶ Interessen nachgegangen, wobei er generell die Gruppenaktivitäten den Einzelaktivitäten vorgezogen hatte. Zurzeit sind die Aktivitäten auf ein Minimum reduziert. Er verbringt seine Zeit v. a. mit Musikhören, Puzzles, handwerklichen Aktivitäten und mit Freunden. Er bedauert es, nicht mehr in der Lage zu sein, eine größere Bandbreite an Hobbys zu verfolgen. Vor der Erkrankung waren Herrn B. seine sportlichen Fähigkeiten sehr wichtig. Er trainierte ein weibliches Volleyballteam und war selbst Mitglied einer Mannschaft. Jetzt fehlt ihm die Gestaltung seiner Freizeit durch sportliche Aktivitäten.

Werte. Vor dem Schlaganfall schätzte Herr B. seine unabhängige Lebensführung und die Ausübung des Tischlerberufs sehr. Langfristig erhofft er sich, wieder in der Lage zu sein, ein „bodenständiges", „normales" Leben zu führen, aber ihm ist klar, dass er in Bezug auf seine persönlichen ▶ Werte und Ziele flexibler werden muss. Dennoch ist es sein Ziel, wieder die Kontrolle über sein Leben zu erlangen und für sich selbst Verantwortung zu übernehmen. Herr B. möchte gern wieder in seinen alten Beruf zurückkehren. Es ist sein Wunsch, in Zukunft ohne elterliche Hilfe zu leben und eine „normale" Beziehung zu einer Frau aufzubauen und möglicherweise Kinder zu haben. Herr B. war immer stolz darauf, dass er die Ruhe bewahrte, wenn sich eine Situation kritisch zuspitzte. Daher übernahm er in manchen Situationen häufig die Führungsposition. Jetzt spürt er dagegen einen grundsätzlichen Mangel an Selbstsicherheit. Wenn er mit anderen zusammen ist, wäre er gern selbstbewusster, und er wünscht sich, dass auch seine Mitmenschen seinen Fertigkeiten stärker vertrauen. Er wäre gern wieder ein selbstbewusstes Mitglied der Gesellschaft und Teil verschiedener sozialer Gruppen.

Selbstbild. Der Schlaganfall führte bei Herrn B. zu Schädigungen, die seine ▶ Performanz in vielen Bereichen beeinträchtigen. Der Verlust dieser Fähigkeiten hat ihn schwer getroffen. Manchmal vergleicht er seine Fähigkeiten mit denen anderer Klienten und ist traurig angesichts der Unterschiede, die er wahrnimmt. Dennoch ist Herr B. i. Allg. gut gelaunt. Er ist zuversichtlich, dass sich seine körperliche Verfassung verbessern, seine alten Fähigkeiten zurückkehren und sich seine Lebensqualität in den nächsten Jahren steigern wird. Herr B. neigt zurzeit dazu, bei der Planung einer Aktivität die eigenen Fähigkeiten zu überschätzen. Bei der Durchführung von Aufgaben ist er unsicher und in seinem Problemlöseverhalten sowie seiner Entscheidungsfähigkeit stark von anderen abhängig. Dennoch ist er hochgradig motiviert und probiert innerhalb der Therapie neue Strategien bezüglich seines Problemlöseverhaltens und seiner Entscheidungsfindung aus. Bei Holzarbeiten wird ihm deutlich bewusst, dass ihm viele seiner früheren Leistungsmöglichkeiten fehlen. Manchmal reagiert er frustriert, sucht die Gründe für seine Schwierigkeiten im sozialen oder räumlichen Umfeld oder versucht, eine Herausforderung zu vermeiden, weil er Angst hat zu versagen.

Zusammenfassung

Obwohl die ▶ Volition von Herrn B. durch den Schlaganfall stark beeinträchtigt wurde, verfügt er in diesem Bereich nach wie vor über Stärken, auf denen er aufbauen kann. Seine ▶ Werte und Ziele sind ausgeprägt. Er hofft auf eine Genesung und auf die Rückkehr zu seinem vorherigen Leben. Er hat eine Reihe von ▶ Interessen, die ihm wichtig sind und denen er sich wieder zuwenden möchte. Entsprechend motiviert verhält er sich in der Therapie. Zu seinen Schwächen zählen die ungenaue Einschätzung der eigenen Fähigkeiten bei der Planung und der Mangel an Selbstwertgefühl bei der Durchführung von Aktivitäten. Zusätzlich neigt er dazu, sich auf die Unterstützung anderer zu verlassen.

Habituation

Der Einfluss des Schlaganfalls auf die ▶ Habituation von Herrn B. war dramatisch. In seinen verinnerlichten Rollen und ▶ Gewohnheiten hat er schwerwiegende Veränderungen erfahren.

Verinnerlichte Rollen. Wie die Rollen-Checkliste (**Abb. 4.2**) zeigt, hat Herr B. sowohl die Rolle des Arbeitenden als auch die des Hobbyisten eingebüßt. Zur Zeit betrachtet er das Dasein als Hausmann als seine wichtigste Rolle. Zudem sieht er sich als Familienmitglied (als Sohn). Aber seine **Rolle als Familienmitglied** hat sich seit seiner Erkrankung sehr verändert. Nach dem Schlaganfall erwies sich sein Vater als große Unterstützung. Der Klient lebt in einer separaten Wohnung im Obergeschoss des elterlichen Hauses. Herr B. leistet im elterlichen Haushalt so viel Hilfe wie möglich, um die Arbeitsbelastung seiner Mutter zu mindern, obwohl dies nicht von ihm erwartet wird.

In der Weiterführung der **Rolle des Freundes** kann er nur einige der bisherigen Kontakte aufrechterhalten. Die betreffenden Menschen betrachtet er als besonders wertvolle Freunde. Seine männlichen Sportkameraden hatten Schwierigkeiten im Umgang mit der neuen Situation. Sie zogen sich häufig zurück und wussten nicht, wie sie sich verhalten sollten. Die weiblichen Mitglieder seines Volleyballteams zeigen keinerlei Probleme dieser Art. Sie halten nach wie vor den Kontakt aufrecht und holen Herrn B. zu Hause ab, um mit ihm ins Kino oder zum Essen zu gehen.

Als Trainer des Volleyballteams war er es gewohnt, für die Spielerinnen stets ein offenes Ohr zu haben. Diese Phase empfindet er rückblickend als die beste Zeit seines Lebens. Jetzt sind die Rollen vertauscht: Nun erzählt er ihnen oft von seinen Problemen und Verlusten. Herr B. würde die **Rolle des Beraters** gern wieder einnehmen und die Probleme der Freundinnen teilen, sodass sie sich gegenseitig unterstützen könnten.

Eine weitere große Veränderung für Herrn B. besteht darin, dass er sich nun in der **Rolle des Patienten** befindet, die einen Großteil seiner Zeit und Anstrengungen fordert. In dieser Rolle ist er passiver und abhängiger als in früheren Betätigungsrollen.

Diese Reduzierung und die **Rollenveränderung** sind für Herrn B. sehr beunruhigend. Er möchte zu seinen bisherigen Rollen, die er als wertvoll erachtet, zurückkehren. Er sieht seine momentane Patientenrolle als „Weg" zurück zu dem Zustand, „wie es früher war". Er hat sich die Möglichkeit geschaffen, eine alte Rolle wieder aufzunehmen, indem er bei den Spielen seiner Mannschaft zuschaut, anstatt aktiv oder als Trainer teilzunehmen. Glücklicherweise gefällt ihm diese neue Art, die Sportlerrolle auszufüllen.

Gewohnheiten. Vor seinem Schlaganfall führte Herr B. ein sehr aktives Leben. An seiner Arbeitsstelle leistete er viele Überstunden und verbrachte ganze Wochen auf Montage. Er hatte eine Reihe von Freizeitinteressen, die er aktiv verfolgte. Jetzt verbringt er den größten Teil der Woche in der Rehabilitationstagesklinik. Im Moment ist er damit zufrieden, wochentags von 8.30–16.30 Uhr in therapeutische Aktivitäten eingebunden zu sein. Im häuslichen Umfeld ist er, was seine Selbstversorgung betrifft, relativ selbstständig und durch einen gut strukturierten Plan, der Haushalts- und Gartenarbeit sowie handwerkliche Aktivitäten einschließt, ausreichend beschäftigt. Ein voller Tagesplan vermittelt ihm ein Gefühl der Produktivität, und dies trägt zu seiner Lebensqualität bei. Am Wochenende fehlt Herrn B. diese Form der Struktur, und er hat Schwierigkeiten, seinen Tag zu gestalten. Er neigt dann dazu, länger im Bett zu bleiben, und ist unzufrieden mit sich selbst. Herr B. empfindet es als sehr motivierend, wenn für das Wochenende Veranstaltungen anstehen oder andere Aktivitäten geplant sind.

Performanzvermögen

Die allgemeinen Fertigkeiten von Herrn B. haben sich seit dem Schlaganfall v. a. bezüglich **Geschwindigkeit und Ausdauer** positiv verändert. Er wird morgens schneller fertig und hat Zeit zum Lesen der Tageszeitung (das genießt er sehr), bevor er das Haus verlässt. Seit Frühjahr 1997 kann er wieder laufen und benötigt den Rollstuhl nicht mehr. Die längste Strecke, die er jetzt ohne Unterstützung zurücklegen kann, beträgt 1000 m. Im Bereich der Grobmotorik macht der Klient offensichtliche Fortschritte, was sich z. B. beim Radfahren zeigt. Über einen langen Zeitraum hinweg gelang es ihm, eine therapeutische Bewegungsaktivität mindestens 45 min lang durchzuhalten und sich 30 min einer handwerklichen Aktivität, wie dem Arbeiten mit Holz, zu widmen, ohne an Konzentration einzubüßen. Seit Sommer 1998 beträgt seine Ausdauer 2–3 Stunden.

Seine **Tiefensensibilität** ist deutlich beeinträchtigt, aber er ist in der Lage, auf der betroffenen linken Seite Schulter- und Ellbogenposition zu bestimmen. Er leidet nach wie vor unter einer **Einschränkung der Stereognosie,** ist aber zunehmend fähig, die Qualität von ► Objekten zu identifizieren, allerdings mit einem gewissen Kontinuitätsmangel.

Zusätzlich leidet Herr B. unter einem linksseitigen **Neglect.** Der Klient beschreibt eine fehlerhafte Wahrnehmung, Aufmerksamkeit und Orientierung für die linke Körperhälfte, v. a. wenn die nichtbetroffene rechte Seite körperlich aktiv ist. Innerhalb eines therapeutischen Umfelds wird der Neglect nicht ganz so deutlich; doch Herr B. hat Schwierigkeiten, die linke Körperhälfte bewusst zu integrieren, wenn er sich in komplexen Situationen unter Druck gesetzt fühlt und sich nicht in einer therapeutischen Umgebung befindet. Dennoch hat sich sein Neglect in einigen Bereichen reduziert. Als ihm ein Foto präsentiert wurde, das die ungewöhnliche Stellung seines linken Armes über die Körpermittellinie hinweg zeigte, war er in der Lage, dies als Feedback zu nutzen, und begann, seine Fehlhaltung zu korrigieren.

Zunehmend lernt Herr B., seinen Mangel an sensorischer Information durch **visuelle Kontrolle** zu kompensieren. Beispielsweise sorgt er nun dafür, im Werkraum den Holzstaub von der Kleidung bis hinunter zu den Schuhen auf beiden Körperhälften zu entfernen, während er noch vor einigen Wochen nur die rechte, nichtbetroffene Körperhälfte reinigte. Die verstärkte Wachsamkeit bezüglich seiner linken Seite fordert ihm jedoch so viel mentale Energie ab, dass es zu einer Reduzierung der Aufmerksamkeits- und Ausdauerleistung sowie der Konzentration kommt.

Mittlerweile setzt er seine linke Hand häufiger spontan ein. Wenn die **Feinmotorik** stark gefordert ist, zeigt er nach wie vor assoziierte Reaktionen. Herrn B. bereitet der Einsatz der linken Hand bei feinmotorischen Aktivitäten, wie z. B. Schließen von Knöpfen oder Umgang mit der Gabel, nach wie vor Probleme.

Sein **Kurzzeitgedächtnis** funktioniert innerhalb der täglichen Routinehandlungen grundsätzlich gut; er hat keine Schwierigkeiten, sich seine Termine zu merken. Problemlos kann er sich an sein Leben vor und während des Klinikaufenthalts erinnern. Herr B. hat jedoch Schwierigkeiten, alte Aktivitätsmuster in seine aktuelle ► Performanz zu integrieren (z. B. das Reaktivieren alter Fertigkeiten bei der Durchführung von Holzarbeiten).

Bei der **Planung und Aufteilung von Aufgaben** in kleine Schritte benötigt Herr B. Unterstützung. Beim Befolgen eher komplexer Anweisungen reagiert er verlangsamt. Zeitweilig zeigt er Gedankenhaften, wenn es ihm an bekannten Strukturen fehlt.

Seit Beginn seiner Erkrankung ist Herr B. sogar noch mehr als zuvor auf **soziale Kontakte und Unterstützung** angewiesen. Er berichtet von einer größeren Offenheit gegenüber anderen. Er möchte in Zukunft mehr Wert auf zwischenmenschliche Beziehungen legen, ruft andere jetzt häufiger an und trifft sich mit ihnen. In kurzen Interaktionen reagiert er jedoch etwas rigide und neigt dazu, gewisse Kommunikationsmuster mit gleichen Phrasen und identischer Modulation zu wiederholen (z. B. „Wie war Ihr Wochenende?", „Einen schönen Nachmittag noch.").

Da der Klient sozialen Interaktion eine hohe Bedeutung beimisst, in diesem Bereich jedoch offensichtlich Schwierigkeiten hat, entschied sich die Ergotherapeutin, diesen Aspekt mit Hilfe des **Assessment für Kommunikations- und Interaktionsfähigkeiten** (ACIS) gründlicher zu untersuchen. In einem Gespräch mit Herrn B. erklärte sie den Zweck des Instruments, und sie entschieden sich gemeinsam für 2 soziale Situationen für eine Beobachtung, die dem Klienten relevant erschienen:

- eine soziale Interaktion zwischen Herrn B. und einer Gruppe von Mitpatienten im Aufenthaltsraum der ergotherapeutischen Abteilung,
- eine Eins-zu-eins-Interaktion mit der Therapeutin innerhalb einer alltäglichen Betätigung.

Die Ergebnisse der ersten Beobachtung sind in **Abb. 4.4** dargestellt und werden im Folgenden erläutert.

Es stellte sich heraus, dass Herr B. im Bereich **„Beziehung"** über adäquate Fähigkeiten

ACIS Auswertunsblatt

Klient: Herr B.

Untersucher: Anja Nichaus

Beobachtungssituation: Herr B. und 7 Mitpatienten unterhalten sich im

Alter: 26 Geschlecht: m Diagnose: Apoplex, linksseitige Parese mit Neglect

Adaptionen: keine stationär: ______ ambulant: X

Kompetent (4)	Fragwürdig (3)	Uneffektiv (2)	Defizitär (1)
Kompetente Performanz, die Kommunikation und Interaktion unterstützt und gute interpersonelle/ Gruppenergebnisse hervorbringt. Untersucher beobachtet keine Defizite.	Fragwürdige Performanz, die Kommunikation und Interaktion gefährdet und ungewisse interpersonelle/ Gruppenergebnisse hervorbringt. Untersucher hält Defizite für möglich.	Uneffektive Performanz, die Kommunikation und Interaktion behindert und unerwünschte interpersonelle/Gruppenergebnisse erzielt. Untersucher beobachtet milde bis mittlere Defizite.	Defizitäre Performanz, die Kommunikation/Interaktion behindert und nichtakzeptable Gruppenergebnisse hervorbringt. Untersucher beobachtet schwere Defizite (Gefahr von Schädigung oder Zusammenbruch interpersoneller/ Gruppenbeziehungen).

Körper

Körperkontakt	1 2 3 4	nicht befundet
Blickkontakt	1 2 X 4	in Stresssituationen besserer Blickkontakt mit Kommunikationspartnern auf der rechten Seite
Gestik	1 X 3 4	bei Unsicherheit reduzierte Gestik, Gestik mehr rechts- als linksseitig
Manöver	1 X 3 4	sitzt zu Beginn weit von dem Rest der Gruppe entfernt
Ausrichtung	1 X 3 4	wendet sich bei Unsicherheit von der Beschäftigung + der Gruppe ab
Körperhaltung	1 X 3 X	abhängig vom Grad der Unsicherheit eher steife Körperhaltung

Informationsaustausch

Artikulation	1 2 3 X	
Bestimmtheit	1 2 X 4	sofern ihm das soziale Umfeld nicht gut bekannt ist, Schwierigkeiten, Bedürfnisse durchzusetzen
Fragen	1 2 3 X	
Initiative ergreifen	1 2 X 4	etwas passiv , hat gute Ideen, zögert aber, diese anderen mitzuteilen
Gefühlsausdruck	1 2 X 4	bei weniger bekannter bekannter sozialer Gruppe sehr gehemmt
Modulation	1 2 X 4	wenig Variation in der Modulation
Informationsgabe	1 2 3 X	
Sprechen	1 2 X 4	bei Unsicherheit Wiederholung gewisser Phrasen
Aufrechterhaltung	1 2 X 4	im geräuschvollen Umfeld leicht ablenkbar, beendet Konversationn dann vorzeitig

Beziehungen

Zusammenarbeit	1 2 3 X	
Anpassungsfähigkeit	1 2 3 X	selbst bei körperlicher Erschöpfung angemessenes Verhalten
Einstellungsfähigkeit	1 2 X 4	abhängig von den Stimuli im sozialen Umfeld ablenkbar
Erstellen von Beziehung	1 2 3 X	ist sehr um gute Kontakte mit anderen Patienten bemüht
Respekt	1 2 3 X	sehr höflicher Umgang, kann sich den Bedürfnissen der Mitpatienten anpassen

Abb. 4.4. Formblätter zur Auswertung von Kommunikations- und Interaktionsfähigkeiten (ACIS); Patientenbeispiel

verfügt, wobei eine gewisse Unsicherheit bezüglich der Einstellungsfähigkeit vorliegt, sobald sich eine Situation unvorhergesehen verändert. Dann fühlt er sich überfordert und lässt sich ablenken.

Sein **Austausch an Informationen** ist tendenziell gut. Es gibt geringfügige Defizite in den Bereichen „Durchsetzungsvermögen", „Ergreifen von Initiative", „Gefühlsausdruck", „Sprechen" und „Aufrechterhaltung einer Konversation". Der Klient ist eher befangen beim Ausdruck eigener Gefühle, bewahrt Emotionen wie Ärger, Angst, Traurigkeit und Freude für ein Umfeld bzw. für Menschen auf, die ihm sehr vertraut sind. Der eingeschränkte Grad an Selbstwertgefühl bereitet ihm Schwierigkeiten bei der Durchsetzung eigener Bedürfnisse in einer offenen Situation. Er hat oft gut entwickelte Ideen, wie er zu einem Gespräch beitragen könnte, verhält sich aber dennoch eher zurückgezogen. Wenn ein Gefühl der Unsicherheit bei ihm aufkommt, flüchtet er sich oft in Standardphrasen oder unterbricht die Situation unerwartet früh.

Die größten Schwierigkeiten zeigt Herr B. im **körperlichen Bereich**. Er nutzt den Blickkontakt meist in angemessener Form, aber vernachlässigt Menschen oder Aktivitäten auf der betroffenen Seite, wenn er sich unter Druck fühlt. Dann gestikuliert er verstärkt rechts und weniger links. Bei Stress steigert sich auch die Rigidität seiner Körperhaltung, und er verfällt in die Gewohnheit, seine Arme zu verschränken. Wenn Herr B. sich einer Gruppe anschließt, neigt er dazu, anfangs eine große Distanz zu den anderen Teilnehmern zu wahren. Sobald er sich sicherer fühlt, nähert er sich den anderen Gruppenmitgliedern.

Die **zweite Beobachtung** fand während einer therapeutischen Selbstversorgungseinheit statt, bei der Herr B. und die Ergotherapeutin gemeinsam eine Pizza aßen. Die Beobachtungen waren ähnlich. Diese Interaktion zeigte zudem, wie viel Konzentration der Klient nach wie vor für die Handhabung des Bestecks benötigt und wie sehr dadurch das laufende Gespräch beeinträchtigt wird.

Die Ergotherapeutin und der Klient besprachen anschließend die **Ergebnisse** und stimmten darin überein, den Bereich „Körper in der Kommunikation" in Zukunft besonders zu berücksichtigen. Zudem kamen sie zu dem Schluss, dass es für Herrn B. manchmal günstig sei, einen neuen Kommunikationspartner über seine Probleme (z. B. seine Unfähigkeit, den Blickkontakt aufrechtzuerhalten, weil die Ausführung sensomotorischer Sprechfertigkeiten bei ihm so viel Konzentration erfordert) zu informieren, um Missverständnisse bezüglich des Sozialverhaltens zu verhindern.

Umwelt

Herr B. lebt in einer Wohnung im obersten Stockwerk des elterlichen Hauses. Mit Unterstützung der Ergotherapeutin wurden **notwendige Veränderungen** (v. a. das Umstellen der Möbel) vorgenommen. Herr B. wird von einigen seiner früheren Freunde, seinen Geschwistern und Eltern emotional unterstützt. Seine Eltern sind bereit, ihm viel Hilfe zukommen zu lassen. Obwohl Herr B. dies zu schätzen weiß, wäre er lieber so unabhängig wie möglich.

Die ► Performanz des Klienten ist sehr stark von den Umweltbedingungen abhängig. Wenn er sich z. B. in weniger vertrauten Strukturen bewegt, wie beim Einkaufen im Supermarkt, oder wenn er mit einer großen Gruppe von Menschen spricht, hat er Schwierigkeiten, sich zu konzentrieren und zu planen. Dann zeigt er eine **verstärkte Neglectsymptomatik** der linken Seite. Er neigt dazu, Menschen und Handlungen auf der betroffenen Seite zu ignorieren. Die Aufmerksamkeit des Klienten erweist sich als leicht eingeschränkt, wenn er sich einer größeren Herausforderung stellt.

Überblick zum Betätigungsstatus

Die **Bewertungsskala des OCAIRS** („Occupational Case Analysis Interview and Rating Scale", Interview- und Bewertungsbogen zur Betätigungsanalyse) zeigt die Stärken und Schwächen von Herrn B. auf (Abb. 4.5). Dieses Profil dient als nützliche Zusammenfassung des Betätigungsstatus. Qualitative Informationen des OCAIRS spiegeln sich durchgehend in den bisherigen Erläuterungen wider.

Obwohl Herr B. einen Verlust an ▶ Interessen erlitt und seine ▶ Werte sowie sein ▶ Selbstbild erschüttert wurden, besteht immer noch eine beachtliche **Volitionsstärke**, auf die er sich stützen kann. Entsprechend muss der ▶ Volition innerhalb der Therapie Beachtung geschenkt werden, und sie muss als Stärke genutzt werden, auf der sich aufbauen lässt.

Auch die ▶ **Habituation** wurde durch den Schlaganfall dramatisch beeinflusst. Herr B. hat den größten Teil seiner Routinen, seine wichtigste Rolle als Arbeitnehmer sowie die Hobbyistenrolle als Volleyballtrainer und -spieler eingebüßt. Er war jedoch auch in der Lage, einige Rollen aufrechtzuerhalten, besonders diejenigen des Freundes und Familienmitglieds.

Die ▶ **Performanz** wurde in den Bereichen „prozesshafte", „motorische" sowie „Kommunikations- und Interaktionsfertigkeiten" beeinträchtigt. Einige seiner funktionellen Probleme waren sehr dramatisch, aber es zeigt sich eine stete Veränderung zum Positiven. Herr B. verfügt über eine gewisse Unterstützung in seiner sozialen Umwelt, aber seine Performanz ist nach wie vor sehr von Umweltbedingungen abhängig.

Therapeutische Ziele

Im Rahmen der Befunderhebung wurden für Herrn B.s ▶ **Performanz** die folgenden Behandlungsziele identifiziert:

- Verbesserung der sensomotorischen Fertigkeiten, v. a. auf der betroffenen Körperseite;
- Reduktion der Neglectsymptome sowie Fazilitierung und Automatisierung der Bewegungen auf der linken Körperseite bei der Ausführung von Betätigungen;
- Steigerung der kognitiven Fähigkeiten des Klienten (Konzentration, Ausdauer, Gedächtnisleistung etc.) unter Berücksichtigung des Zusammenspiels zwischen geistigen und körperlichen Fähigkeiten;
- Verbesserung der sozialen Kompetenzen als Möglichkeit der Kompensation mangelnder körperlicher Fähigkeiten in der Interaktion mit anderen.

Da Herr B. wahrscheinlich nicht mehr in seine früheren Lebensstrukturen zurückkehren kann, wurden die folgenden Ziele in bezug auf seine ▶ **Habituation** aufgestellt:

- Modifizierung der Gewohnheitsmuster (Identifizierung neuer Freizeitaktivitäten als Teil des Tagesplans, v. a. am Wochenende);
- Erwerb einer neuen Rolle (hier die Rolle des Ehrenamtlichen);
- Modifikation einiger Rollen (z. B. statt Trainer oder Spieler eher Zuschauer oder Berater während der Volleyballspiele);
- Erstellen eines Profils seiner Arbeitsfähigkeiten anhand einer arbeitstherapeutischen Diagnostik; Angebot eines Arbeitstrainings und einer Arbeitserfahrung als Vorbereitung auf die Rückkehr in die Rolle des Arbeitenden.

Zudem wurden im Bereich der ▶ **Volition** folgende Ziele identifiziert:

- Unterstützung des langfristigen Ziels von Herrn B., ein unabhängiges Leben ohne elterliche Unterstützung zu führen;
- Steigerung von Herrn B.s Erkenntnis eigener Fähigkeiten und Grenzen;
- Erhöhung der Zuversicht in die eigenen sozialen Kompetenzen;

Occupational Case Analysis
Interview and Rating Scale
Zusammenfassung

Patient: Herr B. ET Bewerber: A. Niehaus Datum: 20.5.1997

	Bewertung angepasst 5 4 3 2 1	Kommentare mangelhaft angepasst
Selbstbild	3	benennt einige Stärken und wünscht sich mehr Akzeptanz durch andere, erwartet Erfolg für die nächsten Jahre
Werte und Ziele	3	möchte ein vollwertiges Mitglied der Gesellschaft sein, wünscht sich verbesserte motorische und kognitive Fähigkeiten. Wiedererlernen des Fahradfahrens, sieht Notwendigkeit, auch in Zukunft Kompromisse einzugehen
Interessen	3	Sport, Kontakte mit Freunden, Parties, Musik hören, Lesen
Rollen	2	sieht sich zurzeit v.a. in der Rolle des Kranken und des Hausmanns, kann für diese Rollen bedingt Pflichten nennen
Gewohnheiten	4	beschreibt eine gute Struktur der Wochentage mit Schwerpunkten "Selbstversorgung" und "Therapie", aber wenig Freizeitaktivitäten
Fertigkeiten	3	seine Fertigkeiten im kognitiven und motorischen Bereich begrenzen auf Teilkompetenzen wie Schuhe binden, Treppen steigen und bedingt das Entwickeln von Lösungsstrategien
Output/Fazit	3	erkennt, dass sein Sozialverhalten bedingt durch die Erkrankung "offener geworden" ist, würde seine Fähigkeiten gerne optimaler einsetzen
Physikalisches Umfeld	3	beklagt den Mangel an Transportmöglichkeiten und die fehlende Fahrerlaubnis, um Aktivitäten nachzugehen
Soziales Umfeld	4	fühlt sich durch Familie, Therapeuten und deren Einstellung unterstützt, aber wünscht sich stabilere und ausgewogenere Beziehung zu Freunden
Feedback	3	nutzt bedingt sowohl intrinsisches als auch extrinsisches Feedback

Systemanalyse: globale Beurteilung

dynamisch	4	das Selbstbild ist i. Allg. realistisch, aber bei konkreten Aufgabenstellungen neigt er zur Selbstüberschätzung, Werte und Ziele stimmen überein
anamnestisch (Muster der Lebensgeschichte)	4	bis zur Erkrankung entwickelte sich sein Leben positiv, dann ging es radikal bergab
Zusammenhang (Einflüsse des Umfeldes)	3	Unterstützung durch Familie, Therapeuten und wenige Freunde ist gegeben
Richtung (Beschäftigungsprognose)	4	sein bisher erfolgreich verlaufendes Leben erfuhr durch die Erkrankung einen massiven Einbruch, mittlerweile zeichnet sich wieder eine positive Entwicklungab

Abb. 4.5. Interview- und Bewertungsbogen zur Betätigungsanalyse (OCAIRS); Patientenbeispiel

- Steigerung der Teilnahme an Aktivitäten, an denen er am meisten Interesse hat.

Strategien therapeutischer Intervention

Die behandelnde Ergotherapeutin nutzte das Bobath- und das Perfetti-Konzept, um unter besonderer Berücksichtigung des linksseitigen Neglect die **motorischen Funktionen** des Klienten zu fördern. Dies wurde innerhalb von Einzelsituationen und primär projektorientierten Gruppenaktivitäten erreicht. Während jeder therapeutischen Intervention (Einzel- oder auch Gruppensitzung) forderte die Therapeutin das Bewusstsein für und den Gebrauch der betroffenen Seite (Positionierung der Mitpatienten, Werkzeuge, Stimuli). Zu Beginn teilte sie dafür die komplexeren Aktivitäten in kleinere Einheiten ein, die für Herrn B. überschaubar waren. Im Verlauf der Therapie wurde der Schwierigkeitsgrad erhöht.

Die Entwicklung **sozialer Fähigkeiten** wurde durch individuelle Beratungssitzungen zwischen Klient und Ergotherapeutin unterstützt. Die Sitzungen waren so angelegt, dass sie Herrn B. die Möglichkeit boten, eigene Verhaltensmuster zu reflektieren, Problemlösestrategien zu erforschen und Feedback zu erhalten. Die Informationen und Einsichten aus den Sitzungen konnte Herr B. dann wieder in ▶ soziale Gruppen „mitnehmen“, wo er im Umgang mit den Mitpatienten neue Verhaltensmuster ausprobierte. Die Therapeutin nutzte auch weiterhin das ACIS, um den Klienten in Interaktion mit Mitpatienten zu beobachten und ihm fortlaufend Feedback zu geben. Am häufigsten ging es dabei um die Erinnerung an den Einsatz von Blickkontakt und um die integrierte Gestik der linken Hand.

Die Stärkung der **kognitiven Fähigkeiten** des Klienten wurde zudem durch die zunehmenden therapeutischen Herausforderungen in diesem Bereich gefördert: Erhöhung der Anforderungen im Arbeitszeitplan, Steigerung des Schwierigkeitsgrades der Betätigungsformen, Ausweitung der Gruppengröße und Reduktion der Unterstützung.

Die Therapeutin legte Wert darauf, den Fortschritt innerhalb der körperlichen, sozialen und kognitiven Fertigkeiten zu unterstreichen, um das Bewusstsein des Klienten für die eigenen Fähigkeiten und damit sein **Selbstbewusstsein** zu stärken. Herr B. wurde ermuntert, als Ergänzung zu seinen bisherigen sozialen Aktivitäten an einem Sportprogramm teilzunehmen, das seinen aktuellen Fähigkeiten entsprach. Herrn B.s langfristiges Ziel der unabhängigen Lebensführung wurde während der gesamten Therapie respektiert und diente als Leitfaden des Therapieverlaufs. Zudem wurde das Ziel als wichtiger Motivationsfaktor genutzt, der es dem Klienten ermöglichte, die Herausforderungen der Reintegration in die Gesellschaft anzunehmen.

4.3 Schlussfolgerung

Dieses Kapitel hat einen Überblick zum **Modell menschlicher Betätigung** („Model of Human Occupation“, MOHO) geboten und dessen Anwendung anhand eines Fallbeispiels illustriert. Das Ziel des Kapitels bestand darin, ein Grundverständnis für die theoretischen Konzepte des Modells zu vermitteln und die Praxisrelevanz für die Therapie aufzuzeigen. Wir hoffen, dass es uns gelungen ist, bei den Leserinnen und Lesern Interesse am Modell der menschlichen Betätigung zu wecken.

Es ist wichtig festzuhalten, dass hier lediglich **elementare Kenntnisse** zum Modell vermittelt werden sollten und dass darüber hinaus viele weitere Quellen herangezogen werden können. Das Lehrbuch zum Modell (Kielhofner 1995) bietet eine wesentlich detailliertere Erörterung der Theorie. Zudem wird das Modell in über 200 Artikeln behandelt. Eine aktuelle Bibliographie zum Modell kann stets über die Website (s. Fußnote S. 59) bezogen werden.

Die Reise, auf die man sich begibt, um ein konzeptionelles Modell routiniert einzusetzen, schließt **Lernen und Praxis** ein. Therapeuten, die sich um das Verständnis des Modells bemühen, werden feststellen, dass eine ständige Lektüre und die Reflexion über den eigenen Einsatz der Konzepte in der Praxis notwendig sind. Therapeuten, die diese Reise antreten, werden feststellen, dass ihre Fähigkeiten und Effektivität als Therapeuten wachsen werden und dass sich der Aufwand lohnt.

Erfahrungen mit dem „Model of Human Occupation"

Für die deutsche Ergotherapeutin Anja Niehaus war der Einsatz des Modells der menschlichen Betätigung im geschilderten Fallbeispiel die erste Gelegenheit, das Praxismodell in den klinischen Alltag zu integrieren. Nachdem sie bereits einige Monate mit Herrn B. gearbeitet hatte und neben den sensomotorischen Behandlungskonzepten eine weitere Möglichkeit gefunden werden musste, über berufliche und private Perspektiven nachzudenken, erschien dieser **ganzheitlich orientierte Ansatz** dazu geeignet, neue Sichtweisen zu entwickeln.

Das Modell kam dem Bedürfnis der Ergotherapeutin und des Patienten entgegen, langfristige Ziele zu erstellen und zu bearbeiten. Förderlich war zudem, dass das Modell in hohem Maße klientenzentriert ist und daher die Motivation und die Therapiebereitschaft des Klienten förderte. Weil in diesem Zusammenhang vom Klienten Aktivität und Reflexionsbereitschaft gefordert wurden, ergaben sich zusätzliche Interaktionsmöglichkeiten.

Die Ergotherapeutin empfand das vielseitige Instrumentarium und die damit verbundenen gezielten Befunderhebungs- und Interventionsmöglichkeiten als besonders positiv und hilfreich, um mehr über die instrumentellen Aktivitäten des täglichen Lebens und über Kompensationsstrategien zu erfahren. Die **Assessments** bildeten eine gute Grundlage für Beobachtungen und Gespräche sowohl mit dem Klienten selbst als auch mit Menschen aus seinem Umfeld. Daraus ergaben sich eine Vielzahl an Daten, v. a. in Bezug auf die Beweggründe, die Zielsetzung, das Rollenverständnis, die Krankheitsbewältigung und die Umwelt des Klienten innerhalb und außerhalb der Rehabilitationsklinik.

Glossar

► **Betätigungsformen:** Regelgebundene, zusammenhängende Handlungssequenzen, die sich an einem Zweck orientieren, im kollektiven Wissen aufrechterhalten werden, kulturell erkennbar und mit einer Bezeichnung versehen sind.

► **Gewohnheiten:** Latente Tendenzen, die durch vorherige Wiederholungen erworben wurden, sich auf einer vorbewussten, automatisierten Ebene abspielen und ein breites Spektrum an Verhaltensmustern beeinflussen, die sich in vertrauten Lebensräumen abspielen.

► **Habituation:** Eine innere Struktur von Informationen, die das System dazu bewegt, sich wiederholende Verhaltensmuster zu zeigen.

► **Interessen:** Die Neigung, Freude und Zufriedenheit an Betätigungen zu finden, und das Wissen um diesen Genuss an Betätigungen; beinhaltet Attraktivität und Präferenz von Betätigungen.

► **Objekte:** Natürliche und geschaffene Gegenstände, mit denen Menschen interagieren können.

► **Performanz:** Spontane Ausführung der Handlungen, die für eine Betätigung notwendig sind. Performanz ist das Ergebnis einer vereinten Aktion aller Anteile des Performanzsubsystems von Geist-Gehirn-Körper innerhalb der sich entfaltenden Umstände und Umweltbedingungen.

▶ **Performanzsubsystem von Geist-Gehirn-Körper:** Die Struktur der skelettmuskulären, neurologischen, perzeptiven und kognitiven Bestandteile, die zusammen die Fähigkeit zur Ausführung von Betätigungen ausmachen.

▶ **Selbstbild:** Eine Sammlung von Neigungen und Selbsterkenntnis, die die eigenen Fähigkeiten und ihre Wirksamkeit bei Betätigungen betrifft; beinhaltet Wissen um die Fähigkeit und um die Effektivität.

▶ **Soziale Gruppen:** Bezieht sich auf das regelmäßige Zusammenkommen mehrerer Personen.

▶ **Räume:** Physikalische Kontexte, in denen sich Menschen betätigen.

▶ **Verinnerlichte Rollen:** Generelles Bewusstsein einer spezifischen sozialen Identität und der damit verbundenen Verpflichtungen, die gemeinsam einen Rahmen zur Einschätzung relevanter Situationen und zum Aufbau angemessenen Verhaltens ergeben.

▶ **Volition:** Ein System von Dispositionen und Selbstbewusstsein, das Menschen dazu führt und befähigt, Betätigungsverhalten vorwegzunehmen (antizipieren), zu wählen, zu erleben und zu interpretieren.

▶ **Werte:** Eine zusammenhängende Reihe von Überzeugungen, die einer Betätigung Bedeutsamkeit oder Normierungen beimessen und eine starke Neigung hervorrufen, diesen entsprechend zu handeln; beinhaltet persönliche Überzeugungen und ein Gefühl von Verpflichtung.

Literatur

Barris R, Oakley F, Kielhofner G (1998) The Role Checklist. In: Hemphill B (ed) Mental health assessment in occupational therapy: an integrated approach to the evaluative process. Slack, Thorofare/NJ, pp 73–91

Forsyth K, et al. (1995) A User's Guide to the assessment of communication and interaction skills (ACIS, Version 4.0). (Unveröffentlichtes Manuskript, Department of Occupational Therapy, University of Illinois, Chicago)

Helfrich C, Kielhofner G (1994) Volitional narratives and the meaning of occupational therapy. The American Journal of Occupational Therapy 48: 319–332

Helfrich C, Kielhofner G, Mattingly C (1994) Volition as narrative: an understanding of motivation in chronic illness. The American Journal of Occupational Therapy 42: 311–317

Jongbloed L (1994) Adaptation to a stroke: the experience of a couple. The American Journal of Occupational Therapy 48/11: 1006–1013

Kaplan K, Kielhofner G (1989) Occupational Case Analysis Interview and Rating Scale. Slack, Thorofare/NJ

Kielhofner G (1995) A model of human occupation: theory and application, 2nd edn. Williams & Wilkins, Baltimore/MD

Matsutsuyu J (1969) The Interest Checklist. American Journal of Occupational Therapy 23: 323–328

Oakley F, Kielhofner G, Barris R (1986) The Role Checklist: development and empirical assessment of reliability. Occupational Therapy Journal of Research 6: 157–170

Das „Model of Personal Adaptation through Occupation" (Modell persönlicher Anpassung durch Betätigung)

Kathleen L. Reed

5.1 Einführung – 77

5.2 Modelle in der Ergotherapie: allgemeine Bemerkungen – 78
- Wesen und Zweck von Modellen – 78
- Beschreibung von Modellen der Ergotherapie – 78
- Philosophische Grundlagen – 79

5.3 Das „Model of Personal Adaptation through Occupation" – 81
- Die 11 Annahmen – 81

5.4 Die Konzepte – 89
- Umwelt – 89
- Veränderung und Veränderungsmechanismen – 90
- Erwerb, Erhaltung und Verlust von Fertigkeiten –90
- Typen von Fertigkeiten –90
- Betätigungen – 91
- Anpassung, Anpassungsreaktion und Anpassungspotenzial – 93
- Bedürfnisse, Zufriedenheit und Forderungen – 95
- Funktionelle Unabhängigkeit – 95

5.5 Vorgeschlagene Prinzipien – 96
- 1. Prinzip – 97
- 2. Prinzip – 97
- 3. Prinzip – 98
- 4. Prinzip – 98
- 5. Prinzip – 99
- 6. Prinzip – 100
- 7. Prinzip – 100
- 8. Prinzip – 101
- 9. Prinzip – 101

5.6 Praktische Nutzung – 102
Theoretische Begründung des ergotherapeutischen Behandlungsprozesses – 102
Vielfältigkeit und Gezieltheit der Befunderhebung – 102
Methoden- und Medienvariation in der Therapie – 105
Vielfalt individueller Problemlösungsmöglichkeiten – 106
Beachtung der spezifischen Umweltanforderungen – 107

Glossar – 108

Literatur – 109

5.1 Einführung

Das **„Model of Personal Adaptation through Occupation"** (Modell persönlicher Anpassung durch Betätigung) will als allgemeingültiges Modell der ► Ergotherapie
- einen Fokus für die Strukturierung von Annahmen bieten,
- Konzepte (Vorstellungen) definieren,
- Prinzipien (Beziehungen zwischen den Konzepten) vorschlagen,
- zu Ideen für die ergotherapeutische Praxis anregen.

Eine kürzere **Erläuterung dieses Modells** erschien bei Reed u. Sanderson (1980, 1983, 1992). Eine umfassende Darstellung erfolgte 1984 durch Reed.

Entwickelt wurde das „Model of Personal Adaptation through Occupation" zunächst für die erste Ausgabe von „Concepts of Occupational Therapy" im Jahre 1980. Bis dahin war nur das **„Occupational Behavior Model"** (Modell menschlichen Betätigungsverhaltens) von Mary Reilly als allgemeines Modell der Ergotherapie bekannt, das die Verhaltensweisen der Exploration, Kompetenz und Leistung als wichtigste Konzepte in den Vordergrund stellte (Reilly 1966). Kielhofners „Model of Human Occupation" (Modell menschlicher Betätigung) wurde erstmals 1980, also zur gleichen Zeit wie „Concepts of Occupational Therapy", publiziert und war somit noch nicht als strukturierende Vorstellung verfügbar (Kielhofner u. Burke 1980).

Das „Model of Personal Adaptation through Occupation" war ein Versuch, einige der von Adolf Meyer 1922 dargelegten Ideen (inklusive der Aspekte „Umwelteinflüsse", „individuelle Handlung" und „rhythmische Balance der Lebensbetätigungen") zu aktualisieren und zu erweitern. Das Modell wurde rund um die Kernannahme aufgebaut, dass ► persönliche Anpassung durch ► Betätigung geschieht. Ein zentrales Thema ist die Vorstellung, dass das Individuum sowohl sich selbst als auch die ► Umwelt, in der es lebt, verändern kann.

Wichtig

Der Schwerpunkt des Modells liegt auf der menschlichen Entwicklung und der Anwendung von tätigkeitsbezogenen Fertigkeiten und Rollen (► Anpassungsreaktionen), die dazu genutzt werden können, das Individuum an die Umwelt anzupassen (d. h. das Individuum in Bezug auf die Umwelt zu verändern) und gleichzeitig die Umwelt den ► Bedürfnissen des Individuums anzupassen (d. h. die Umwelt in Bezug auf das Individuum zu verändern).

Da das Modell aus einem Entwurf für ein Lehrbuch entstand, wurde es bisher noch nicht direkt evaluiert oder erforscht. Es gibt Ähnlichkeiten zwischen dem „Model of Personal Adaptation through Occupation" und dem von King (1978) entwickelten **„Model of Adaptive Responses"** (Modell der Anpassungsreaktionen), v. a. hinsichtlich des Konzepts der Anpassung des Individuums innerhalb seines Lebensverlaufs. Das „Model of Personal Adaptation through Occupation" betont jedoch auch die Struktur von Betätigungen und die Beziehung zur Umwelt.

Wie in allen allgemeingültigen Modellen ist die Umsetzung des „Model of Personal Adaptation through Occupation" in die ergotherapeutische Praxis nicht bis ins Detail ausgearbeitet. Der Mangel an spezifischer Beschreibung ist gleichzeitig eine Schwäche und eine Stärke. Studenten und Anfänger finden oft beschreibende Praxismodelle nützlicher, da sie detaillierter sind und mehr Vorgaben bieten, denen man folgen kann. Erfahrene Ergotherapeuten dagegen bevorzugen oft die generischen Theoriemodelle, da diese mehr Raum für Initiative und Kreativität lassen, während sie sich dennoch an einen bekannten und anerkannten Rahmen halten. Somit sind die **Schwächen und Stärken eines Theoriemodells** relativ, und das Ergebnis der Analyse hängt davon ab, wer analysiert.

Bevor nun näher auf das „Model of Personal Adaptation through Occupation" eingegangen wird, folgen zunächst einige allgemeine Bemerkungen zur Frage nach dem **Wesen von Modellen** und nach der Besonderheit ergotherapeutischer Modelle.

5.2 Modelle in der Ergotherapie: allgemeine Bemerkungen

Wesen und Zweck von Modellen

Modelle unterstützen den Betrachter bei der **Entwicklung von Vorstellungen;** sie sind richtungsweisend für die Konzeptionalisierung und somit für die Entwicklung von Erklärungen (DiRenzo 1966). Die meisten Modelle bieten visuelle Darstellungen, während Theorien eher in Texte gefasste Beschreibungen der Ideen sind.

Wichtig

Der Zweck der meisten allgemeingültigen Modelle oder Theorien der Ergotherapie besteht darin, generelle Konzepte zu strukturieren und eine grundsätzliche Richtung für die praktische Anwendung vorzugeben.

Allerdings kann die Anwendung durch Details eingegrenzt werden – v. a. dann, wenn ein Modell bzw. eine Theorie **soziokulturelle Aspekte** von ► Betätigung anspricht. Denn kein Autor ist mit allen Varianten soziokultureller Phänomene vertraut. Betätigung hat in der menschlichen Performanz (Ausführung) viele (Ausdrucks-)Formen, die in Gesellschaften und Kulturen auf der ganzen Welt vorkommen.

Wichtig

Jeder einzelne Ergotherapeut muss seine professionellen Ressourcen und sein Verständnis für die lokalen Herausforderungen der Umwelt seiner Klienten nutzen, um die Ergotherapie möglichst optimal – d. h. entsprechend den Bedürfnissen des Klienten – einzusetzen.

Beschreibung von Modellen der Ergotherapie

Für die Beschreibung des „Model of Personal Adaptation through Occupation" wurde keine medizinische Terminologie verwendet. Somit werden Begriffe aus der medizinischen Praxis – wie z. B. Krankheit, Dysfunktion, Pathologie und Einschränkung – nicht benutzt, um **Annahmen und Konzepte** direkt zu beschreiben; in Beispielen können sie allerdings auftauchen.

Die Autorin vertritt die Auffassung, dass theoretische Modelle der Ergotherapie in **Praxisfeldern** vieler Umwelten und nicht nur im medizinischen und klinischen Bereich einsetzbar sein müssen. Die Ergotherapie befasst sich mit ► Betätigung, Gesundheit und Wohlbefinden – und nicht nur mit Pathologie, Krankheit und Verletzung. Zudem greift die Ergotherapie auf wichtige Grundlagenkonzepte, wie das Erlernen von Fertigkeiten und die Veränderung der ► Anpassungsreaktionen in Umwelten, zurück, die in den meisten medizinischen Versorgungsplänen kaum beachtet werden. Das heißt nicht, dass Ergotherapeuten und Mediziner nicht zusammenarbeiten können. Den Ergotherapeuten sollte jedoch bewusst sein, dass Ergotherapie weder auf ein biomedizinisches Modell begrenzt ist, das pathologische Zustände beschreibt, noch auf das medizinische Versorgungssystem, das durch Medikamente und chirurgische Eingriffe kontrolliert wird.

Philosophische Grundlagen

Zusätzlich ist der Einfluss der Philosophie auf alle Modelle und Theorien der Ergotherapie sowie auf die Praxismodelle bzw. Anwendungen zu betonen, die auf diesen Modellen oder Theorien beruhen. Die Philosophie erforscht das, was Menschen glauben, wie sie etwas sehen und bewerten. Die so gewonnenen **Überzeugungen, Sichtweisen und Werte** werden zu inhärenten und fundamentalen Vorstellungen in jedem Modell und in jeder Theorie.

Zwei **philosophische Denkschulen** hatten einen großen Einfluss auf Modelle und Theorien zu Gesundheit, Wohlbefinden, Erkrankung und Dysfunktion:
- die organismische,
- die mechanistische.

Die **organismische Schule** der Philosophie hat die Entwicklung der Ergotherapie in hohem Maße geprägt. Die **mechanistische Schule**, oftmals auch als „westlich strukturierte Medizin" bezeichnet, hatte dagegen einen starken Einfluss auf die moderne Medizin in den USA und in weiten Teilen Europas.

Die beiden philosophischen Richtungen folgen gegensätzlichen **Überzeugungen, Sichtweisen und Werten,** von denen die wichtigsten hier diskutiert werden. Eine umfassende Abhandlung bietet Reed (1984).

Der Hauptunterschied zwischen der organismischen und der mechanistischen philosophischen Schule betrifft die Beziehung des Menschen zur Umwelt. Diese Beziehung wird allgemein als Kontrollüberzeugung („locus of control") bezeichnet. Modelle und Theorien, die auf der organismischen Philosophie beruhen, gehen davon aus, dass Aktivität aus einer Person heraus entsteht und dass das Individuum ein aktives und dynamisches Wesen in seiner Umwelt darstellt. Diese Sichtweise wird als **„interne Kontrollüberzeugung"** („internal locus of control") bezeichnet.

Im Gegensatz dazu beruhen Modelle und Theorien der mechanistischen Philosophie auf der Annahme, dass individuelle Aktivität und Handlung das Ergebnis äußerer Kräfte sind, auf die das Individuum reagiert und antwortet. Individuen werden als passiv oder roboterähnlich betrachtet. Diese Sichtweise bezeichnet man als **„externe Kontrollüberzeugung"** („external locus of control").

Die meisten Modelle und Theorien der Ergotherapie basieren auf der Annahme, dass eine Person in der Lage ist, bei der ► Bewältigung täglicher Probleme eine aktive Rolle zu spielen und den Zustand der persönlichen Gesundheit und des Wohlbefindens zu beeinflussen.

Im Gegensatz dazu geht die **moderne Medizin** von der Annahme aus, dass der Mensch behandelt werden muss. Eine solche Behandlung beinhaltet das Verschreiben von Medikamenten, die Durchführung von Operationen, die Anwendung physikalischer Mittel, wie Wärme (heiße Packungen) oder Elektrizität (Diathermie), oder auch wiederholende Bewegungen (mit Hilfe passiver Bewegungsübungsgeräte).

Ergotherapeuten sind der Überzeugung, dass das Individuum bzw. die Familie aktiv an der **Planung und Durchführung des Interventionsprogramms** teilhaben sollte. Ärzte verschreiben oder verordnen ein Behandlungsprogramm und erwarten von ihren Patienten, dass sie sich an die Verordnung halten. Das Individuum bzw. die Familie ist nur insoweit „aktiv", als sie befolgt, was vom Arzt verschrieben oder verordnet wurde. „Gute" Patienten befolgen die Anweisungen, „schlechte" Patienten halten sich nicht konsequent daran.

Wichtig

Ergotherapeuten verschreiben ihren Klienten keine ► Betätigungen; sie geben ihnen keine Anweisungen, die darauf lauten, ► Anpassungsreaktionen zu erlernen. Sie unterstützen, beraten, empfehlen oder vertreten das Individuum in Abstimmung mit dem Individuum selbst oder der Familie, um zu einem von beiden Seiten akzeptierten Interventionsprogramm zu gelangen.

Somit wird das Individuum bzw. die Familie entsprechend der organismischen Philosophie als fähig erachtet, **Verantwortung für persönliches Handeln** zu übernehmen. Laut mechanistischer Philosophie hingegen gilt das Individuum als unverantwortlich, anweisungs- oder kontrollbedürftig.

Viele Modelle oder Theorien, die mit Gesundheit oder menschlichem Verhalten in Verbindung stehen, entstanden entweder aus der organismischen oder aus der mechanistischen Philosophie. Diejenigen, die mit der organismischen Philosophie übereinstimmen, sind auch mit den ursprünglichen Sichtweisen der Ergotherapie vereinbar. Zu den **organismisch begründeten Modellen oder Theorien** gehören:

- der Humanismus,
- der Holismus (Ganzheitlichkeit),
- die Entwicklungstheorie,
- die soziale Rehabilitation,
- die allgemeine Systemtheorie.

Unter den **mechanistisch begründeten Modellen oder Theorien** finden sich:

- der Behaviorismus bzw. die operante Konditionierung,
- die Psychoanalyse,
- die Biomedizin bzw. die westliche Medizin,
- die medizinische Rehabilitation.

Alle mechanistisch begründeten Modelle oder Theorien gehen davon aus, dass die Person bzw. alles in der ► Umwelt auf eine Ansammlung von Teilen reduziert werden kann. In der Biomedizin ist dieser Teil die Zelle. Somit wird der Mensch als eine **Ansammlung von Zellen** betrachtet. Gute oder normale Zellen werden akzeptiert, erkrankte oder anormale Zellen zerstört oder entfernt. Deshalb muss ein Tumor entfernt werden. Befindet sich der Tumor in einem Teil des Körpers, den Ärzte als entbehrlich betrachten, wird dieses Körperteil häufig ebenfalls entfernt. Die Sorge um den Menschen als ein lebendes Ganzes mit einem Körperbild und einem Körperschema ist im Vergleich zum Umgang mit dem erkrankten Teil sekundär.

Im Gegensatz dazu werden Ergotherapeuten entsprechend dem **ganzheitlichen Konzept** ausgebildet, das davon ausgeht, dass der Mensch nicht der Summe seiner Körperteile entspricht und somit nicht einfach als eine Ansammlung von Teilen betrachtet werden kann. Mit anderen Worten: Nach dem ganzheitlichen Modell geschulte Ergotherapeuten und Ärzte, die entsprechend dem biomedizinischen Modell ausgebildet wurden, haben oft sehr unterschiedliche Ansichten darüber, wie Individuen funktionieren, was deren ► Bedürfnisse sind und wodurch ihre Handlungen motiviert werden. Keine der beiden Sichtweisen ist besser als die andere – sie sind einfach als verschieden zu betrachten. Trotz ihrer Unterschiede haben beide philosophischen Schulen – die organismische wie auch die mechanistische – zum Verständnis des menschlichen Wesens und der Umwelt, in der das Individuum lebt, beigetragen.

Eine **Verständigung** über diese Differenzen kann jedoch schwierig sein. Wenn in der ergotherapeutischen bzw. medizinischen Praxis unterschiedliche Modelle oder Theorien angewandt werden, sollte sich der Ergotherapeut diese Tatsache bewusst machen und die Kommunikation entsprechend anpassen. Ansonsten kann keiner die Intention des anderen verstehen.

Wichtig

Entschließt sich ein Ergotherapeut dazu, das „Model of Personal Adaptation through Occupation" als Rahmen für die Strukturierung der ergotherapeutischen Behandlung einzusetzen, so sollte er darauf vorbereitet sein, nicht nur das Modell, sondern auch die Philosophie und die Annahmen, auf denen es beruht, zu erklären.

Für den Arzt liegt die Lösung für Dysfunktion und Krankheit im Verschreiben angemessener Medikamente oder in der Durchführung notwendiger Operationen. Für den Ergotherapeuten sind Dysfunktion und Erkrankung Probleme oder Herausforderungen im Leben, die Veränderungen in den ▶ **Anpassungsreaktionen** erfordern.

5.3 Das „Model of Personal Adaptation through Occupation"

Die 11 Annahmen

Annahmen sind breite, generelle Aussagen, die in einer Philosophie wurzeln; sie beschreiben die **Überzeugungen, Sichtweisen oder Werte,** die der jeweilige Autor einbezogen hat, um zu erklären, weshalb das Modell oder die Theorie es wert ist, berücksichtigt zu werden.

Das Wort **„Annahme"** ist nur einer von mehreren Begriffen, die benutzt werden, um derartige Überzeugungen, Sichtweisen und Werte zu beschreiben. Alternative Begriffe sind z. B. „Axiom",„Maxime",„Prämisse",„Aussage",„Postulat", „Spekulation" oder „Lehrsatz". Ein Autor kann diese Begriffe auch adjektivisch benutzen; das entsprechende Wort im Text würde dann etwa „axiomatisch" lauten. Würde der jeweilige Begriff als Verb gebraucht, hieße es im Text etwa „annehmen" oder „annimmt". Wiederum andere Autoren machen eine allgemeine Aussage, wie „es wird weithin angenommen, dass ...". Was auch immer dem folgt, entspricht einer Annahme, einer Überzeugung, einer Sichtweise oder einem Wert.

In der Physik lassen sich **Gesetze** formulieren, die sich nicht verändern – es sei denn, die Bedingungen ändern sich. Eine solche Grundsatzaussage könnte z. B. lauten: „Nach allgemeiner Erkenntnis fallen Objekte, die nicht gehalten werden, zu Boden ..."

1. Annahme

Die Grundannahme in jedem ergotherapeutischen Theoriemodell sollte sich mit der Beziehung zwischen ▶ Betätigung („occupation") und **menschlichem Wesen** befassen.

Das konzeptionelle Modell in **Abb. 5.1** (Erläuterung s. unten, „Die Konzepte") gründet auf der Annahme, dass sich ein Mensch an die ▶ Umwelt anpasst und die Umwelt durch die Nutzung von Betätigungen verändert. Diese **Anpassung** sollte als beidseitig betrachtet werden. Durch die Betätigungsperformanz passt sich eine Person an (sie verändert sich), um den Umwelterfordernissen gerecht zu werden, bzw. die Person passt die Umwelt (verändert sie) entsprechend ihrer ▶ Bedürfnisse an. Beide Formen der Anpassung sind das Ergebnis der Nutzung einer oder mehrerer erfolgreicher ▶ Anpassungsreaktionen, die zur Bedürfnisbefriedigung des Einzelnen führen, ein Gefühl ▶ persönlicher Zufriedenheit vermitteln und es dem Individuum ermöglichen, in der Umwelt zu funktionieren.

Fallsituation

So kann ein Mensch in einer Höhle Zuflucht vor dem Wetter suchen. In einer Höhle zu leben, begrenzt die ▶ Betätigung der Person als Höhlenbewohner jedoch auf Gebiete, in denen Höhlen existieren. Durch die Nutzung persönlicher (oder kollektiver) Kenntnisse darüber, wie Gebäude konstruiert werden, und durch den Einsatz der ▶ Betätigungsfertigkeit des Baumeisters kann ein Mensch den Umfang der Betätigung erweitern und die Umwelt verän-

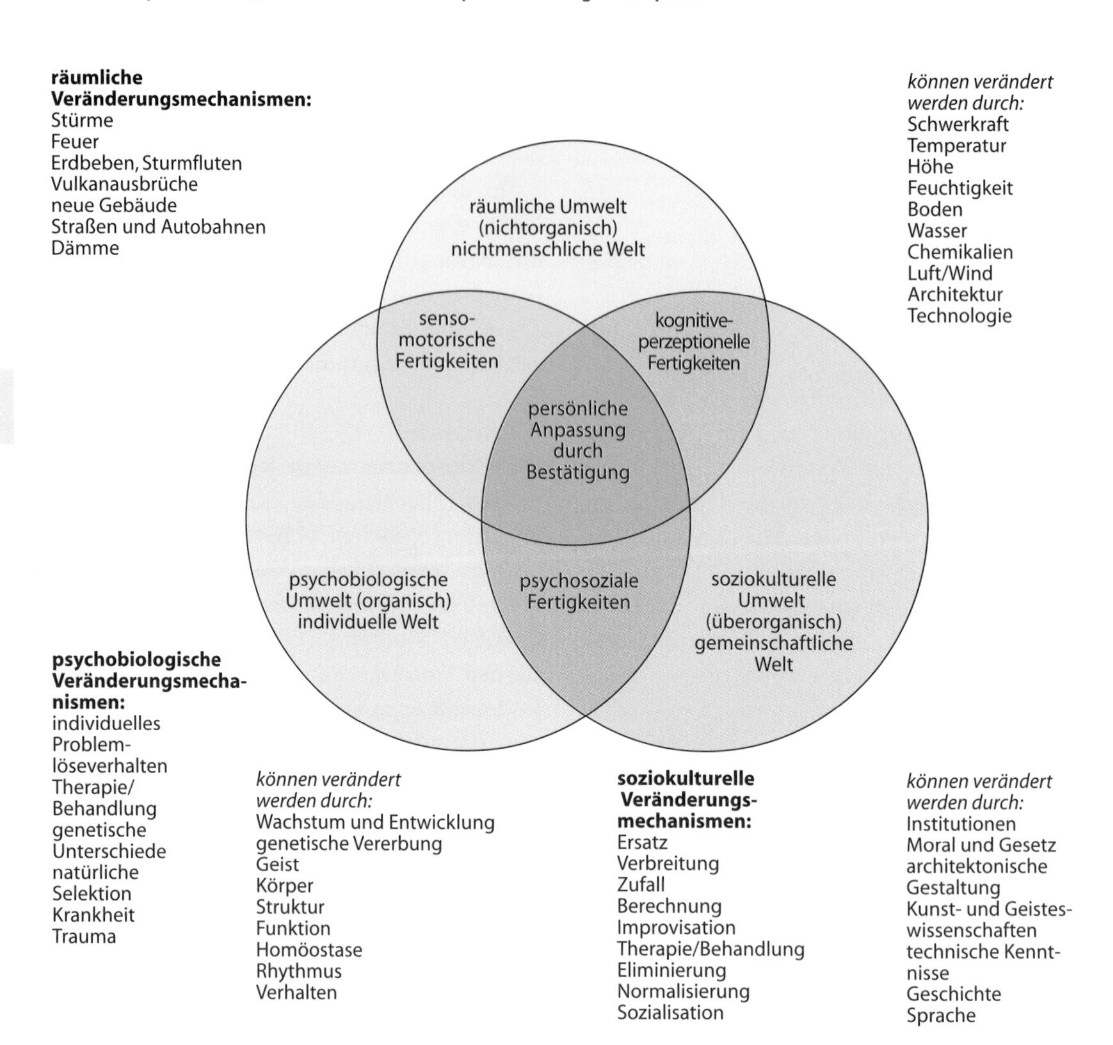

Abb. 5.1. Theoretisches „Model of Personal Adaptation through Occupation"

dern, um dem Bedürfnis nach einer angemessenen Unterkunft gerecht zu werden.

Wichtig

Das Lehren der nützlichen und notwendigen Fertigkeiten für die Veränderung sowohl des Klienten als auch der Umwelt bildet den Kernpunkt ergotherapeutischer Arbeit innerhalb des „Model of Personal Adaptation".

2. Annahme

Die 2. Annahme geht davon aus, dass die ▶ Betätigungen, die eine Person erlernt und ausführen kann, bestimmen, bis zu welchem Grad diese Person sich an die jeweilige **Umwelt** anpassen bzw. diese verändern kann.

Somit ist ein Mensch, der in der Lage ist, eine Unterkunft aus vielen verschiedenen Materialien – wie Lehm, Holz, Gras, Leinwand, Blätter, Glas oder synthetische Materialien – zu bauen, eher fähig, sich an vielfältige Umwelten anzupassen oder diese zu verändern, als eine Person, die nur mit ein oder 2 Materialien bauen kann. Ergotherapeuten können Klienten durch Wissen und Vermittlung vielfältiger Strategien bei der ► Bewältigung umweltbezogener Herausforderungen unterstützen.

Fallsituation

Ein Mensch kann sich fortbewegen, indem er von jemandem getragen, geschoben oder gezogen wird, auf einem Tier – wie etwa einem Pferd, Maultier oder Esel – reitet, in einem elektrisch betriebenen Karren, Roller, Rollstuhl fährt oder sich mittels mechanischer Kraft auf einem Fahrrad oder Dreirad voranbringt. Ein Mensch kann außerdem rollen, kriechen, krabbeln, gehen, rennen, hüpfen oder springen.

Wichtig

Alle Formen der Mobilität sind nützlich, um der entsprechenden Herausforderung der ► Umwelt gerecht zu werden. Ergotherapeuten können den Klienten darin unterstützen, jeweils die Mobilitätsform zu bestimmen, die zur Bewältigung verschiedener Umweltherausforderungen am angemessensten ist.

3. Annahme

Die 3. Annahme geht davon aus, dass sich ► Betätigung („occupation“) aus **Fertigkeiten** zusammensetzt, die folgenden Kategorien zugeordnet werden können:

- sensomotorisch,
- kognitiv-perzeptiv,
- psychosozial.

Alle Betätigungen erfordern eine **Kombination der 3 Fertigkeitskomponenten,** wobei sich diese Kombinationen jedoch – je nach Betätigung – stark voneinander unterscheiden. Einige Betätigungen, z. B. die eines Athleten, erfordern einen hohen Grad an sensomotorischen Fertigkeiten. Andere, wie z. B. die eines Autors, erfordern kognitive Fertigkeiten bzw. Kenntnisse oder auch visuell-perzeptive Fertigkeiten (z. B. Künstler). Wieder andere Betätigungen, wie z. B. die eines Politikers oder Ethiklehrers, verlangen Fertigkeiten bezüglich der (psychosozialen; Anm. d. Hrsg.) Einstellungen und Werthaltungen.

Ergotherapeuten nutzen ihre Kenntnisse, Fertigkeiten und Einstellungen zur **Tätigkeitsanalyse** und zur **Evaluation** des Klienten (Analyse des Anforderungs- und Leistungsprofils; Anm. d. Hrsg.), um ihm das Lernen und Ausführen von Betätigungen zu erleichtern.

Fallsituation

Menschen, die viel am Computer arbeiten, klagen oft über Nacken- und Rückenschmerzen. Der Ergotherapeut weiß, dass die Körperhaltung während der Arbeit wichtig ist, damit sich jemand wohlfühlt und damit die Arbeitsperformanz stimmt. Wer sich unwohl fühlt, nutzt sehr wahrscheinlich bei der Arbeit nicht seine volle Kapazität.

Nun stellt sich die Frage, woher der Schmerz kommt und warum sich die betreffende Person unwohl fühlt. Computerarbeit erfordert die manuelle Texteingabe über die Tastatur, während man gleichzeitig den Monitor beobachtet. Üblicherweise arbeitet man in sitzender Position; die Hüften und Knie sind im Winkel von etwa 90° gebeugt, der Rücken ist gerade. Um bequem zu sitzen, sollten die Ellbogen im Winkel von 90° gebeugt und nahe am Körper gehalten werden. Die Handgelenke sollten sich in Neutralstellung befinden (weder gebeugt noch gestreckt), und die Tastatur sollte gerade vor dem Körper liegen. Der Monitor sollte in einem Winkel von 30° unter Augenhöhe gerade vor den Augen platziert sein.

Von diesen Grundregeln einer guten Arbeitshaltung wird häufig abgewichen: Monitore werden über der Augenhöhe aufgestellt; Monitor und Tastatur befinden sich an unterschiedlichen Stellen, und man muss über die Schulter blicken, während man den Text eingibt; die Tastatur ist zu hoch, und die Handgelenke müssen in einem Winkel von 60° und mehr gebeugt werden; die Sitzfläche ist zu hoch, und

Beine und Füße baumeln. Bei großen Menschen dagegen ist die Sitzfläche oft zu niedrig eingestellt, was zur Krümmung des Rückens und zur rückwärtigen Beugung des Nackens führt. Die beste Lösung solcher Probleme ist i. Allg. die Veränderung der ► Umwelt zugunsten der Person. Die Körperhaltung verändert sich wahrscheinlich angenehm, sobald der Stuhl den individuellen Körpermaßen angepasst ist und sich Tastatur und Monitor vor der jeweiligen Person auf der richtigen Höhe befinden.

5

Wichtig

Während der Ergotherapeut Veränderungen in der Arbeitsumwelt eines Klienten vornimmt, muss er ihm sorgfältig erklären, warum die Veränderungen vorgenommen werden, und dabei sicherstellen, dass die Veränderungen als angenehm empfunden werden.

Anderenfalls wird der Klient wahrscheinlich zum altbekannten Stuhl zurückkehren, obwohl die Größe nicht stimmt. Werden nicht alle **Aspekte** – sensomotorische, kognitive und psychosoziale – berücksichtigt, bleiben die Rückenschmerzen und die Nackenspannung wahrscheinlich weiterhin bestehen. Monitore werden z. B. oft deshalb hoch platziert, um Platz zu schaffen. Das Problem betrifft dann mehr als nur die schlechte Körperhaltung während der Arbeit.

4. Annahme

Die 4. Annahme geht davon aus, dass jede ► Betätigung ein Produkt einer ► **Umwelt** ist. Somit entsteht und existiert Betätigung aufgrund der räumlichen, individuellen und kollektiven Umwelt. Betätigungen, die den ► Bedürfnissen im Umgang mit der Umwelt entsprechen, bestehen weiter. ► Betätigungsfertigkeiten, die Umweltherausforderungen entsprechen, werden entwickelt, während andere ausgeblendet werden, die den Herausforderungen nicht mehr gerecht werden.

Diese Annahme kann ausgedehnt werden, um **Umwelttypen** und Betätigungen in der Umwelt zu diskutieren. Daher müssen Ergotherapeuten ständig die Betätigungen, die in einer bestimmten Umwelt nützlich oder nutzlos sind, evaluieren und reevaluieren. Die ergotherapeutische Arbeit ist selbst ein dynamischer und sich verändernder Prozess, der vom Ergotherapeuten fordert, dass er ständig sein berufliches Wissen, seine Fertigkeiten und Einstellungen bezüglich der Veränderungen in der Umwelt überprüft und erneuert.

Fallsituation

► Betätigungsfertigkeiten, die fast verschwunden sind, sind z. B. die Anfertigung oder Herstellung von Pferdeeinspännern, Fässern, hölzernen Garnspulen und Eisenspielzeug. Dienstleistungen wie die Milchlieferung ins Haus, das Anzünden der Gaslaternen in Straßenlampen und das Klavierspielen im Stummfilmkino sind heute selten gefragt.

Betätigungen, die in den letzten 50 Jahren erschaffen wurden, sind z. B. die Herstellung von Kassettenrecordern, Videokassetten, Computern, Computersoftware und -spielen, Taschenrechnern und Mikrowellenherden. Dienstleistungsberufe wie die des Computerfachmanns wurden der Liste der aktuellen Berufe hinzugefügt.

Wenn sich die Betätigungen verändern, muss sich auch die Ausrichtung der Ergotherapie verändern. Im Jahre 1920 wurde von Ergotherapeuten nicht berücksichtigt, ob ein Klient über Computerfertigkeiten verfügt oder den Videorecorder programmieren kann. Heute beziehen Ergotherapeuten selten Betätigungen wie das Buchbinden oder das Garnspinnen am Spinnrad in ihre Angebote ein.

Die Umwelt kann weiter untersucht werden, indem man sich bestimmte Betätigungstypen anschaut. Einige Betätigungen werden beispielsweise durchgeführt, um die Beschaffenheit der materiellen Umwelt zu erhalten. Die Abhängigkeit von der materiellen Umwelt hat Betätigungen entstehen lassen, um die Qualität von Luft, Wasser und Erde zu überwachen und zu verändern. Andere Betätigungen werden durchgeführt, um das körperliche Wohlbefinden des Einzelnen zu erhalten, z. B. die Nahrungsaufnahme und die Suche nach einer Unterkunft. Wenn das Individuum die jeweilige Betätigung nicht durchführt, muss dies ein anderer übernehmen, um das Leben zu erhalten.

Manche Betätigungen, wie Hobbys oder ehrenamtliche Tätigkeiten, werden durchgeführt, weil sie dem Individuum Spaß machen. Wiederum andere dienen dazu, die Erwartungen der soziokulturellen und politischen Umwelt zu erfüllen. So sind Gesetzgebung und Regierung Betätigungen, die die soziale Interaktion regulieren. Sportvereine und Veranstalter von Wettkampfspielen organisieren die Interaktion der versammelten Individuen. Mit anderen Worten: Das Individuum funktioniert und handelt in vielen miteinander in Beziehung stehenden Umwelten.

Wichtig

Ergotherapeuten müssen sich bei der Arbeit mit ihren Klienten dieser zahlreichen miteinander verbundenen Umwelten bewusst sein. Die unterschiedlichen Umwelten können Konflikte bezüglich erfolgreicher Anpassungsreaktionen erzeugen, bei deren Bewältigung der Ergotherapeut den Klienten unterstützen kann.

5. Annahme

Die 5. Annahme geht davon aus, dass **Umweltveränderungen** Veränderungen in Betätigungen bewirken.

Solche Veränderungen können **positiv** sein, z. B. wenn die Ernte gut ist, wenn ein Kind laufen lernt oder wenn ein Impfstoff entwickelt wird. Andere Veränderungen sind **negativ**, z. B. wenn eine Überschwemmung die Ernte zerstört, wenn ein Kind eine Funktionsstörung erwirbt oder wenn ein Impfstoff durch eine giftige Substanz verunreinigt wird.

Ergotherapeuten können positive Veränderungen maßgeblich unterstützen und negativen Veränderungen vorbeugen oder sie verringern. Sie sind dazu angehalten, (möglichst) alle Betätigungen eines Klienten auszuwerten, und versuchen zu entscheiden, welche davon positiv, welche neutral und welche negativ sind. Außerdem sollten Ergotherapeuten zukünftige Ereignisse, wie entwicklungsbedingte oder degenerative Veränderungen, vorwegnehmen (antizipieren), die die **Betätigungsperformanz** beeinflussen könnten. Die Behandlung wird dann entsprechend ausgerichtet, um die positiven Veränderungen zu maximieren (erweitern) und die negativen Aspekte zu minimieren (verringern).

Fallsituation

So ist die Ergotherapie nicht in der Lage, die Auswirkungen einer degenerativen Störung – wie des M. Parkinson, der multiplen Sklerose oder der Myasthenia gravis – rückgängig zu machen. Sie kann den Menschen jedoch dabei unterstützen, die Auswirkungen der Störung durch das Erlernen alternativer Strategien im Umgang mit Umweltherausforderungen möglichst gering zu halten.

Wichtig

Durch Strategien wie Arbeitsvereinfachung, Bewegungsökonomie, Ersatzbewegungsmuster oder Kompensationstechniken durch Nutzung angepasster Technologie kann das Individuum ► Anpassungsreaktionen tätigen, mit denen sich die Herausforderungen der ► Umwelt bewältigen lassen.

6. Annahme

Die 6. Annahme geht davon aus, dass Veränderungen der individuellen Betätigungen und der Anpassungsreaktionen das Ergebnis von Veränderungen in den **physikalischen** (anorganischen, nichtmenschlichen), **psychobiologischen** (organischen, individuellen) oder **soziokulturellen** (überorganischen, kollektiven) Umwelten sind.

Fallsituation

Wer einen Schneepflug fährt, würde im Süden Floridas kaum Arbeit finden; ein Mensch, der einen Schlaganfall erlitten hat, hat vielleicht Schwierigkeiten, die Tastatur eines Computers beidhändig zu bedienen; ein Mensch, der eine Bank ausraubt, erlebt möglicherweise einen eingeschränkten Grad an Freiheit durch das Strafvollzugssystem, wenn er gefasst und für schuldig befunden wird.

Die Fertigkeit eines Ergotherapeuten beruht auf der Evaluation der Auswirkungen verschiedener Umwelten auf den Klienten und auf der Entscheidung darüber, welche Umweltherausforderungen die Fähigkeit des Klienten, verfügbare ► Anpassungsreaktionen zu zeigen, am stärksten beeinflussen.

Wichtig

Ergotherapeutische Intervention ist gerechtfertigt, wenn das Individuum nicht über effektive ► Anpassungsreaktionen verfügt, um mit den üblicherweise auftretenden Umweltherausforderungen umzugehen.

So sind die **Fertigkeiten eines Individuums** nicht nur dadurch beeinflusst, wie häufig eine Fertigkeit genutzt wurde oder ob ein Unfall, eine Krankheit oder ein Trauma den Lernprozess beeinträchtigt hat; auch die Lernmöglichkeiten, die ihm in der Vergangenheit offen standen oder jetzt zugänglich sind, spielen dabei eine Rolle.

Das **Anpassungspotenzial** eines Menschen kann durch die Bestimmung des Grades analysiert werden, zu dem von außen Umweltveränderungen umgekehrt oder verändert werden müssen, sodass sie dem Individuum erlauben, sich selbst aktiv der Umwelt anzupassen.

Wichtig

Beide Aspekte – die Veränderung der ► Betätigungen einer Person und die Veränderung der ► Umwelt – müssen in jedem ergotherapeutischen Interventionsplan berücksichtigt werden.

Darüber hinaus kann es notwendig sein, sowohl die Veränderung der Betätigungen einer Person als auch die Veränderung der Umwelt einzuleiten und umzusetzen. Die **Veränderungsprozesse** werden in **Abb. 5.2** dargestellt.

7. Annahme

Die 7. Annahme lautet: **Zahl, Vielfalt und Grad an Veränderung** in individuellen ► Betätigungen können durch die ergotherapeutische Intervention beeinflusst werden.

Ergotherapeuten können einen Menschen in Richtung einer Veränderung unterstützen, indem sie **strukturierende ► Umwelten** anbieten, die die Entwicklung des Lernens und Ausübens von Fertigkeiten ermöglichen. Sie können zudem Hilfe bieten, indem sie den Menschen alternative Fertigkeiten vermitteln oder mit ihnen Möglichkeiten für eine Anpassung der Umwelten erkunden. Die Menschen können alternative Fertigkeiten erlernen oder angepasste Umwelten erkunden.

Einer der grundlegenden Werte der ergotherapeutischen Arbeit besteht darin, den

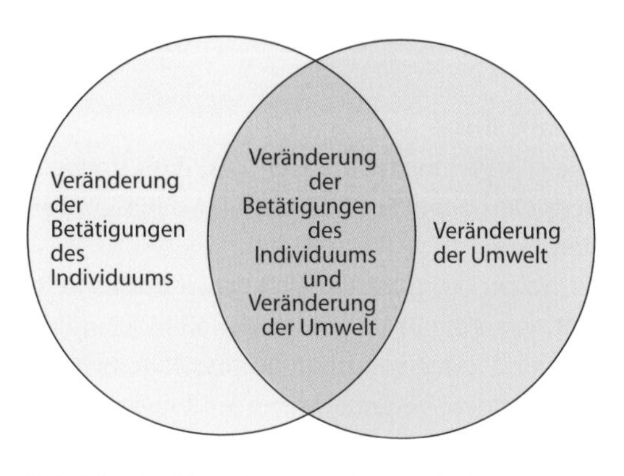

Abb. 5.2. Drei Veränderungspotenziale der Umwelt

Klienten und die Familie als **aktive Teilnehmer am Veränderungsprozess** zu betrachten.

> **Wichtig**
>
> Ergotherapeuten empfehlen und unterstützen ► Anpassungsreaktionen und Veränderungen, aber sie erzwingen oder bestimmen sie nicht. Zusammenarbeit ist ein zentrales Element der ergotherapeutischen Arbeit.

Ein Mensch mit Myasthenia gravis braucht möglicherweise eine Strukturierung der Aufgaben des täglichen Lebens, um die Energiekonservierung zu erhöhen. Der Ergotherapeut demonstriert ihm die Konzepte der Arbeitsvereinfachung und Energiekonservierung und bespricht sie mit ihm. Dann sollte der Klient danach gefragt werden, welche Aufgaben des täglichen Lebens und welche Betätigungen ihm wichtig sind und welche den größten Grad an Erschöpfung verursachen. Ergotherapeut und Klient können gemeinsam verschiedene Arten der Aufgaben- oder Betätigungsdurchführung untersuchen. Ein Aufgabenplan mit Ruhepausen könnte entwickelt werden. Eine Liste von Aufgaben, die von anderen Familienmitgliedern, Freunden oder bezahlten Hilfen durchgeführt werden kann, könnte aufgestellt werden. Am wichtigsten ist jedoch, dass der Mensch weiterhin wenigstens einige Aufgaben des täglichen Lebens und die Betätigungen, die ihn am meisten erfüllen und zufrieden stellen, selbst durchführt.

8. Annahme

Die 8. Annahme lautet: Zweck einer ergotherapeutischen Intervention ist es, die Entwicklung oder Erhaltung des Fertigkeits- und Rollenniveaus zu unterstützen, das zur Ausführung (Performanz) von ► Betätigungen benötigt wird.

> **Wichtig**
>
> Ergotherapeutische Medien, Methoden, Techniken und Ansätze dienen dazu, dem Individuum zu einem maximalen Level an ► Betätigungsfertigkeiten, ► Betätigungsrollen und ► Anpassungsreaktionen innerhalb der am wenigsten behindernden ► Umwelt, die den ► Bedürfnissen des Individuums gerecht wird, zu verhelfen.

Ergotherapeuten schätzen die **persönliche Freiheit** und die **individuellen Wahlmöglichkeiten** ihrer Klienten. Institutionen setzen der persönlichen Wahl und Teilnahme immer Grenzen. Den Klienten in das Leben in Familieneinheiten oder kleinen Gruppen innerhalb einer Gemeinde einzugliedern, ist häufig das Ziel ergotherapeutischer Interventionen. Solche Lebensumstände unterstützen die Entwicklung und Erhaltung von Fertigkeiten, während das Leben in Institutionen häufig die Möglichkeit zur Ausübung individueller Fertigkeiten reduziert. Selbst bei fortschreitenden Erkrankungen, wie M. Alzheimer oder multiple Sklerose, konzentriert man sich so lange wie möglich auf die Erhaltung von Fertigkeiten und Rollen.

9. Annahme

Die 9. Annahme lautet: Ergotherapeuten sind der Überzeugung, dass wirksame ► Anpassungsreaktionen und ► persönliche Zufriedenheit erreicht werden können, wenn eine **Ausgewogenheit** zwischen folgenden Bereichen unterstützt wird:
- Selbsterhaltung,
- Produktivität,
- Freizeitgestaltung.

Ergotherapeuten sind davon überzeugt, dass es zu mangelnden Anpassungsreaktionen oder zu Unzufriedenheit bezüglich der gesamten Betätigungsperformanz kommen kann, wenn zu viel Zeit für einen oder 2 der genannten Betätigungsbereiche verwendet wird. Der gesunde Mensch hält innerhalb seines Lebenszeitraums eine Ausgewogenheit zwischen Selbstversorgung, Produktivität und Freizeit aufrecht. Das genaue **Gleichgewicht** hängt von den persönlichen Präferenzen und den Erwartungen der ▶ Umwelt ab.

Wichtig

Das ▶ Betätigungsgleichgewicht wird durch individuelle Situationen, Präferenzen und Werte sowie das Alter beeinflusst. Der Ergotherapeut muss mit dem Klienten zusammenarbeiten, um ein Muster des Betätigungsgleichgewichts zu entwickeln, das optimal angemessen und befriedigend ist.

10. Annahme

Die 10. Annahme geht davon aus, dass Ergotherapeuten sich darum bemühen, dem Individuum zu einem Maximum an ▶ **Anpassungsreaktionen** zu verhelfen, indem das Individuum Fertigkeiten entwickelt und erwirbt, die den Herausforderungen der Umwelt entsprechen.

Anpassungsreaktionen sind davon abhängig, ob das Individuum in der Lage ist und die Gelegenheit erhält, bestimmte **Fertigkeiten** einzusetzen, die die ▶ Betätigung oder Rolle ausmachen. Die notwendigen Fertigkeiten sind zudem erforderlich, um ein Höchstmaß an Anpassungsreaktionen zu erlauben.

Oft ist es der Ergotherapeut, der ein **Potenzial eines Menschen** erkennt, wo Angehörige anderer Berufsgruppen nur Beeinträchtigungen wahrnehmen. Zu häufig verlangt die ▶ Umwelt Menschen mit einer Fähigkeitsstörung („disability") nicht genügend ab, bietet nicht genug Anleitung zum Lernen und Üben und begrenzt deshalb deren Fertigkeitsentwicklung und Rollenerfüllung.

11. Annahme

Die 11. Annahme lautet: ▶ Betätigungen müssen für die **Beziehungen des Individuums zu seiner ▶ Umwelt** relevant und nützlich sein. Wenn sie sich als relevant und nützlich erweisen, sollten die Fertigkeiten entwickelt, erhalten und wiederhergestellt werden.

„Relevant" heißt in diesem Fall: der Sache dienlich sein. **„Nützlich"** meint: Ein ▶ Bedürfnis wird erfüllt. ▶ Betätigungsfertigkeiten, die für das Individuum weder relevant noch nützlich sind, sollten verworfen werden.

Wichtig

Ergotherapeuten sollten die Erhaltung nutzloser oder irrelevanter Fertigkeiten nicht unterstützen.

Zusammenfassung

Im Folgenden sind die **11 Annahmen** nochmals zusammengefasst:

- Menschen passen sich an ihre Umwelt an und verändern sie durch Betätigung.
- Der Grad der persönlichen Anpassung wird durch die Fähigkeit zum Lernen und zur Ausführung von Betätigung verändert.
- Betätigungen setzen sich aus Fertigkeiten zusammen.
- Betätigungen sind durch die Umwelt bestimmt.
- Umweltveränderungen bewirken Veränderungen in Betätigungen.
- Veränderungen der individuellen Betätigungen und der Anpassungsreaktionen sind das Ergebnis von Umweltveränderungen
- Die Geschwindigkeit, die Vielfalt und der Grad an Veränderung innerhalb der individuellen Betätigungen können durch ergotherapeutische Intervention beeinflusst werden.
- Der Zweck der ergotherapeutischen Intervention ist die Förderung der Entwicklung bzw. die Erhaltung eines Fertigkeitsgrades, der benötigt wird, um Betätigungen durchzuführen.

▼

- Das gesunde Individuum erhält über sein gesamtes Leben hinweg eine Ausgewogenheit der Betätigungen aufrecht.
- Ergotherapeuten bemühen sich um die Förderung eines maximalen Grades an Anpassungsreaktionen und um die größtmögliche Entwicklung und Erhaltung von Fertigkeiten, zu der das Individuum in der eigenen Umwelt fähig ist.
- Betätigungen müssen, bezogen auf die eigene Umwelt, für das Individuum relevant und nützlich sein.

Diese 11 Annahmen werden vorgeschlagen, um den Kern der Ergotherapie als Studienbereich ebenso wie als angewandten Beruf zu erfassen. Alle stimmen mit der **organismischen Sichtweise** überein. Die Annahmen unterstützen die Vorstellung, dass das Individuum oder die Familie als aktiv Mitwirkende/r zur internen Anpassung (Veränderung) in der Lage ist/sind und auch die äußere oder externe Situation anpassen (verändern) kann/können.

▶ **Betätigung** („occupation") ist der ▶ Veränderungsmechanismus, den Ergotherapeuten einsetzen. Betätigung entsteht und verschwindet als Reaktion auf die räumliche, individuelle oder kollektive Umwelt. Betätigung besteht aus Fertigkeiten und Rollen, die in Reaktion auf interne oder externe Situationen, ▶ Bedürfnisse oder Forderungen erlernt und perfektioniert werden.

▶ **Betätigungsfertigkeiten** können eingeteilt werden in:
- sensomotorische,
- kognitiv-perzeptive,
- psychosoziale.

▶ **Betätigungsrollen** lassen sich zuordnen:
- Selbsterhaltung,
- Produktivität,
- Freizeit.

Ein **dynamischer Rhythmus** und ein **Gleichgewicht** der Betätigungsrollen werden den Anforderungen der Umwelt am ehesten gerecht und führen zu ▶ persönlicher Zufriedenheit.

5.4 Die Konzepte

Ein Konzept dient in einem Modell als **strukturierende Vorstellung**, die für die Ganzheit des Modells wichtig ist. Wenn die Beziehung zwischen Konzepten aufgrund von Forschung und Analyse offensichtlich wird, führen 2 oder mehrere Konzepte zu einer prinzipiellen Aussage.

Konzepte können oft durch ihre **Arbeitsdefinition** (vorläufige, noch näher nachzuweisende inhaltliche Bestimmung) oder ihre **Beschreibung** im Modell bzw. in der Theorie identifiziert werden. Der Autor muss erklären, wie er das jeweilige Konzept (d. h. den Begriff) benutzt. Somit kann man Konzepte auch identifizieren, indem man den Text auf Substantive und deren adjektivische Entsprechungen hin untersucht, die regelmäßig erscheinen oder im Text betont werden.

Umwelt

Die 11 Annahmen des „Model of Personal Adaptation through Occupation" beinhalten mehrere Konzepte. Ein wichtiges Konzept besteht darin, dass die ▶ **Umwelt** („environment") untersucht werden kann, indem man sie, wie in **Abb. 5.1** dargestellt, als in **3 überlappende Teile** gegliedert betrachtet:
- Den 1. Teil bildet die **räumliche** oder nichtorganische Umwelt. Diese Umwelt beinhaltet viele verschiedene Elemente, aber keine Menschen. Die räumliche Umwelt ist nichtmenschlich.
- Den 2. Teil bildet die **psychobiologische** oder organische Umwelt, die die Gesamtheit

des Individuums ausmacht. Dies ist die individuelle Umwelt.
- Den 3. Teil bildet die **soziokulturelle** oder überorganische Umwelt, die organisierte oder kollektive Lebensmuster beinhaltet.

Veränderung und Veränderungsmechanismen

Veränderung („change") lässt sich erstens direkt an den entwickelten, verstärkten, verbesserten oder wiederhergestellten Fertigkeiten und ► Betätigungen messen. Zweitens kann Veränderung auch indirekt durch die Prävention potenziell negativer Einflüsse in Form von ► Anpassungsreaktionen und Erhaltung des korrekten Levels von Anpassungsfertigkeit verursacht werden. Die 3. Art der Veränderung ist die, die **Anpassungsreaktionen** durch die Nutzung technischer Unterstützung bietet. Die Veränderung ist indirekt, kann aber eine entwickelte, verstärkte, verbesserte oder wiederhergestellte Performanz zum Ergebnis haben.

► **Veränderungsmechanismen** („change mechanisms") beinhalten jede Umweltherausforderung, die die Performanz von Fertigkeiten und Betätigungen verändern kann:
- Mechanismen der **räumlichen Umweltveränderung** können natürliche Ereignisse – wie Stürme, Feuer, Erdbeben und Vulkanausbrüche – oder von Menschen produzierte Ereignisse – wie der Bau neuer Gebäude und Straßen oder die Erfindung neuer Materialien und Substanzen – sein.
- Veränderungsmechanismen in der **psychobiologischen Umwelt** beinhalten persönliche Problemlösung oder Therapie, genetische Vielfalt, natürliche Selektion, Krankheiten oder Traumata.
- In der **soziokulturellen Umwelt** können die Veränderungsmechanismen Ersatz, Verbreitung, Zufall, Berechnung, Improvisation, Therapie, Behandlung, Eliminierung, Normalisierung oder Sozialisierung beinhalten.

Erwerb, Erhaltung und Verlust von Fertigkeiten

Eine **3. Gruppe von Konzepten** beinhaltet:
- Erwerb von Fertigkeiten („skill acquisition"),
- Erhaltung von Fertigkeiten („skill maintenance"),
- Verlust von Fertigkeiten („skill loss").

Der **Erwerb von Fertigkeiten** bezieht sich auf das Erlernen oder Wiedererlernen der Durchführung einer Aktivität oder Aufgabe. Bei der **Erhaltung von Fertigkeiten** geht es darum, eine erlernte Aufgabe oder Aktivität innerhalb eines Repertoires von ► Anpassungsreaktionen zu erhalten. **Fertigkeitsverlust** entsteht, wenn jemand eine Fertigkeit, eine Gewohnheit oder eine Routine nicht zum gleichen Grad wie vorher durchführen kann. Ein solcher Verlust kann die Effektivität der Anpassungsreaktionen verringern oder sie völlig aus dem individuellen Repertoire ausschließen.

Typen von Fertigkeiten

Eine 4. Konzeptgruppe umfasst die Typen von Fertigkeiten („types of skills"), die eine Person erwirbt, aufrechterhält oder verliert. Fertigkeiten sind erlernte Verhaltensweisen, die durch Übung und Erfahrung erworben wurden. ► Betätigungen setzen sich aus **3 Fertigkeitstypen** zusammen, die zum Zweck der Analyse getrennt werden können, aber in der Performanz von Betätigungen und in der Veränderung der ► Umwelt als integriertes Ganzes fungieren. Die 3 Typen umfassen:
- sensomotorische,
- kognitiv-perzeptive,
- psychosoziale Fertigkeiten.

Zu den **sensomotorischen Fertigkeiten** gehören das Niveau, die Qualität und/oder der Grad von Fertigkeiten in den sensorischen, perzeptiven, neuromuskulären und motorischen Systemen. **Kognitive Fertigkeiten** beinhalten das Niveau, die Qualität und/oder den Grad von Fertigkeiten wie Aufmerksamkeit, Konzentration, Gedächtnis, Problemlöseverhalten, Zeitmanagement, Konzeptionalisierung, Integration von Gelerntem, Urteilsvermögen und Orientierung hinsichtlich Zeit, Ort und Person. **Perzeptive Fertigkeiten** beinhalten das Niveau, die Qualität und/oder den Grad von Fertigkeiten wie visuelle Wahrnehmung, akustische Wahrnehmung, taktile Wahrnehmung, visuelle Zuordnung, Geräuschlokalisierung, 2-Punkte-Diskriminierung etc. Psychosoziale Fertigkeiten beinhalten das Niveau, die Qualität und/oder den Grad von Fertigkeiten, die sich auf den wirksamen Beziehungsaufbau mit der menschlichen und der nichtmenschlichen Umwelt beziehen, Fertigkeiten wie die Unterscheidung von Realität und Nichtrealität, die Entwicklung und Erhaltung von Selbstkontrolle, den Erwerb von Kompetenz, Können und Bewältigungsstrategien, das „Sich-Einbringen" in Gruppendynamiken und das Rollenverhalten.

Der **Gebrauch der Fertigkeiten** führt zur Entwicklung von sensomotorischen Fähigkeiten, kognitiv-perzeptiven Kenntnissen und psychosozialen Einstellungen, die Betätigungen, die ausgeführt werden können, und Umwelten, die verändert werden können, beeinflussen und formen. Somit erlauben die Fertigkeiten dem Individuum, potenziell eine größere Zahl an Betätigungen auszuführen als üblicherweise gezeigt werden.

Wichtig

Die Fähigkeiten, die Kenntnisse und die Einstellungen definieren tendenziell die Grenzen des Betätigungsrepertoires zu jedem beliebigen Zeitpunkt im Leben des Menschen.

Betätigungen

Eine 5. Gruppe von Konzepten befasst sich mit den eigentlichen Betätigungen. Betätigungen („occupations") sind die Aktivitäten oder Aufgaben, die die **Zeit- und Energieressourcen** einer Person in Anspruch nehmen. ▶ Anpassungsreaktionen lassen sich anhand der Gewohnheiten und Routinen beobachten, die ein Mensch in einer bestimmten ▶ Umwelt zeigt (**Abb. 5.3**).

Persönliche Betätigungen werden entsprechend ihrem jeweiligen Zweck bzw. der jeweiligen Motivation in 3 Typen eingeteilt. Die **3 Typen der persönlichen Betätigungen** sind:

- Selbsterhaltung („self maintenance"),
- Produktivität („productivity"),
- Freizeit („leisure").

Abbildung 5.4 zeigt, wie die 3 Typen zusammenhängen.

Betätigungen zur Selbsterhaltung („self maintenance occupations") sind notwendig, um den lebenserhaltenden ▶ Bedürfnissen der Person gerecht zu werden. Obwohl die individuellen Bedürfnisse variieren, schließen sie gemeinsame Bereiche – wie Essen, Ankleiden, Körperhygiene, Mobilität, Kommunikation, Haushalt, Nahrungszubereitung und Einkaufen – ein.

Der gemeinsame Faktor dieser Art von Betätigungen besteht darin, dass sie erledigt

Abb. 5.3. Die Organisation von Fertigkeiten als anpassende Reaktionen

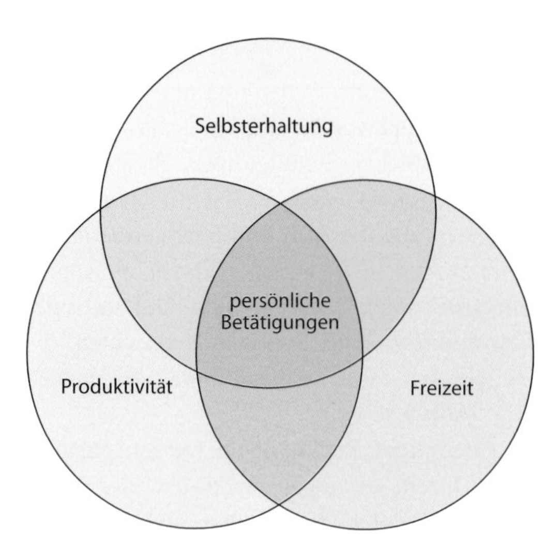

Abb. 5.4. Typen persönlicher Betätigungen

werden müssen. Wenn ein Mensch sie nicht selbst durchführen kann, muss es jemand anderes für ihn erledigen. In den meisten häuslichen Umwelten wird die **Übernahme der Verantwortung** für einige Betätigungen zur Selbsterhaltung von der Person selbst erwartet; andere hingegen, wie z. B. das Einkaufen, können geteilt werden. Ergotherapeuten sprechen in diesem Zusammenhang oft von Selbstversorgung, Aktivitäten des täglichen Lebens oder instrumentellen Aktivitäten des täglichen Lebens.

Mit **produktiven Betätigungen** („productive occupations") werden Waren und Dienstleistungen für andere zum Gebrauch angeboten; aus dieser Art von Betätigung können andere Nutzen ziehen. Sie variieren stark von einer Kultur bzw. von einer Region zur anderen. Häufig kontrolliert die räumliche Umwelt die Typen produktiver Betätigungen, die durchgeführt werden können. Dabei spielen Gegebenheiten wie Bodenbeschaffenheit, Mineralvorräte, Verfügbarkeit von Wasser und Klima eine Rolle.

Die offensichtlichste Art der produktiven Betätigung ist die durch Geld oder Ware abgegoltene **Anstellung** – doch es gibt auch andere. Studenten erlernen die für eine produktive Betätigung erforderlichen Fertigkeiten, Hausfrauen und -männer führen Aufgaben der (Selbst-)Versorgung durch, damit sie sich anderen erwerbsproduktiven Betätigungen widmen können, und Ehrenamtliche erfüllen produktive Aufgaben und Betätigungen ohne finanzielle Gratifikation. Auch das Spiel von Kindern ist produktive Betätigung, sofern es Möglichkeiten des Lernens und Praktizierens von praktischen Fertigkeiten und Aufgaben bietet, die für die Performanz von selbsterhaltenden und produktiven Betätigungen erforderlich sind.

Fertigkeiten wie das Lernen, Anweisungen zu folgen, sich abzuwechseln, Ressourcen zu teilen, mit Objekten umzugehen und die ► Umwelt zu erforschen, sind Teil eines Repertoires an sensomotorischen, kognitiven und psychosozialen Fertigkeiten, die notwendig sind, um sich selbst der Umwelt anzupassen und gleichzeitig die Umwelt anzupassen oder zu verändern und so Selbsterhaltung, Produktivität und Freizeitbetätigungen zu ermöglichen.

Freizeitbetätigungen („leisure occupations") sind freiwillige oder dem eigenen Ermessen entsprechende Betätigungen, die grundsätzlich vom Individuum selbst gewählt und zum Vergnügen durchgeführt werden. Üblicherweise werden Freizeitbetätigungen dann durchgeführt, wenn keine Verpflichtungen bestehen, und es werden Energien und andere Ressourcen genutzt, die nicht zur Selbsterhaltung und produktiven Betätigung notwendig sind.

Freizeitbetätigungen werden oft als Hobbys, Entspannungsaktivitäten, bevorzugte Sportarten oder Interessen definiert, die nicht zur Selbsterhaltung und Produktivität notwendig sind. Als Teil des **Kontinuums von Selbsterhaltung, Produktivität und Freizeitbetätigungen** sind Freizeitbetätigungen jedoch nicht freiwillig. Wenn Menschen davon sprechen, Urlaub oder Ferien zu machen, um mehr qualitativ wertvolle Zeit mit Familie und Freunden verbringen oder selbst ausgeglichen sein zu können, beziehen sie sich meist auf Freizeitaktivitäten.

Anpassung, Anpassungsreaktion und Anpassungspotenzial

Eine **6. Gruppe von Konzepten** beinhaltet:
- Anpassung,
- Anpassungsreaktionen,
- Anpassungspotenzial.

Anpassung

Der Begriff „Anpassung" („adaptation") meint hier einen Interaktionsprozess zwischen dem Individuum und den räumlichen, psychobiologischen oder soziokulturellen Umwelten.

Jede Veränderung eines Umweltaspekts verändert die gesamte Umwelt. Somit ist **Veränderung** ein niemals endender Prozess, der aufgrund von Ereignissen wie Überschwemmungen oder Autounfällen mit Verletzungen plötzlich oder weniger plötzlich einsetzt.

Veränderungen, die zu einer besseren Anpassung des Individuums und seiner Umwelt führen, sind positiv. Eine **positive Anpassung** erhöht die Wahrscheinlichkeit, dass die ► Bedürfnisse einer Person erfüllt werden, dass die Person zufrieden ist und dass die Erwartungen der äußeren Umwelt befriedigt werden. Eine **negative Anpassung** reduziert die Möglichkeit, dass die Bedürfnisse einer Person erfüllt werden, und kann zu Unzufriedenheit führen sowie dazu, dass die Erwartungen der Umwelt nicht befriedigt werden.

Wichtig

Die individuelle oder ► persönliche Anpassung zeigt im Vergleich zur entwicklungsbedingten Evolution 4 Charakteristika: Erstens adaptiert oder passt sich die Person an verschiedene Bedingungen in der ► Umwelt an. Mit anderen Worten: Die Person handelt (wirkt) auf eine Umwelt hin. Wenn die Umwelt auf die Person einzuwirken scheint, wird dies oft als „Fügung des Schicksals" bezeichnet. Die „Handlungen" der Umwelt sind das Versagen des Individuums oder der Gruppe, wirksam Probleme zu lösen und so die aus der Umwelt kommenden Risiken zu vermeiden. Manchmal ist das Versagen auf einen Mangel an Kenntnissen oder Fertigkeiten zurückzuführen; zu einem anderen Zeitpunkt wiederum stellt das ineffektive Problemlöseverhalten eine aktive Entscheidung dar (Fortsetzung s. unten).

Fallsituation

Sowohl das Fahren eines Schneemobils auf 170 cm Pulverschnee als auch die Fahrt durch einen ausgetrockneten Bach während eines Frühlingsgewitters sind risikoreiche Verhaltensweisen, bei denen Folgen zu erwarten sind. Eine Schneelawine oder plötzlich steigendes Flutwasser sind bekannte Erscheinungen in der räumlichen Umwelt.
Rauchen ist jedoch als Risikoverhalten bekannt. Mit dem Rauchen anzufangen oder nicht damit aufzuhören sind Handlungen des Individuums, die zu Krebs, Emphysem und frühem Tod führen können.

Wichtig

Zweitens tritt die Anpassung der Person als Reaktion auf die Forderungen der Umwelt auf. Laut King (1978) erfordert „die Herausforderung durch etwas, was das Individuum benötigt oder tun möchte – behindert durch eine Veränderung oder ein Defizit der Person oder der Umwelt – ... spezifische anpassende Reaktionen." Weiter meint sie, es sei eine wesentliche Aufgabe der Ergotherapie, „aus den Umgebungen, den Materialien und v. a. den Umweltforderungen eine Struktur zu bilden, um bestimmte Anpassungsreaktionen hervorzurufen." (Fortsetzung s. unten)

Mit anderen Worten: Die Ergotherapie basiert auf der **Nutzung realer Lebenssituationen** in der ► Umwelt. Obwohl ein Klient in der Klinik üben kann, besteht der entscheidende Test in der Ausführung der Fertigkeit, Gewohnheit, Routine oder Anpassungsreaktion in der realen Umwelt, in der die Person lebt.

Wichtig

Drittens tritt die Anpassung durch erlernte Fertigkeiten, Gewohnheiten und Routinen auf, die häufig auf einer Ebene unterhalb des aktiven Bewusstseins strukturiert sind und durchgeführt werden. Anpassungsreaktionen werden automatisiert und können durchgeführt werden, während die Person bewusst über andere Dinge nachdenkt. Fertigkeiten sind erlernte Einheiten von Anpassungsreaktionen. Gewohnheiten entstehen aus erlernten Fertigkeiten. Gewohnheiten wiederum strukturieren sich zu einer Routine, die zu Anpassungsreaktionen führt.

Somit können Anpassungsreaktionen in **Komponenten** zerlegt werden. Wenn die Aufmerksamkeit direkt auf Teile von Routinehandlungen oder Reaktionen konzentriert ist, kann die Person die erwünschte spezifische Teilroutine oft nicht durchführen oder wirkt unbeholfen. Das klassische Beispiel dazu stammt von Yerxa (1967).

Fallsituation

Yerxa (1967) beschreibt folgende Begebenheit: „Vor einem Jahr half ich dabei, die Funktionsfähigkeit einer hirngeschädigten Klientin zu evaluieren. Sie wurde gebeten, ihre Hand zu öffnen. Sie bemühte sich offensichtlich darum, aber ansonsten erfolgte keine Reaktion. Dann wurde sie passiv in die Fingerextension bewegt, als der Therapeut die erwünschte Bewegung demonstrierte. Dieses Mal reagierte die Klientin mit erhöhter Fingerflexion. Frustriert schrie sie: ‚Ich weiß, ich weiß!'. Schließlich wurde ihr eine Tasse Wasser angeboten. Als sie die Tasse wahrnahm, öffnete sie wie durch ein Wunder die Finger, um sie zu greifen."

Ein zweites Beispiel: Eine Person wird gebeten, über eine Bühne zu gehen. Plötzlich wird sie sich des eigenen Gehens bewusst. Diese bewusste Aufmerksamkeit des Gehens kann zu unbeholfenen Schritten führen statt zu einem sanften Bewegungsfluss, wie er gewöhnlich in einer gut eingeübten Routine zu sehen ist.

Wichtig

Viertens hat die Anpassung eine selbstverstärkende Wirkung. Mit anderen Worten: Die meisten Menschen tun das, was für sie funktioniert. Erfolgreiche Reaktionen auf die ► Umwelt führen zur Beherrschung der Umweltanforderungen. Überleben stellt die grundlegendste Anforderung dar, Selbstverwirklichung die höchste Ebene.

Wenn Klienten nicht in der Lage sind, Anpassungsreaktionen für sich selbst zu finden oder zu erlernen, können Ergotherapeuten sie mit Techniken und Ansätzen unterstützen, die sie aus (dem eingehenden Studium; Anm. d. Hrsg.) der ergotherapeutischen Fachliteratur kennen. Sind Klienten (noch) nicht motiviert, Anpassungsreaktionen zu erlernen, können Ergotherapeuten ihre **Motivation** in eine positivere Richtung lenken.

Anpassungsreaktionen und Anpassungspotenzial

Anpassungsreaktionen („adaptive responses") sind die **Gewohnheiten und Routinehandlungen,** die ein Individuum in einer bestimmten Umwelt ausführt und die jeweils nützlich und erfolgreich sind sowie den Herausforderungen in der Umwelt gerecht werden.

Anpassungspotenzial („adaptive potential") betrifft die Einschätzung dessen, wie gut eine Person letztlich in der Lage ist, **Bedürfnissen** gerecht zu werden, **Zufriedenheit** zu erlangen und auf die **Herausforderungen der Umwelt** zu reagieren. Die Einschätzung basiert auf der Art und Vielfalt von Fertigkeiten und Betätigungen, die eine Person ausführen kann, und auf der

Zufriedenheit, die sich aus der Performanz ergibt. Das Potenzial kann durch Variablen wie Alter, Gesundheitszustand und soziokulturelle Hindernisse beeinflusst sein.

Bedürfnisse, Zufriedenheit und Forderungen

Eine **7. Konzeptgruppe** beinhaltet die Konzepte ► Bedürfnisse („needs"), Zufriedenheit („satisfaction") und Forderungen („demands").

Bedürfnisse („needs") schließen die ► Betätigungen ein, die ein Mensch selbst durchführen kann oder durchführen lassen muss, um den Forderungen der Umwelt gerecht zu werden. Bedürfnisse werden durch die räumliche, psychobiologische und soziokulturelle Umwelt bestimmt. Zudem lassen sich Bedürfnisse in eine Hierarchie einordnen, die analysiert werden kann. So kann der Ergotherapeut eingrenzen, womit das Interventionsprogramm jeweils beginnen sollte.

Zufriedenheit („satisfaction") ist das endgültige oder höchste Bedürfnis. Der Bezug zur Zufriedenheit bildet einen Schwerpunkt im Behandlungsplan. Man nimmt an, dass die beste ► persönliche Anpassung immer dann erreicht wird, wenn Veränderungen in den ► Betätigungsfertigkeiten und Rollen auf die endgültige Zufriedenheit der Person abzielen.

Forderungen („demands") sind die ► Erfordernisse, die durch die ► Umwelt an die Person gerichtet werden. Obwohl die meisten Forderungen von der räumlichen Umwelt oder von der Gemeinschaft ausgehen, gibt es auch Menschen, die Forderungen an sich selbst stellen. Forderungen der räumlichen Umwelt verlangen von der Person meist, dass sie sicherheitsrelevante Betätigungsfertigkeiten durchführt. Die gemeinschaftlichen Umwelten verlangen i. Allg. die Übernahme von und Anpassung an einzelne ► Betätigungsrollen. Individuelle Forderungen können Herausforderungen an die Betätigungsfertigkeiten und Betätigungsrollen sein.

Funktionelle Unabhängigkeit

Das letzte Konzept ist die funktionelle Unabhängigkeit. Der Begriff „funktionelle Unabhängigkeit" („functional independence") wird vom **soziokulturellen Umfeld**, in unserem Fall von den Ergotherapeuten, benutzt, um festzulegen, ob eine Person aus dem Interventionsprogramm entlassen werden kann.

Mit anderen Worten: Wenn ein Klient den Grad der funktionellen Unabhängigkeit erreicht, der durch den Behandlungsplan festgelegt wurde, wird die Intervention beendet. Der **Zielgrad an funktioneller Unabhängigkeit** sollte mit den ► Bedürfnissen des Klienten und den Umweltforderungen übereinstimmen. Der Grad der erreichten funktionellen Unabhängigkeit sollte dem Klienten also ermöglichen, den ► Bedürfnissen gerecht zu werden und zufrieden zu sein. Andere Faktoren, wie die finanziellen Grundlagen und der Gesundheitszustand, können das Herstellen eines positiven Zusammenhangs zwischen individuellen Bedürfnissen und Zufriedenheit erschweren; aber diese positive (Entwicklungs-)Richtung sollte beibehalten werden.

Zusammenfassung

Im Folgenden sind die einzelnen Konzepte nochmals zusammengefasst:

- Die Umwelt kann in 3 separate, aber überlappende Bereiche unterteilt werden:
  - räumlich (anorganisch),
  - psychobiologisch (organisch, individuell),
  - gemeinschaftlich (soziokulturell).
- Veränderung ist eine interaktive Reaktion der Person auf die Umweltherausforderungen.
- Veränderungsmechanismen beinhalten jede Umweltherausforderung, die die Durchführung von Fertigkeiten und Betätigungen verändern kann.

▼

- Der Erwerb von Fertigkeiten ist das Erlernen und Wiedererlernen des „Wissens" darüber, wie man eine Fertigkeit, Betätigung oder Anpassungsreaktion ausführen kann.
- Das Erhalten von Fertigkeiten ist die fortlaufende Ausführung einer Fertigkeit, Betätigung oder Anpassungsreaktion.
- Ein Verlust von Fertigkeiten ergibt sich immer dann, wenn eine Person nicht in der Lage ist, eine Fertigkeit, Betätigung oder Anpassungsreaktion zum bisher möglichen Grad durchzuführen.
- Betätigungen setzen sich aus 3 Arten von Fertigkeiten zusammen:
  - sensomotorischen,
  - kognitiv-perzeptiven,
  - psychosozialen.
- Betätigungen sind die Fertigkeiten und Rollen, die die zeitlichen, räumlichen und energiebezogenen Ressourcen einer Person in Anspruch nehmen oder besetzen.
- Betätigungen lassen sich in 3 Kategorien unterteilen:
  - Selbsterhaltung,
  - Produktivität,
  - Freizeit.
- Persönliche Anpassung ist der interaktive Prozess zwischen der Person und der
  - räumlichen,
  - individuellen und
  - gemeinschaftlichen Umwelt.
- Anpassungsreaktionen sind die Gewohnheiten und das Routineverhalten, die das Individuum innerhalb einer spezifischen Umwelt zeigt.
- Adaptives Potenzial ist die Einschätzung dessen, wie erfolgreich eine Person den Bedürfnissen gerecht wird, Zufriedenheit erlangt und auf Umweltherausforderungen reagiert.
- Bedürfnisse beziehen sich auf die Betätigungen, die eine Person selbst durchführt oder durchführen lassen muss, um den Forderungen der Umwelt gerecht zu werden.
- Zufriedenheit ist der höchste Bedürfnisgrad.
- Funktionelle Unabhängigkeit ist der Grad an Performanz, den eine Person erreichen muss, um die Bedürfnisse zu erfüllen und Zufriedenheit zu erzielen.

5.5 Vorgeschlagene Prinzipien

Im Folgenden werden Prinzipien vorgeschlagen, die auf dem **„Model of Personal Adaptation through Occupation"** basieren, wie es in den Annahmen und Konzepten präsentiert wurde. Jedes Prinzip erfordert sorgfältig entworfene Forschungsstudien, um die Validität der jeweiligen Aussage zu sichern.

Der Begriff **„Validität"** bezieht sich auf die Frage, wie gut die jeweiligen Konzepte wirklich das Modell bzw. die Theorie erklären, die sie zu erklären vorgeben. Besagt das Modell bzw. die Theorie beispielsweise, dass alle ▶ Betätigungen in sensomotorische, kognitive und psychosoziale Fertigkeiten zerlegt („analyzed") werden können, dann sollte die Analyse verschiedener Betätigungen zeigen, dass alle für die Ausführung erforderlichen Fertigkeiten als sensomotorisch, kognitiv oder psychosozial beschrieben werden können.

In einem **stimmigen Modell** bzw. in einer stimmigen Theorie verhalten sich alle Konzepte so, wie im Modell bzw. in der Theorie angegeben. Die Konzepte entsprechen ihrer Ankündigung. In einem **mangelhaften Modell** bzw. in einer mangelhaften Theorie verhalten sich die Konzepte nicht durchgängig oder gar nicht so, wie im Modell bzw. in der Theorie beschrieben. Die Konzepte entsprechen nicht ihrer Ankündigung.

1. Prinzip

Das 1. Prinzip lautet: Ergotherapeuten können mit Unterstützung der Klienten die ► **Betätigungen analysieren**, die für das Individuum am nützlichsten und am bedeutendsten sind.

Eine **nützliche Betätigung** erfüllt einen Zweck oder entspricht einem ► Bedürfnis im Leben des Individuums. Eine bedeutungsvolle Betätigung führt das Individuum gerne aus – bzw. würde das Individuum gerne ausführen – und genießt sie.

Die **Analyse** erfolgt durch eine Befragung oder ein Interview der Person oder der Familie, wobei geklärt wird, welche Betätigungen die Person in der Vergangenheit durchgeführt hat, jetzt durchführt oder in der Zukunft gerne durchführen möchte. Der Schwerpunkt liegt dabei sowohl darauf, was die Person tun möchte oder tun muss, als auch auf der Frage, was die ► Umwelt von der Person erwartet oder fordert. Eine solche Analyse erfordert eine individuelle Evaluation und Befunderhebung.

Das erste Ergebnis einer erfolgreichen Analyse gibt zunächst die Anzahl der erfüllten Bedürfnisse und den Grad der individuell erreichten Zufriedenheit mit den ► **Anpassungsreaktionen** wieder. Das zweite Ergebnis zeigt eine Liste der Umweltherausforderungen, denen nicht entsprochen wurde. Einige oder alle der verfehlten Umweltherausforderungen können zu Zielen im ergotherapeutischen Behandlungsprogramm des Klienten ernannt werden. Im Behandlungsplan würden zusammen mit den spezifischen Gewohnheiten und Routinehandlungen der Anpassungsreaktionen, die erworben oder erhalten werden müssen, die zu erwerbenden und aufrechtzuerhaltenden ► Betätigungsfertigkeiten und Rollen aufgelistet.

Fallsituation

Eine Person benötigt Medikamente und hat der Einnahme zugestimmt. Da die Person vorher nie regelmäßig Medikamente nehmen musste, ist dies eine neue Betätigung. Die Fertigkeiten sind die Entnahme der Tabletten aus der Flasche, die Platzierung im Mund und das Schlucken mit einer Flüssigkeit (z. B. Wasser). Wenn keine Dysphagie (Schluckschwierigkeiten) vorliegt, sind solche Fertigkeiten für einen Erwachsenen unproblematisch. Das Problem liegt eher im Erlernen der Gewohnheit, die Tablette zu nehmen, und in der Strukturierung der Gewohnheit hin zu einer Routine, die wiederholt werden kann. Die versäumte Medikamenteneinnahme wird von Ärzten am häufigsten beklagt. Ärzte helfen ihren Patienten nicht, sich daran zu erinnern; sie geben ihnen lediglich vor, die Medikamente wie verschrieben zu nehmen. Der Ergotherapeut kann eine Anleitung bieten, die der Arzt nicht zur Verfügung stellt. Zunächst muss der Ergotherapeut eine Vorstellung davon haben, was der Mensch macht und wann er es macht. Ein logischer Plan könnte so aussehen, die Medikamente auf einen Tisch zu legen und die Medikamenteneinnahme z. B. mit dem Trinken von Orangensaft zu verbinden. Somit ist die Gewohnheit des Trinkens von Orangensaft, die bereits etabliert ist, um die Tabletteneinnahme erweitert worden. Beides ist Teil der Frühstücksroutine, die jeden Tag erfolgt. Eine wirksame Anpassungsreaktion wurde etabliert, um die Betätigung der Medikamenteneinnahme einzubauen.

2. Prinzip

Das 2. vorgeschlagene Prinzip lautet: Ergotherapeuten können die Fertigkeiten analysieren, die benötigt werden, um eine bestimmte ► Betätigung auszuführen.

Wie bereits erwähnt, setzen sich Betätigungen aus sensomotorischen, kognitiven und psychosozialen **Komponenten** zusammen, die als Subsystem innerhalb des integrierten Ganzen fungieren.

Wichtig

Die funktionelle Befunderhebung der täglichen Routine (z. B. Essen, Anziehen, Körperhygiene und Gehen) ist oft die beste und schnellste Methode, um festzustellen, ob die Komponenten funktionsfähig sind.

Ist der Klient nicht in der Lage, eine gewisse Routine durchzuführen, wird eine Analyse der Subsysteme notwendig – Bewegungsausmaß, Greifkraft, visuelle Wahrnehmung, Fähigkeit, einer Anleitung zu folgen, und Interaktion mit anderen. Basierend auf den Ergebnissen kann ein Behandlungsplan entwickelt werden.

Fallsituation

Eine 68-jährige Frau wird zur Entscheidung darüber, ob sie weiterhin allein (in einem Haushalt; Anm. d. Hrsg.) leben kann, zur Ergotherapie überwiesen. Das Hauptproblem stellt sich so dar, dass sie offenbar nur dann isst, wenn ihre Tochter zu ihr nach Hause kommt. Es stellt sich also die Frage, weshalb die Frau sonst nicht isst. Hängt dieses Problem mit sensomotorischen Faktoren, wie der Schwierigkeit, das Besteck zu halten, zusammen? Ist das Problem kognitiv-perzeptiver Natur, wie die Schwierigkeit, die Anleitungen auf der Schachtel zu lesen oder den Herd zu bedienen? Oder handelt es sich um ein psychosoziales Problem, weil die Frau nicht gerne allein isst und deshalb auf den Besuch der Tochter wartet? All diese Möglichkeiten sind Erklärung dafür, warum die Frau nicht isst. Die Aufgabe des Ergotherapeuten besteht darin, die Ursache des Problems aufzudecken, indem er die Frau die Fertigkeiten ausführen lässt. In diesem Fall stellte es sich als problematisch heraus, den Umgang mit dem neuen Herd zu erlernen und sich an die Mahlzeit allein zu gewöhnen.

3. Prinzip

Ergotherapeuten können Probleme bezüglich des Erwerbs von Fertigkeiten, der Erhaltung von Fertigkeiten und des Fertigkeitsverlusts befunden, indem sie die **funktionellen Komponenten** der sensomotorischen, kognitiven und psychosozialen Performanz evaluieren.

Manchmal besteht das Problem nicht im Verlust einer Funktion, sondern im **Erwerben oder Erlernen einer neuen Funktion.** Obwohl meistens Kinder etwas lernen, ist es möglicherweise für Menschen jeder Altersstufe notwendig, die Performanz bestimmter Betätigungen zu erlernen.

Fallsituation

Eine Frau, bei der sich bislang der Ehemann um die Familienfinanzen gekümmert hatte, wird nach dessen Tod lernen müssen, ihr Geld einzuteilen, Schecks auszustellen und Kredite zu handhaben, wenn sie ihre Finanzen unabhängig verwalten soll. Wenn sie es vorzieht und über die finanziellen Ressourcen verfügt, kann sie auch einen Finanzverwalter beauftragen. In jedem Fall jedoch muss eine Entscheidung getroffen werden, da die Gesellschaft Menschen nicht schätzt, die ihre Schulden nicht bezahlen.

4. Prinzip

Viertens können Ergotherapeuten – basierend auf der Problemanalyse beim Fertigkeitserwerb sowie bei der Erhaltung und beim Verlust von Fertigkeiten – Schwierigkeiten aufgrund des Repertoires an ► **Anpassungsreaktionen** voraussagen.

So ist das **funktionelle Bewegungsausmaß** grundlegend für die Performanz vieler täglicher Routinehandlungen, wie Essen, Ankleiden, Körperhygiene und Gehen. Ohne ein adäquates Bewegungsausmaß wird die Performanz solcher täglicher Routinehandlungen ohne Hilfestellung unmöglich. Wenn Menschen älter werden, verringert sich das Bewegungsausmaß in vielen Gelenken; bei unregelmäßiger Bewegung geschieht dies recht plötzlich.

Wichtig

Ergotherapeuten können die Performanz solcher täglicher Routinehandlungen beobachten und den Verlust der Funktion verhindern, indem sie intervenieren, bevor er eintritt.

Fallsituation

Der Ergotherapeut kann z. B. im örtlichen Seniorenzentrum einen Vortrag über die Notwendigkeit der Erhaltung des Bewegungsausmaßes für die weitere Durchführung täglicher Aktivitäten anbieten. Er könnte kleine Informationsschriften austeilen, die Ratschläge beinhalten, wie sich ein gutes Bewegungsausmaß aufrechterhalten lässt.

5. Prinzip

Fünftens können Ergotherapeuten einem Individuum das **Wiedererlernen von ► Anpassungsreaktionen** ermöglichen, die für die Performanz der vom Individuum benötigten und von der äußeren ► Umwelt geforderten Betätigungen notwendig sind.

Wichtig

Wenn die funktionelle Performanz bereits verloren gegangen ist, nutzen Ergotherapeuten ihre Kenntnisse und Fertigkeiten in Bezug auf ► Anpassungsreaktionen, um den Klienten darin zu unterstützen, die Funktionen wieder zu entwickeln oder die Performanz durch den Einsatz alternativer Strategien, wie Ersatzbewegungen, anzupassen bzw. mit Hilfstechnologien zu kompensieren.

Fallsituation

Nach einem zerebralvaskulären Vorfall (Schlaganfall, Gehirnschlag) muss die betroffene Person üblicherweise Fertigkeiten wiedererlernen, die die betroffene oder geschwächte Seite des Körpers einbeziehen. Die Intervention beginnt mit der Funktionsstärkung der geschwächten Körperseite. Die obere Extremität (Arm und Hand) erfordert normalerweise mehr Aufmerksamkeit als die untere (Bein und Fuß). Das Verlassen des Bettes, der Transfer vom Bett zum Stuhl, das Aufstehen aus der sitzenden Position und das Gehen werden i. Allg. mit Unterstützung der Physiotherapie erreicht. Die Grobmotorik des Armes und die Feinmotorik der Hand, der Finger und der Daumen sind jedoch schwieriger zu erwerben. Vor allem die Hand reagiert in einigen Fällen nicht gut. Wenn die Hand zum Essen und Schreiben genutzt wird, kann die Entscheidung getroffen werden, die Dominanz zu verändern, sodass die andere Hand – üblicherweise die linke – zur dominanten Hand wird.
Diese Veränderung wird als „Dominanzveränderung" bezeichnet. Die linke Hand wird zum Essen, Schreiben und für andere Aufgaben benutzt, die zuvor von der rechten Hand durchgeführt wurden. Die rechte wird zur unterstützenden Hand und führt Aufgaben durch (z. B. Halten oder Sichern eines Objekts), für die in der Vergangenheit die linke Hand zuständig war. Zudem kann sich im Haus für die Kontrolle der Umwelt eine Fernbedienung als nützlich erweisen. Darüber kann das Licht ein- und ausgeschaltet werden, und auch alle anderen elektrischen Vorrichtungen können so ohne manuelle Handhabungen bedient werden. Selbst die Haustüren können so kontrolliert werden, dass sie sich ohne Berührung der Klinke öffnen und schließen.

6. Prinzip

Sechstens kann der Ergotherapeut das Individuum bei der **Integration der ▶ Anpassungsreaktionen** unterstützen, die für die Performanz und für das Funktionieren in der Gemeinschaft benötigt werden.

In einigen Fällen, wie z. B. bei einer Hirnschädigung, sind Anpassungsreaktionen in mehr als einer Komponente oder einem Betätigungstyp verloren gegangen. Die betroffene Person kann ▶ Anpassungsreaktionen in allen 3 Komponenten verlieren: in der sensomotorischen, der kognitiven und der psychosozialen. Das Ergebnis ist ein **Verlust der Anpassung** in allen 3 Betätigungstypen (Selbsterhaltung, Produktivität und Freizeitgestaltung).

Wichtig

Durch die Befunderhebung der verbliebenen und wiederzuerlernenden Fertigkeiten und Anpassungsreaktionen ist der Ergotherapeut in der Lage, das Individuum bei der Wiedererlangung der verlorenen Fertigkeiten und ▶ Anpassungsreaktionen zu unterstützen.

Ein solch komplexes Problem der funktionellen Performanz wird üblicherweise am besten dadurch angegangen, dass mehrere Berufsgruppen ihr Expertenwissen zur Unterstützung des Klienten beitragen. Auch Ergotherapeuten können ihr berufliches Wissen, ihre Fertigkeiten und Einstellungen zu einem **interprofessionellen und transdisziplinären Ansatz** beisteuern. Die Mitwirkung als Mitglied in einem Team ist ein wichtiger Teil der ergotherapeutischen (Berufs-)Rolle. Der Fokus muss dabei auf die Person gerichtet bleiben, auf die die Intervention abzielt. Differenzen darüber, welche Berufe was tun können oder sollten, müssen zügig gelöst werden, damit die Berufsangehörigen weder die Zeit der Person noch Versicherungsgelder verschwenden.

Fallsituation

Physiotherapeuten und Ergotherapeuten können gemeinsam einen Haushalt auf Sicherheitsfaktoren überprüfen und die Ergebnisse mit dem Individuum oder der Familie besprechen. Die Therapeuten sollten nach Möglichkeit vor Beginn der Intervention eine Entscheidung fällen. Möglicherweise kann ein Zeitplan erstellt werden. Manchmal hängt die Entscheidung davon ab, wer den Klienten und die Familie zuerst einplanen kann. Wenn ein Hausbesuch möglich ist, kann die Befunderhebung auch gemeinsam vorgenommen werden.

7. Prinzip

Siebtens können Ergotherapeuten ein Individuum durch die **Nutzung ausgewählter ▶ Betätigungen** dazu befähigen, sich an eine ▶ Umwelt anzupassen.

Betätigungsperformanz erfordert sowohl die Analyse dessen, was der Klient tun kann, als auch dessen, was den Klienten interessiert. Wenn einige Betätigungen jetzt nicht praktikabel oder gar unmöglich sind, kann es Alternativen geben.

Fallsituation

Ein männlicher Teenager hat eine Rückenmarkverletzung erlitten, die den Gebrauch seiner Arme begrenzt und den Einsatz der Beine unmöglich macht. Er hatte jedoch geplant, Profifußballer zu werden. Dies ist nun nicht mehr möglich. Doch andere Betätigungen mit Bezug zum Sport – wie z. B. Sportansager, Sportstatistiker oder Sportjournalist – könnte er noch ausführen. Obwohl die formale Ausbildung in solchen Betätigungen i. Allg. den Bereich der Ergotherapie überschreitet, sind Übung und Erprobung oft möglich. Um die Ansage eines Spiels, das Aufstellen von Statistiken oder das Schreiben einer Zusammenfassung zu üben, kann eine Videokassette eines

Fußballspiels oder eines anderen Sportereignisses genutzt werden.

Wichtig

Indem Ergotherapeuten ihre Kenntnisse über ► Anpassungsreaktionen nutzen, können sie ihren Klienten beim Vorausplanen unterstützen: Sie regen ihn dazu an, über Anpassungsreaktionen nachzudenken und dann diejenigen zu praktizieren, die für den Wiederaufbau der wichtigsten Tagesroutinen (z. B. Essen und Anziehen) gebraucht werden.

8. Prinzip

Achtens können Ergotherapeuten die Anpassung der ► Umwelt an das Individuum durch den Einsatz ausgewählter **Umweltveränderungen** unterstützen.

Häufig können Individuen mit einer Funktionseinschränkung in einer Umwelt handeln, wenn diese Umwelt dahingehend verändert wird, dass sie dem **Grad der individuellen Performanz** gerecht wird.

Fallsituation

Die bauliche Umwelt begrenzt oft den Zugang durch Stufen, die überwunden werden müssen, um ein Gebäude zu betreten. Stufen mögen optisch beeindruckend sein und dem Architekten gefallen, aber sie werden selten benötigt, um Einlass in Gebäude zu ermöglichen. Auch ebenerdige Eingänge ermöglichen den Zugang zu einem Gebäude und begrenzen ihn nicht für die, die statt ihrer Beine Mobilität auf Rädern nutzen.

Ein zweites Beispiel: Menschen mit einer körperlichen Behinderung müssen nicht notwendigerweise auch kognitiv behindert sein, obwohl einige Gesellschaften einen schwachen Körper mit einem schwachen Geist gleichsetzen. Ein vergleichbares Problem stellt sich ein, wenn jemand mit einem sehbehinderten Menschen besonders laut spricht. Eine erhöhte Lautstärke verbessert die Sehfähigkeit nicht.

Wichtig

Ergotherapeuten können unterstützend dabei mitwirken, die Umwelt sensibler zu machen und Akzeptanz für die Bandbreite der Betätigungsausführungen zu schaffen. Auf diese Weise helfen sie der Umwelt, zwischen wirklichen und eingebildeten Einschränkungen zu unterscheiden und werden Anwälte für Umweltveränderungen, die die Beteiligung eines jeden Menschen ermöglichen.

9. Prinzip

Neuntens können Ergotherapeuten zügiger Veränderungen in der Entwicklung und beim Erwerb von Fertigkeiten bewirken, als dies einer Person allein durch die **Nutzung individueller Ressourcen** gelingen kann.

Der besondere Aspekt der Ergotherapie ist die Ansammlung und Strukturierung von Kenntnissen, Fertigkeiten und Einstellungen, die sich auf **Anpassungsreaktionen** und auf Probleme beziehen, die derartige Reaktionen verhindern. Durch Ausbildung und Anwendung haben Ergotherapeuten die Effizienz und Wirksamkeit ihrer Evaluations- und Interventionstechniken verbessert. Zwar kann prinzipiell jedes Individuum und auch jeder Angehörige einer anderen Profession oder Berufsgruppe die gleichen Kenntnisse, Fertigkeiten und Einstellungen erwerben wie der Ergotherapeut im Laufe seines Studiums und auch die gleichen oder ähnliche Materialien verwenden; doch Ergotherapeuten haben all dies bereits studiert und gelernt und können das Erlernte deshalb zügig anwenden.

5.6 Praktische Nutzung

Auf der Grundlage der vorgestellten Annahmen, Konzepte und Prinzipien des „Model of Personal Adaptation through Occupation“ lassen sich **grundsätzliche Vorstellungen für die Praxis** beschreiben.

> **Wichtig**
>
> Ergotherapeuten sollten über Kenntnisse und Konzepte verfügen, die sich auf Betätigungsfertigkeiten und Rollen beziehen, die die Person durchführt oder wahrscheinlich durchführen wird.

5

Theoretische Begründung des ergotherapeutischen Behandlungsprozesses

Erstens muss die Evaluation des Klienten eine **Befunderhebung** beinhalten, die auf dem Praxismodell beruht, das im Behandlungsprogramm genutzt wird.

Befunderhebung, Planung und Intervention stellen einen **Prozess** mit entsprechender Abfolge dar. Die Intervention soll auf den Ergebnissen einer Befunderhebung beruhen, die mit einem theoretischen Modell übereinstimmt, das die Arbeitsweise der Ergotherapie erklärt. Beruht die Befunderhebung nicht auf den Vorstellungen, die im Behandlungsprogramm verwendet werden, dann fehlen voraussichtlich Daten für die Programmplanung.

So ist es im „Model of Personal Adaptation through Occupation“ besonders wichtig zu evaluieren, welche ► **Betätigungsfertigkeiten und Rollen** die Person bzw. der Klient aufgrund persönlicher Interessen oder Erwartungen der ► Umwelt weiterhin oder wahrscheinlich zukünftig auszuführen beabsichtigt.

> **Fallsituation**
>
> Deshalb sollte das Behandlungsziel nicht eine ausgeprägte Muskelkraft sein, wenn der Klient nicht daran interessiert ist, aktiv Sport zu betreiben. Ein Training der Muskelkraft sollte an den Betätigungen und den Fertigkeiten orientiert sein, die wirklich oder sehr wahrscheinlich in nächster Zukunft durchgeführt werden. Da Muskelkraft nur durch Nutzung erhalten wird, ist nur die Muskelkraft notwendig, die jetzt oder nächste Woche gebraucht wird.

Vielfältigkeit und Gezieltheit der Befunderhebung

Zweitens muss ein Interview zur Befunderhebung und Beobachtung des Klienten möglichst auch seine **Familie** einschließen. Nur so kann der Ergotherapeut verstehen, welche Betätigungen, Fertigkeitsgrade und Rollen erwartet werden.

Warum sollte man z. B. Zeit damit verbringen, bei einer Person, die niemals Schuhe mit Schnürsenkeln trägt, die Fähigkeit des Schuhebindens zu befunden oder ihr dies beizubringen? Mit einem **Interview,** wie in **Übersicht 5.1** beispielhaft gezeigt, kann das Fertigkeitsniveau bestimmt werden, das eine Person für sich selbst in den Bereichen „Selbsterhaltung“, „Produktivität“ und „Freizeitgestaltung“ angibt. Das Interview wurde mit der Absicht entworfen, es dem Klienten zu erleichtern, soviel Information wie möglich zum Evaluationsprozess beizutragen. Zusätzlich zum Interview kann ein **funktionelles Assessment** durchgeführt werden, um festzuhalten, was die Person tatsächlich durchführen kann. Wenn jedoch das jeweilige funktionelle Assessment-Instrument bzw. das Assessment der Aktivitäten des täglichen Lebens erfordert, dass alle Punkte (Items) ausgefüllt werden, um Daten für ein Endergebnis zu liefern, so stellt es möglicherweise nicht die beste Wahl dar. Besser wäre ein Instrument, das dem Bewerter erlaubt, die Items zu testen, die das Individuum wirklich durchführen möchte oder muss.

Übersicht 5.1: Interviewbeispiel zur Befunderhebung

1. Welche Aufgaben (Betätigungen oder Aktivitäten) sind Sie in der Lage, zu Hause oder an Ihrer Arbeitsstelle durchzuführen?
2. Bei welchen Aufgaben, sofern es sie gibt, haben Sie Schwierigkeiten bei der Durchführung?
   Hinweis. Der Zweck dieser beiden Fragen besteht darin, den Klienten/die Klientin ausdrücken zu lassen, was ihm/ihr wichtig ist. Die Antworten auf diese beiden Fragen sollten das restliche Interview leiten. Die benötigten Fertigkeiten zur Durchführung der Aufgaben, die der Klient als problematisch identifiziert, sollten in der Behandlungsplanung als erste berücksichtigt werden, weil sie dem Klienten wichtig genug sind, sie zu erwähnen.

3. Sind Sie in der Lage, sich selbst zu versorgen?
   - Sind Sie in der Lage, selbstständig zu essen?
   - Sind Sie in der Lage, Ihren Oberkörper anzukleiden?
   - Sind Sie in der Lage, Ihren Unterkörper anzukleiden?
   - Sind Sie in der Lage, sich selbst zu baden?
   - Sind Sie in der Lage, ohne Hilfe in die Badewanne oder Dusche zu steigen und wieder herauszukommen?
   - Sind Sie in der Lage, allein zur Toilette zu gehen?
   - Sind Sie in der Lage, selbstständig ins Bett und wieder aus dem Bett herauszukommen?
   - Sind Sie in der Lage, sich selbstständig in Ihrem Haus (Wohnung, Wohnbereich) zu bewegen?
   - Wer hilft Ihnen, falls Sie Hilfe brauchen?
   - Welche Aufgabe fällt Ihnen am leichtesten?
   - Welche Aufgabe fällt Ihnen am schwersten?

   Hinweis. Der Zweck dieser Fragen besteht darin, festzulegen, ob die Person in der Lage ist, sich selbstständig und routinemäßig zu versorgen. Wenn die Aufgaben nicht selbstständig ausgeführt werden, ist es wichtig zu wissen, wer die Unterstützung leistet, weil die Kommunikation mit dieser Person für eine erfolgreiche Intervention unerlässlich ist.

4. Sind Sie in der Lage, unabhängig zu leben oder zur Haushaltsführung beizutragen?
   - Für welche Aufgaben im Haushalt sind Sie verantwortlich?
   - Welche der folgenden Aufgaben führen Sie durch: Zubereitung der eigenen Mahlzeiten, Einkaufen von Nahrungsmitteln und anderen Vorräten (Seife, Zahnpasta), Zahlen der monatlichen Rechnungen, Waschen, Trocknen und Sortieren der eigenen Kleidung, Staubwischen und -saugen, Müllentsorgung?

   Hinweis. Der Zweck dieser Fragen besteht darin, zu erkunden, wie eine Person mit den Anforderungen der Routineversorgung im Haushalt zurechtkommt. Die Person kann die Aufgaben im Haushalt mit anderen Personen (Ehepartner/in, Mitbewohner/in) teilen. Wenn sie geteilt werden, ist es wichtig zu wissen, von wem welche Aufgabe erfüllt wird. Wenn eine Person alle Aufgaben erfüllt, übernimmt sie die Rolle des Versorgers/der Versorgerin. Jede

Veränderung in der Haushaltsführung muss mit dem Versorger/der Versorgerin abgesprochen werden und erfordert dessen/deren Kooperation. Wenn eine Haushaltshilfe angestellt ist, so ist dies akzeptabel, sollte dem Ergotherapeut aber bekannt sein.

5. Sind Sie außerhalb des Hauses beruflich tätig? Wenn ja, in welchem Beruf bzw. in welcher Funktion?
   - Gehen Sie zur Schule oder nehmen Sie an einer Aus-/Fortbildung teil?
   - Verrichten Sie ehrenamtliche oder andere unbezahlte Tätigkeiten?
   - Sind Sie Vollzeit im Haushalt tätig (Hausfrau, Hausmann, Haushälterin)?
   - Was gefällt Ihnen an der Arbeit, die Sie verrichten?
   - Was gefällt Ihnen am wenigsten?

   Hinweis. Der Zweck dieser Fragen ist die Festlegung, welchen Arbeitstätigkeiten die Person nachgeht und wie sie zu der Beschäftigung steht. Probleme im Bereich der arbeitsbezogenen psychosozialen Fertigkeiten sind genauso wichtig wie sensomotorische und kognitiv-perzeptive Fertigkeiten.

6. Was machen Sie in Ihrer Freizeit?
   - Haben Sie irgendwelche Hobbys oder speziellen Interessen?
   - Was machen Sie in Ihrer Freizeit am häufigsten?
   - Was tun Sie zu Ihrer Unterhaltung, wenn Sie das Haus nicht verlassen können?
   - Welchen Freizeitaktivitäten gehen Sie außerhalb des Hauses nach?
   - Was ist Ihre liebste Freizeitaktivität?

   Hinweis. Der Zweck dieser Fragen besteht darin, zu erkunden, was die Person in ihrer Freizeit macht, und wann, wo und wie sie diese Betätigungen ausführt. Probleme in den Freizeitbetätigungen beeinflussen häufig den Grad der Lebenszufriedenheit. Sie bieten zudem Anregungen zu Gesprächen und können auf Interessen hinweisen, die entwickelt werden können, um die Fertigkeiten in den Bereichen „Selbsterhaltung" und „Produktivität" zu verbessern.

Ein Beispiel ist die „Klein-Bell Activities of Daily Living Scale" (Skala der Aktivitäten des täglichen Lebens; Klein u. Bell 1982a, b). Ausbilder im Klein-Bell weisen den Bewerter darauf hin, die Items, die die Person oder der Klient nicht durchführt, auch nicht zu testen. Die Punktebewertung kann angepasst werden, sodass sich die Gesamtpunktzahl im Teiltest oder im Gesamttest nicht negativ auf die Bewertung der getesteten Person auswirkt. Zusätzlich werden der Person hohe Punktzahlen gegeben, wenn sie Test-Items absolviert, deren Durchführung als besonders schwierig erachtet wird. Das Formblatt (Übersicht 5.2) kann für ein umfangreicheres Interview zu den Interessen einer Person verwendet werden. Mit dem Interview können Interessen erfragt werden, die sich aus täglichen Aktivitäten ergeben können, aber üblicherweise nicht mit Freizeitbetätigungen in Zusammenhang gebracht werden, sowie Interessen, über die der Mensch nachgedacht, die er aber nie verfolgt hat.

Übersicht 5.2:
Interessenformblatt in offener Fragestellung (nach Reed 1984)

1. Welche Aktivitäten, die manuelle Fertigkeiten erfordern, machen Ihnen Spaß?
2. Welche Sportarten machen Ihnen Spaß?
3. Welchen geselligen Freizeitbetätigungen oder -aktivitäten gehen Sie gerne nach?

4. Welche täglichen Aktivitäten oder Routinehandlungen führen Sie gerne durch?
5. An welchen kulturellen Ereignissen nehmen Sie gerne teil?
6. Bitte führen Sie an, an welchen der von Ihnen aufgelisteten Aktivitäten Sie stark (s) oder mittelmäßig (m) interessiert sind.
7. Bitte stellen Sie kurz Ihre Interessen, Hobbys und anderen Aktivitäten zum Zeitvertreib von der Kindheit bis zur Gegenwart dar.
8. Bitte geben Sie an, welche der Aktivitäten aus Ihrer Vergangenheit Ihnen am besten (b) und welche Ihnen am wenigsten (w) gefallen haben.
9. Gibt es Interessen, denen Sie bisher noch nicht nachgehen konnten? Wenn ja, listen Sie diese bitte auf.

Methoden- und Medienvariation in der Therapie

Drittens ist die **Kenntnis über effektive Anleitungsmodelle** unerlässlich, um den Klienten beim Erwerb, der Erhaltung und der Wiedererlangung von ► Anpassungsreaktionen zu unterstützen.

Es gibt viele Lehrmethoden. Der erfahrene Ergotherapeut sollte wissen, wie und wann sie einzusetzen sind. **Sensomotorische Fertigkeiten** werden normalerweise klarer, wenn sie dargestellt oder durch Abbildungen illustriert werden. Videokassetten eignen sich gut und können zusätzliche Details bieten, wenn sie in Zeitlupe abgespielt werden. Abbildungen, die nur die für die Aufgabe notwendigen Details zeigen, sind für Menschen mit begrenzter Intelligenz und für Hirntraumatiker in der frühen Genesungsphase nützlich.

Kognitiv-perzeptive Fertigkeiten müssen oft wiederholt werden, um erlernt und verarbeitet zu werden. Video- und Audiokassetten, bei denen die Person sehen und hören kann, oder Abbildungen sind nützlich. Gedrucktes Material, dem man leicht folgen kann, weil nicht zu viele Informationen auf den einzelnen Seiten abgebildet sind, kann hilfreich sein. Mit Folien beschichtete Seiten eignen sich, da die Beschichtung eine langfristige Nutzung der Seiten ermöglicht, ohne dass sie reißen, verschmutzen oder verloren gehen.

Simulation erfordert i. Allg. einen hohen Grad an **Abstraktion** aufseiten des Klienten. In frühen Stadien der Genesung von einer Verletzung oder einer Erkrankung funktionieren die kognitiven Fähigkeiten möglicherweise nicht gut. Aufgaben, die im üblichen zeitlichen Kontext der täglichen Routine durchgeführt werden, so wie das Frühstücken und das morgendliche Ankleiden, werden leichter wieder im Fertigkeitsrepertoire der Person aufgenommen, wenn sie morgens geübt werden. Die Tageszeit kann mit den durchgeführten Aufgaben verbunden werden.

Das Einüben sozialer Kompetenzen ist einfacher, wenn Menschen zugegen sind. Sich Anwesende einzubilden oder Erwachsene durch Puppen darzustellen, erfordert einen hohen Grad an Phantasie, der möglicherweise in frühen Genesungsstadien oder im anfänglichen Lernen nicht gegeben ist. Manche Aufgaben werden in verschiedenen Umgebungen auf die gleiche Art durchgeführt.

Fallsituation

Wir sagen „Guten Morgen" zu unserer Familie zu Hause, zu unseren Kollegen bei der Arbeit, zu Menschen, die uns besuchen, und zu Freunden, die wir auf der Straße treffen. Es sind die Menschen und die Tageszeit, die die Reaktion hervorrufen. Der Ort ist nicht wichtig. Für Klienten, die soziales Verhalten neu oder wiedererlernen, ist es wichtig, dieses Verhalten in verschiedenen Situationen einzusetzen, sodass sie selbst entscheiden können, wann die Reaktion „Guten Morgen" angebracht ist.

Die **Abfolge des Trainings von Fertigkeiten** ist für das erfolgreiche Lernen sehr wichtig. **Tabelle 5.1** zeigt eine Lernabfolge, die von Gagne (1970) vorgeschlagen und dem „Model of Personal Adaptation through Occupation" angepasst wurde. Die Übertragung einer Übung bzw. ihre Generalisierung ist im Rahmen der Ergotherapie oft ein Problem. Klienten führen Handlungen im klinischen Umfeld erfolgreich durch, aber zuhause gelingt es ihnen nicht. Der Klient und die Familienmitglieder müssen den Zweck und den Wert der Aufgabe klar verstehen, um die Übertragung des Trainings zu ermöglichen.

Das **häusliche Umfeld** unterscheidet sich stark von der ergotherapeutischen Einrichtung. Der Ergotherapeut kommt möglicherweise nie zum Klienten nach Hause. Verstehen der Klient oder die Familie nicht, dass die Schiene getragen werden muss oder dass das selbstständige Essen für die Genesung wichtig ist, wird die Schiene in der Schublade landen, und man wird den Klienten füttern. Aufgaben, die wenig oder keinen Wert, Zweck oder Bedeutung haben, werden nicht erledigt.

Wichtig

Wichtig ist vor allem, dass der Wert, der Zweck oder die Bedeutung aus dem Wertesystem des Klienten und der Familie entnommen wird bzw. dort integriert ist und nicht allein vom Ergotherapeuten kommt.

Vielfalt individueller Problemlösungsmöglichkeiten

Viertens schließt eine Intervention **direkte und indirekte Ansätze** ein. In direkten Ansätzen bringt der Ergotherapeut dem Klienten den normalen oder üblichen Ansatz für die Performanz einer Fertigkeit oder Rolle in der ▶ Umwelt bei. Indirekte Methoden nutzen Ersatz- oder Kompensationsstrategien, um der Umweltherausforderung gerecht zu werden.

Tabelle 5.1. Reihenfolge, in der Anpassungsfertigkeiten und Anpassungsreaktionen erlernt werden. (Nach: Gagne 1970, adaptiert durch Reed 1984)

Anpassungsfertigkeiten/-reaktionen	Fragen
Entwicklung von Fertigkeiten (Aktivierung)	Verfügt die Person über angemessen entwickelte Fertigkeiten? Fehlt es der Person an Fertigkeiten oder sind einige Fertigkeiten unvollständig entwickelt?
Kettenverhalten (Ordnung)	Ist die Person in der Lage, die Fertigkeiten entsprechend der Handlungsabfolge zu kombinieren? Hat die Person Schwierigkeiten, motorische und/oder verbale Fertigkeiten zu effektiven Handlungsabläufen zu kombinieren?
Information (Orientierung)	Verfügt die Person über eine angemessene Kenntnis in Bezug auf die Umwelt? Fehlen der Person wichtige Kenntnisse zur Umwelt, die für Unterscheidung und Generalisierung benötigt werden?
Problemlösung (Anpassung)	Ist die Person in der Lage, die interne und externe Umwelt zu verändern? Erlebt die Person Schwierigkeiten bei der Nutzung von Fertigkeiten und Kenntnissen, wenn es darum geht, Daten zu sammeln und zu strukturieren, Entscheidungen zu treffen und die Konsequenzen zu überprüfen?

Auf beiden Beinen zu laufen ist normal, einen Rollstuhl oder eine elektrische Fahrhilfe zu benutzen ist ein Ersatz. Allzu häufig wird der direkte Ansatz (Orientierung an der Normalität; Anm. d. Hrsg.) unter Ausschluss von **Ersatz- oder Kompensationsstrategien** bevorzugt, wenn eigentlich beide Vorgehensweisen vorteilhaft eingesetzt werden könnten. Bei einer Person mit begrenzter Energie zum Gehen können energiesparende Techniken berücksichtigt werden. Das Gehen kann genutzt werden, wenn in einer bestimmten sozialen Situation die aufrechte Position förderlich ist oder wenn der Rollstuhl, z. B. in engen Räumen, schwierig zu manövrieren ist. Einen langen Gang entlang zu laufen, um ein Flugzeug zu erreichen, ist weniger wichtig. Beim Fahren wird diese Aufgabe mit weniger Energieaufwand erledigt.

Für den Ergotherapeuten ist es wichtig, sich an die **Wahlmöglichkeiten und Optionen** zu erinnern: Wann immer möglich, sollten Klient und Familie mehr als eine Alternative für die Erledigung bestimmter Aufgaben und Anforderungen angeboten bekommen.

Wichtig

Wahlmöglichkeiten stärken bei Klient und Familie die innere Kontrollüberzeugung.

Beachtung der spezifischen Umweltanforderungen

Fünftens sollten die von Ergotherapeuten eingesetzten praktischen Medien, Methoden, Ansätze und Techniken auf einem Verständnis für die **Umweltherausforderungen** basieren, unter denen der Klient lebt, arbeitet und spielt.

Ergotherapeuten müssen dazu fähig sein, Forschungsergebnisse auf die **spezifischen ▶ Bedürfnisse** ihrer Klienten in deren ▶ Umwelten zu übertragen. So hängt beispielsweise der Aspekt „Sicherheit" genauso von der Kenntnis ab, wie ein Mensch eine Aufgabe durchführt, wie von der Kenntnis um die potenziellen häuslichen Gefahren.

Fallsituation

Es ist bekannt, dass kleine Teppichbrücken auf dem Boden dazu führen können, dass eine Person ausrutscht oder fällt. Wenn der Teppich jedoch nicht gerade im Gang liegt, stellt er vielleicht keine Gefahr dar. Möglicherweise ist es also gar nicht notwendig, den Klienten oder die Familie dazu anzuhalten, alle Teppichbrücken aus der Wohnung zu entfernen. Andererseits kann es sehr wichtig sein, einem Manager zu erklären, wie bedeutsam die Erhöhung eines Schreibtischs um 5 cm für einen Rollstuhlfahrer ist. Wenn der Klient die Rollstuhllehnen unter die Tischplatte schieben kann (und damit näher an der Arbeitsfläche sitzt; Anm. d. Hrsg.), kann er Schreibtischaufgaben wesentlich effektiver erledigen.

Wichtig

Ergotherapeuten müssen über die richtigen Informationen verfügen, um ihren Klienten und den Familien helfen zu können. Zudem müssen sie die Fertigkeit besitzen, diese Informationen zum optimalen Nutzen ihrer Klienten und deren Familien anzuwenden (umzusetzen).

Zusammenfassung

In diesem Kapitel wurden die Annahmen, Konzepte und vorgeschlagenen Prinzipien des **„Model of Personal Adaptation through Occupation"** beschrieben. Die **grundsätzliche Annahme** ist die, dass Betätigung genutzt werden kann, um einer Person zu ermöglichen, sich der Umwelt anzupassen und dadurch Bedürfnissen gerecht zu werden, Zufriedenheit zu erreichen und Erfordernisse zu erfüllen.

Die **Betätigungen** wurden in **3 Bereiche** eingeordnet:

- Selbsterhaltung,

▼

- Produktivität,
- Freizeitgestaltung.

Jeder Bereich wiederum besteht aus **3 Fertigkeitstypen:**
- sensomotorischen,
- kognitiven und
- psychosozialen Fertigkeiten.

Die **Umwelt** gliedert sich ebenfalls in **3 Teile:**
- räumlich,
- individuell (psychobiologisch),
- gemeinschaftlich (soziokulturell).

Intervention zielt zunächst auf die Evaluation der Betätigungsfertigkeiten und Rollen ab. So stellt der Ergotherapeut fest, welche Anpassungsreaktion erfolgt oder auch nicht erfolgt, welchen Bedürfnissen die Person gerecht oder auch nicht gerecht wird und welche Erfordernisse erfüllt oder auch nicht erfüllt werden. Die Probleme können dann in einem Behandlungsprogramm angegangen werden, das der Person bzw. dem Klienten ermöglicht, mit der Umwelt zu interagieren, Anpassung zu fördern, den Umweltbedürfnissen und -erfordernissen gerecht zu werden, persönliche Anpassungsreaktionen zu erreichen und die Lebensqualität zu erhöhen.

Glossar

► **Anpassungsreaktionen („adaptive responses“):** Die Verhaltenseinheiten, die eine Person während der Performanz von Betätigung zeigt. Das Verhalten kann angepasst (funktionell), nicht angepasst (nicht funktionell) oder unangepasst (gestört oder störend) sein.

► **Autonomie („autonomy“):** Die gesammelten Fertigkeiten, um alle Betätigungen und Anpassungsreaktionen durchzuführen oder durchführen zu lassen, die eine Person benötigt, um der räumlichen, individuellen und psychosozialen Umwelt gerecht zu werden.

► **Bedürfnisse („needs“):** Die Erfordernisse der inneren Umwelt (individuell), die die Person dazu führen, sich den 3 Umweltarten anzupassen und aus der entsprechenden Leistung Befriedigung zu ziehen.

► **Betätigung („occupation“):** Eine strukturierte Gruppe von Fertigkeiten, die die Zeit und die Energie einer Person und die Umweltressourcen in Anspruch nehmen. Sie werden unterteilt in „Selbsterhaltung“, „Produktivität“ und „Freizeit“.

► **Betätigungsfertigkeiten („occupational skills“):** Die Ausführungseinheiten oder Komponenten der Betätigung. Sie werden unterschieden in sensomotorische, kognitiv-perzeptive und psychosoziale.

► **Betätigungsgleichgewicht („occupational balance“):** Die Zahl der Fertigkeiten, die Menge an Zeit und die Verwendung von Ressourcen, die eine Person verschiedenen Betätigungen widmet, um persönliche Zufriedenheit zu erreichen und den externen Umweltanforderungen oder Erwartungen gerecht zu werden.

► **Betätigungsrollen („occupational roles“):** Gruppen von Fertigkeiten, die vom Individuum oder von der kollektiven Umwelt als zusammengehörig erkannt werden.

► **Bewältigung („accomplishment“):** Die Erkenntnis und die Anerkennung, die ein Mensch erlebt, wenn er weiß, wie und wann Betätigungen und Anpassungsreaktionen durchgeführt werden sollten, um den individuellen Bedürfnissen und den Bedürfnissen der externen Umwelt gerecht zu werden.

► **Erfordernisse („demands“):** Die Erfordernisse oder Erwartungen der externen Umwelt (räumlich und kollektiv), die zum Überleben und, entsprechend einigen Vorgaben (Standards, Gesetze, Regeln, Sitten etc.), auch zum zufriedenstellenden Leben führen.

► **Ergotherapie („occupational therapy“):** Ein Gesundheitsberuf, der sich darauf spezialisiert, den Erwerb und den Erhalt von Fertigkeiten zu unterstützen und dem Verlust von Fertigkeiten vorzubeugen, die für Betätigungen gebraucht oder von einer Person in ihrer Umwelt erwartet werden.

▶ **Persönliche Anpassung („personal adaptation")**: Das Resultat oder das Ergebnis des Veränderungsprozesses, durch das die Person in der Lage ist, den Erfordernissen der Umwelt gerecht zu werden und die Umwelt zu verändern, um die Bedürfnisse des Individuums zu erfüllen.

▶ **Persönliche Zufriedenheit („personal satisfaction")**: Das persönliche Gefühl von Wohlbefinden, das ein Mensch erlebt, wenn er in der Lage ist, die Betätigungen und Anpassungsreaktionen erfolgreich durchzuführen, um den individuellen Bedürfnissen und den Bedürfnissen der externen Umwelt gerecht zu werden.

▶ **Umwelt („environment")**: Der Ort oder der Zusammenhang, an bzw. in dem Betätigungen durchgeführt werden. Die 3 Umweltarten sind die räumliche, die individuelle und die kollektive Umwelt.

▶ **Veränderungsmechanismen („change mechanisms")**: Herausforderungen (Bedürfnisse, Erfordernisse, Anforderungen, Erwartungen, Ereignisse, Lebenssituationen, Entwicklungsstufen und Umstände), die von einer Person Anpassung und Veränderung verlangen.

Literatur

DiRenzo GJ (1966) Towards explanation in the behavioral sciences. Concepts, theory and explanation in the behavioral sciences. Random House, New York

Gagne RM (1970) Conditions of learning, 2nd edn. Holt, Rinehart & Winston, New York

Kielhofner G, Burke JP (1980) A model of human occupation (Part I: Conceptual framework and content). American Journal of Occupational Therapy 34: 572–581

King LJ (1978) Toward a science of adaptive responses. American Journal of Occupational Therapy 32/7: 429–437

Klein RM, Bell BJ (1982a) Self-care skills: Behavioral measurements with the Klein-Bell ADL Scale. Archives of Physical Medicine and Rehabilitation 63/7: 335–338

Klein RM & Bell BJ (1982b) Klein-Bell Activities of Daily Living Scale. Health Sciences Building T-281, Box 357161, University of Washington, Seattle, Washington 98195, USA

Meyer A (1970) Theory of occupational therapy. Archives Occupational Therapy 1/1: 1–10

Reed KL (1984) Meta models. Models of practice in occupational therapy. Williams & Wilkins, Baltimore

Reed KL, Sanderson SR (1980) Concepts of Occupational Therapy. Williams & Wilkins, Baltimore

Reed KL, Sanderson SR (1983) Concepts of Occupational Therapy, 2nd edn. Williams & Wilkins, Baltimore

Reed KL, Sanderson SR (1992) Concepts of occupational therapy, 3rd edn. Williams & Wilkins, Baltimore

Reilly M (1966) A psychiatric occupational therapy program as a teaching model. American Journal of Occupational Therapy 20: 61–67

Yerxa EJ (1967) Authentic occupational therapy. American Journal of Occupational Therapy 21/1: 1–9

Moseys „Model of the Profession and the Concept of Adaptive Skills" (Moseys Modell der Profession und das Konzept der anpassenden Fertigkeiten)

Mieke le Granse

6.1 Einleitung – 112

6.2 Kurzbiographie: Anne Cronin Mosey – 112

6.3 Moseys Sichtweise der Ergotherapie: die Beziehungsschleife – 114
- Die philosophische Basis – 114
- Das Modell der Profession – 114
- Die Bezugsrahmen („frames of reference") – 115
- Die berufliche Praxis – 116
- Die Daten – 116
- Die Forschung – 116

6.4 Die Bezugsrahmen („frames of reference") – 117
- Theoretische Basis – 117
- Der entwicklungsorientierte Bezugsrahmen („developmental frame of reference") – 118

6.5 Anwendung der Bezugsrahmen im Behandlungsprozess – 131
- Behandlungsprozess – 131
- Befunderhebung – 132
- Zielbestimmung – 132

6.6 Neuere Entwicklungen zu Moseys Werk – 133

Glossar – 135

Literatur – 135

6.1 Einleitung

Dieses Kapitel soll einen Einblick in das **Gedankengut von Anne Cronin Mosey** vermitteln und demonstrieren, wie sich ihr Werk in der Ergotherapie praktisch anwenden lässt.

Anne Cronin Moseys besonderes Interesse gilt der **Ergotherapie im psychosozialen Bereich** des Gesundheitswesens. Mehrere Jahrzehnte lang hat sie Theorien aus verschiedenen Bereichen der Psychologie und der Psychoanalyse auf ihre Relevanz für die Ergotherapie geprüft und für die Verwendung in der ergotherapeutischen Praxis systematisch zusammengefasst. Dabei schließt Mosey nicht aus, dass ihre Ideen über die psychosozialen Funktionsweisen des Menschen auch für andere Bereiche des Gesundheitswesens von grundlegender Bedeutung sind.

Nach einer Kurzbiographie über A.C. Mosey (s. 6.2) folgt eine Beschreibung ihrer Sichtweise des Aufbaus der Profession, die sie mit dem Begriff der **„occupational therapy loop"** (ergotherapeutische Beziehungsschleife; Mosey 1981, 1986) umschreibt. Dieser Aufbau besteht aus folgenden **Elementen**:

- philosophische Basis,
- Modell,
- Bezugsrahmen,
- Praxis,
- Daten,
- Forschung.

Anhand der Beziehungsschleife beschreibt Mosey **3 Bezugsrahmen** („frames of reference"; s. unten). Einer dieser ▶ Bezugsrahmen – der entwicklungsorientierte – wird wegen seiner besonderen Relevanz für die praktische Ergotherapie ausführlich erläutert. Der entwicklungsorientierte Bezugsrahmen richtet sich auf die Entwicklung ▶ anpassender Fertigkeiten („adaptive skills"), die für die erfolgreiche ▶ Ausführung von Betätigungen und Aufgaben im sozialen Kontext („occupational performance") wichtig bzw. notwendig sind. Eine dieser anpassenden Fertigkeiten ist die Gruppeninteraktionsfertigkeit („group interaction skill"), die in entwicklungsgerichteten Gruppen vermittelt und erlernt werden kann.

Weiterhin wird beschrieben, wie der **ergotherapeutische Bezugsrahmen** in der praktischen Ergotherapie eingesetzt werden kann. Anmerkungen zu neueren Entwicklungen und Forschungen im In- und Ausland runden den Beitrag ab.

6.2 Kurzbiographie: Anne Cronin Mosey

Anne Cronin Mosey wurde 1938 in Minneapolis, Minnesota, USA geboren. Im Jahre 1961 schloss sie ihr Ergotherapiestudium (Bachelor/BA-Degree) erfolgreich ab. Anschließend arbeitete sie in einer psychiatrischen Klinik in der Ergotherapieabteilung. Mit dem Ziel, in der ergotherapeutischen Ausbildung tätig zu werden, absolvierte A.C. Mosey zuerst ihren Master (MA-Degree) und anschließend ihren PhD (Doctor of Philosophy). Zuletzt war sie bis zu ihrer Emeritierung **Professorin für Ergotherapie** an der Universität von New York.

A.C. Mosey hat innerhalb der AOTA („American Occupational Therapy Association") in unterschiedlichen Positionen einen erheblichen Beitrag zur **Entwicklung der Profession** geleistet. Sie hat im Laufe der Zeit eine große Anzahl an Beiträgen publiziert, zahlreiche Vorträge gehalten und viele Workshops geleitet. Die von A.C. Mosey veröffentlichten Bücher werden von Ergotherapeuten auf der ganzen Welt gelesen.

In ihren Werken setzt A.C. Mosey 3 Schwerpunkte:

- Sie beschreibt Bezugsrahmen („frames of reference") für die Ergotherapie im psychosozialen Bereich des Gesundheitssystems.
- Sie strukturiert Theorien zur psychosozialen Behinderung („dysfunction") und übersetzt sie in Bezugsrahmen zur Anwendung in der Praxis.
- Sie entwickelt eine systematische Begrifflichkeit („taxonomy") zur Identifizierung

verschiedener Elemente der Profession (der Ergotherapie) und zur Beschreibung der gegenseitigen Beziehung dieser Elemente (Miller u. Walker 1988).

A.C. Moseys wichtige Arbeit zur Beschreibung ergotherapeutischer Bezugsrahmen im psychosozialen Bereich begann 1968 mit ihrem Beitrag **„Recapitulation of Ontogenesis: A Theory for the Practice of Occupational Therapy"** (Rekapitulation der Ontogenese: Eine Theorie für die praktische Ergotherapie). In diesem Artikel beschreibt sie einen Bezugsrahmen für die Befunderhebung und Behandlung in der Ergotherapie, der an der menschlichen Entwicklung orientiert ist. Die theoretische Basis bilden verschiedene Entwicklungs- und Persönlichkeitstheorien (u. a. Sullivan, Piaget, Bruner, Freud, Llorens, Ayres, Schilder, Searles). In diesem Zusammenhang thematisiert Mosey die Entwicklung von „adaptive skills" (anpassenden Fertigkeiten), die nötig sind, um ► Betätigungen und Aufgaben im sozialen Kontext erfolgreich ausführen zu können.

Im Jahre 1969 erschien dann Moseys Beitrag **„Treatment of pathological distortion of body image"** (Behandlung der pathologischen Verzerrung des Körperbildes). Darin beschreibt sie einen entwicklungsgerichteten Bezugsrahmen für die Befunderhebung und Behandlung pathologisch bedingter Verzerrungen des Körperbildes. Mosey argumentiert, dass ein verzerrtes Körperbild durch ein Angebot korrigiert werden kann, das dem Patienten die für eine normale Entwicklung des Körperbildes bedeutsamen Erfahrungen ermöglicht.

Im Jahre 1970 verfasste Mosey ihr Buch **„Three frames of reference for mental health"** (Drei Bezugsrahmen zur psychischen Gesundheit). Darin beschreibt sie 3 Bezugsrahmen – den entwicklungsorientierten, den analytischen und den lerntheoretischen –, ermutigt Ergotherapeuten jedoch gleichzeitig, eigene Bezugsrahmen zu entwickeln, die auf bereits existierenden Theorien anderer Disziplinen basieren. Dabei erweist sich insbesondere der entwicklungsgerichtete Bezugsrahmen als Weiterentwicklung ihres konzeptionellen Vorschlags in „Recapitulation of Ontogenesis".

Auf der Grundlage des entwicklungsorientierten Bezugsrahmens arbeitete Mosey den Nutzen entwicklungsgerichteter Gruppen speziell für Klienten mit basalen Störungen der Gruppeninteraktionsfertigkeit konzeptionell aus und beschrieb 5 verschiedene Gruppenniveaus. Im Jahre 1986 verfeinert sie in **„Psychosocial Components of Occupational Therapy"** (Psychosoziale Komponenten der Ergotherapie) ihre Sicht der Bezugsrahmen, nimmt Stellung zu Forschungsarbeiten ergotherapeutischer Kollegen und integriert deren Gedanken in ihre Bezugsrahmen. Wie der Titel schon sagt, will dieses Werk einen Überblick über die psychosozialen Komponenten der Ergotherapie geben – und zwar sowohl in Bezug auf deren theoretische Fundierung als auch auf Ansätze der Befunderhebung und Intervention. Die von Mosey beschriebenen Komponenten finden nicht nur in allen Spezialgebieten der Ergotherapie Berücksichtigung; sie sind vielmehr von fundamentaler Bedeutung für ein Verständnis unserer Klienten und der therapeutischen Mittel, die wir in der Praxis einsetzen, sowie für unser Eigenverständnis als Therapeuten.

Bereits 1974 entwickelte Mosey in **„An Alternative: The Biopsychosocial Model"** (Eine Alternative: das biopsychosoziale Modell) für die Ergotherapie erstmals ein biopsychosoziales oder Gesundheitsmodell als Alternative zum medizinischen Modell. Ihr Model richtet sich auf den „Body-mind-and-environment"-Zusammenhang (Körper, Geist und Umwelt). Doch gelingt es Mosey auch in einer späteren Version, „A Model of Occupational Therapy" (Ein Model der Ergotherapie; 1980), nicht, dem Modell genügend Struktur zu geben. Trotzdem bemüht sie sich weiter darum, ein ganzheitliches Modell für die ergotherapeutische Praxis zu entwickeln. Ihre Anstrengungen führen schließlich zu ihrer beachteten Monographie „Occupational Therapy: Configuration of a Profession" (Ergotherapie: Aufbau einer Profession; 1981).

In ihrer jüngsten Veröffentlichung **„Applied scientific Inquiry in the Health Professions: An epistomological Orientation"** (Angewandte Forschung in den Gesundheitswissenschaften: Eine erkenntnistheoretische Orientierung; 1996) betrachtet A.C. Mosey die Berufe des Gesundheitswesens in ihrer Gesamtheit und untermauert den Inhalt des Buches mit ihren umfangreichen Kenntnissen in der Ergotherapie.

6.3 Moseys Sichtweise der Ergotherapie: die Beziehungsschleife

A.C. Mosey hat den Aufbau der ergotherapeutischen Profession, den **„Occupational Therapy Loop"**, in einem Schema dargestellt. **Abbildung 6.1** zeigt die **6 Bestandteile**:
- philosophische Basis,
- Modell,
- Bezugsrahmen,
- Praxis,
- Daten,
- Forschung.

Diese Elemente werden im Folgenden kurz skizziert.

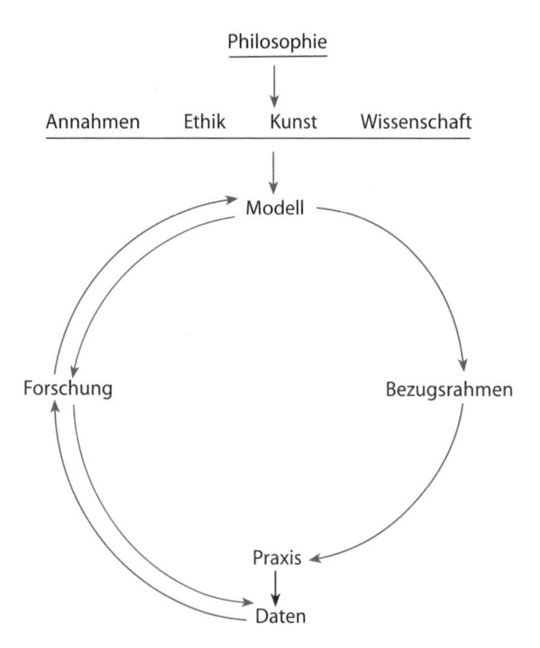

Abb. 6.1. Aufbau ergotherapeutischer Theorie – eine Beziehungsschleife. (Nach: Mosey 1986)

Die philosophische Basis

Die philosophische Basis („philosophical foundation") umfasst **4 wichtige Elemente**, die grundlegend von allen Professionen geteilt werden und aus deren besonderer Konstellation sich ein spezifisches Berufsmodell, in unserem Fall das Modell der Ergotherapie, entfaltet:
- philosophische Annahmen („philosophical assumptions"),
- Ethik („ethics"),
- "Kunst" ("art"),
- Wissenschaft ("science").

Das Modell der Profession

Das Modell der Profession ("the model") beschreibt für Mosey (1981, 1986) die spezifische Art und Weise, wie ein Beruf sich selbst wahrnimmt und wie er sein Verhältnis zu anderen Berufen und zur Gesellschaft definiert. Ein Modell der Profession beschreibt die **Grundgedanken, Beweggründe und Methoden** eines Berufs und bezieht sich auf den gesamten Beruf.

Nach Mosey beinhaltet ein Modell der Profession – hier das der Ergotherapie – also folgende **Komponenten** mit jeweils berufsspezifischem Inhalt:
- **philosophische Annahmen des Berufs** („philosophical assumptions"): Basisannahmen hinsichtlich des Individuums und dessen Beziehung zur sozialen und materiellen Umwelt und bezüglich der Ziele des Berufs;
- **ethischer Kodex** („ethical code"): Prinzipien moralischen Verhaltens sowohl im Umgang mit Klienten als auch mit Kollegen;
- **wissenschaftliche Basis für den Beruf** („theoretical foundation"): einige spezielle Theo-

rien, die sowohl verschiedenen Disziplinen entlehnt sind als auch aus dem Beruf selbst hervorgehen;
- **Gegenstandsbereich** („domain of concern"): Sachkenntnisgebiete des Berufs;
- ► **Prinzipien und Medien** („legitimate tools"), die innerhalb des Berufs genutzt werden, um die Therapieziele zu erreichen; die Berufsgruppe hat davon Kenntnis und setzt sie in der Begleitung der Klienten ein;
- **Art und Gliederung der unterschiedlichen Praxisaspekte** ("nature of and principles for sequencing the various aspects of practice").

Mosey zufolge umfasst der **Gegenstandsbereich** der Ergotherapie **(Abb. 6.2)** Sachkenntnisse in den jeweiligen Bereichen, in denen Ergotherapeuten Klienten behandeln, beraten und versorgen. Damit schließt er auch das konzeptionelle Verständnis allgemeiner ► Performanzkomponenten („performance components") und der sinnvollen ► Ausführung menschlicher Betätigungen und Aufgaben im sozialen Kontext („occupational performance") ein. Diese Konzepte werden laut Mosey zudem zum ► Alter des Klienten und zu seiner individuellen ► Umwelt in Beziehung gesetzt.

Zu den ► **Prinzipien und Medien** gehören in der Ergotherapie laut Mosey z. B. die materielle ► Umwelt, der bewusste Einsatz des Selbst und die zielgerichteten Aktivitäten.

Mit **Art und Gliederung der unterschiedlichen Praxisaspekte** sind im ergotherapeutischen Gesamtprozess die problemidentifizierenden und problemlösenden Prozesse gemeint, die mit der Befunderhebung, der Behandlung und dem Beenden einer Therapie verbunden sind **(Abb. 6.3)**.

Wichtig

Die Kenntnisse über das Modell, den Gegenstandsbereich sowie die gebräuchlichen Prinzipien und Medien sind für den Prozess der Befunderhebung und Behandlung – die Essenz des Ergotherapieprozesses – unbedingt notwendig.

Die Bezugsrahmen („frames of reference")

Die ► Bezugsrahmen („frames of reference") sind vom Modell der Profession abgeleitet und bieten eine Vielfalt an Vorgehensweisen für die

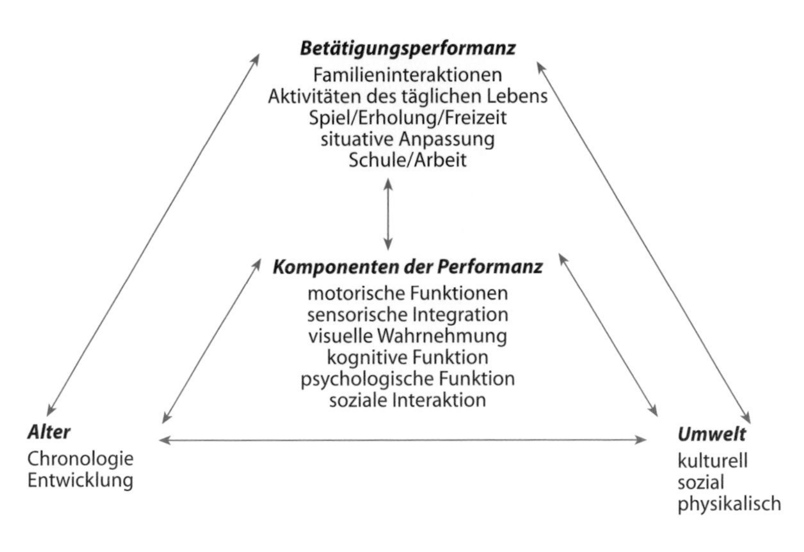

Abb. 6.2. Gegenstandsbereich der Ergotherapie. (Nach: Mosey 1986)

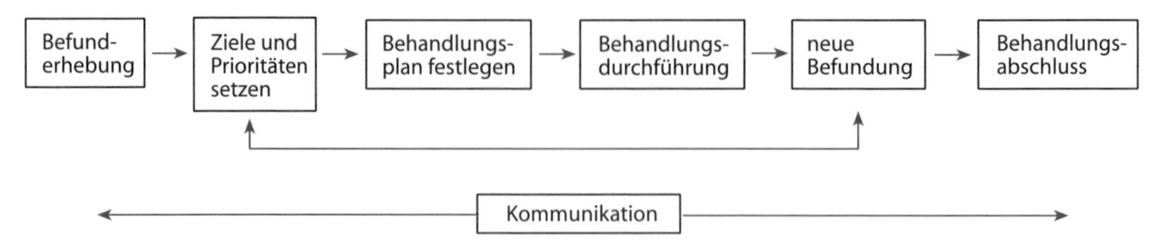

Abb. 6.3. Befunderhebungs- und Behandlungsprozess. (Nach: Mosey 1986)

Befunderhebung und den Behandlungsprozess. Für Mosey erfüllen Bezugsrahmen ganz spezifische Funktionen für die Profession (s. 6.4). Mosey (1970) beschreibt **3 Bezugsrahmen**:
- den analytischen Bezugsrahmen,
- den entwicklungsorientierten Bezugsrahmen,
- den lerntheoretischen Bezugsrahmen.

Die berufliche Praxis

In der beruflichen Praxis („practice") werden in der **Klient-Therapeut-Interaktion** ein bzw. mehrere Bezugsrahmen angewandt. Die Praxis bildet die Essenz eines jeden Berufs. Sie produziert die Daten, die zur Bewertung der Effektivität des Berufs benötigt werden, und wirkt damit verändernd auf das professionelle Grundlagenwissen ein.

Die Daten

Daten („data") sind die Informationen, die in der Praxis gewonnen werden. Sie stammen zum größten Teil aus dem **Befunderhebungs- und Behandlungsprozess** sowie aus der zugehörigen systematischen Beobachtung durch den Therapeuten. Die Daten können die Wirkung eines bestimmten Bezugsrahmens festlegen/gestalten und seine Effekte bestätigen oder zur weiteren Entwicklung, Widerlegung, Verfeinerung oder Verifizierung einer oder mehrerer Theorien anregen, die die praktische Ergotherapie unterstützen.

Die Forschung

Forschungsmethodische Kenntnisse („research") ermöglichen dem Ergotherapeuten, auf richtige Art und Weise Daten zu sammeln und diese anschließend zu analysieren. Forschungsergebnisse unterstützen oder modifizieren die **theoretische Basis** eines Berufs. Damit können sie Veränderungen in den Bezugsrahmen und infolgedessen Veränderungen der Berufspraxis bewirken.

Wichtig

Die Profession trägt die Verantwortung, ihre eigene theoretische Basis stets zu kontrollieren bzw. zu überprüfen.

Zusammenfassung
In diesem Abschnitt wurde der Begriff **„Beziehungsschleife"** eingeführt, der das Verhältnis zwischen den verschiedenen Bestandteilen der Ergotherapie beschreibt, die sich ständig gegenseitig beeinflussen.
Der Ursprung der Ergotherapie liegt in der Philosophie; auf der Philosophie beruhen die Begründung, die Ethik, die Kunst und die Wissenschaft der Profession.
Aus dieser Kenntnis heraus hat der Beruf ein ganz spezifisches **Modell** entwickelt.
Vom Modell geht der nächste Schritt zu den **Bezugsrahmen**, die wiederum der **Praxis** eine gewisse Führung geben. In der Praxis können **Daten** gesammelt werden, die wichtig sind, um auf dem Wege der **Forschung**

die Erkenntnisse (bezüglich eines Themas) über die Wirkungen der Praxis zu bündeln und so zu verfeinern, dass sie zur theoretischen Basis des Berufs beitragen.
Abbildung 6.1 zeigt keine direkte Verbindung zwischen Forschung („research") und Praxis („practice") bzw. zwischen Forschung („research") und Bezugsrahmen („frames of reference"). Der Grund hierfür liegt darin, dass Mosey dann, wenn es um die Entwicklung der Profession geht, der Forschung die Funktion zuweist, das Modell der Profession zu unterstützen bzw. weiterzuentwickeln.
Man könnte also sagen: Immer dann, wenn es um die (Weiter-)Entwicklung der ergotherapeutischen Profession geht, sollten **Forschungsergebnisse** mit Bezug auf die Basis des gesamten Berufs und nicht nur in Hinblick auf ein spezifisches Arbeitsfeld betrachtet und diskutiert werden.
Führen Forschungsergebnisse zu Veränderungen in der Theorie, so ergeben sich Veränderungen der Bezugsrahmen, und dies wiederum beeinflusst die Praxis.
Andererseits wirkt auch das Modell selbst auf die Forschung, indem es bestimmte Sichtweisen und Schwerpunkte formuliert, die aus der **Wissensbasis des Berufs** hervorgehen.
Für Mosey sind die Profession an sich und die in dieser Profession tätigen Personen fortwährend für eine Überprüfung ihrer theoretischen Fundierung verantwortlich.
Die **„Beziehungsschleife"** unterstreicht dies. Somit ist die Beziehungsschleife eine schematische Wiedergabe der Verhältnisse zwischen den verschiedenen Bestandteilen der Profession. So ist beispielsweise die Überprüfung des lerntheoretischen Bezugsrahmens anhand der Daten, die bei seiner praktischen Anwendung gewonnen werden, ein kontinuierlicher Prozess, der alle Ergotherapeuten bereichert.

6.4 Die Bezugsrahmen („frames of reference")

Theoretische Basis

Die ► **Bezugsrahmen** („frames of refence") stellen einen wichtigen Bestandteil in Moseys Beziehungsschleife dar **(Abb. 6.1)**. Vom **Modell der Profession** („model") unterscheiden sie sich durch folgende Merkmale:

- Die Bezugsrahmen sind von einem Modell der Profession abgeleitet und bieten eine Auswahl an Vorgehensweisen für die Befunderhebung und den Behandlungsprozess.
- Die Bezugsrahmen bieten Richtlinien für die täglichen Interaktionen mit dem Klienten; sie sind vorschreibender Art.
- Bezugsrahmen sind im Vergleich zu einem Modell der Profession begrenzter; sie verbinden Theorie und Praxis in einem kleinen Bereich der ergotherapeutischen Wissensbasis („body of knowledge") und im jeweiligen Tätigkeitsfeld, das zu diesem Bereich gehört. Ein Modell der Profession hingegen definiert den gesamten Beruf.
- Ein Modell der Profession wird innerhalb der Profession und von der Gesellschaft akzeptiert. Ein Modell gibt dem Beruf eine Richtung, während ein Bezugsrahmen lediglich eingeschränkt akzeptiert wird. Innerhalb eines Arbeitsbereichs kann man mehrere Bezugsrahmen nutzen.
- Die Bezugsrahmen sollten umfassend, deutlich, konstant und logisch aufgebaut sein.
- Die Bezugsrahmen sollten als Fundament eines Veränderungsprozesses betrachtet werden, der die Entwicklung und die Wiederherstellung von Funktionen auf einem möglichst hohen und doch erreichbaren Niveau bewerkstelligt.
- Die Bezugsrahmen bieten die Möglichkeit zur Aktivitätenanalyse und -synthese. Bezugsrahmen sind notwendig, um für den Befunderhebungs- und Behandlungsprozess eine angemessene Auswahl an Aktivitäten zu treffen.

Mosey (1970) beschrieb 3 Bezugsrahmen. Der **entwicklungsorientierte Bezugsrahmen** („developmental frame of reference") basiert u. a. auf Überlegungen von J. Piaget, J. Bruner, S. Freud und E. Erikson. Normalerweise erwirbt jeder Mensch, der einen normalen Entwicklungsprozess in einer wachstumsförderlichen ▶ Umwelt durchläuft, bestimmte (sensomotorische, kognitive und sozial-emotionale) Fertigkeiten, die im entwicklungsorientierten Bezugsrahmen beschrieben werden. Die Fertigkeiten sind interdependent, qualitativ und entwicklungsstufenspezifisch. Die ergotherapeutische Behandlung richtet sich auf die Entwicklung der ▶ anpassenden Fertigkeiten, die wichtig sind, um ▶ Betätigungen und Aufgaben im sozialen Kontext erfolgreich ausführen zu können.

Der **analytische Bezugsrahmen** („analytical frame of reference") basiert u. a. auf den Theorien von A. und S. Freud, E. Erikson, A. Maslow und C.G. Jung. Er thematisiert die Bildung von Vertrauen, Bedürfniserfüllung, Intimität und Sexualität.

Der **lerntheoretische Bezugsrahmen** („acquisitional frame of reference") basiert u. a. auf den Lerntheorien von Bandura, Wolpe u. Lazarus, Dollard u. Miller, Sieg, Diasio und Smith u. Thompson sowie auf der Persönlichkeitstheorie von Sullivan. Er konzentriert sich auf die verschiedenen Fertigkeiten und Fähigkeiten, die ein Klient benötigt, um eine angemessene und zufriedenstellende Interaktion mit seiner Umgebung erreichen zu können. Im Gegensatz zum entwicklungsorientierten Bezugsrahmen werden hier voneinander unabhängige, quantitative und stufenunspezifische Fähigkeiten und Fertigkeiten angesprochen.

In den folgenden Abschnitten wird der **entwicklungsorientierte Bezugsrahmen** ausführlicher beschrieben; denn er kommt in der ergotherapeutischen Praxis – v. a. in der Psychiatrie und in der Pädiatrie – am vielfältigsten zum Einsatz.

Der entwicklungsorientierte Bezugsrahmen („developmental frame of reference")

Wie bereits beschrieben, beginnt Moseys Entwurf des entwicklungsorientierten Bezugsrahmens mit den Ausführungen in ihrem Werk **„Recapitulation of Ontogenesis: A Theory for the Practice of Occupational Therapy"** (1968). Sie bedient sich dabei verschiedener Entwicklungs- und Persönlichkeitstheorien (z. B. von Sullivan, Piaget, Bruner, Freud, Llorens, Schilder, Searles, Sechehaye, Ayres, Hartman und Fidler) und zielt auf ein theoriegeleitetes Gerüst zur Befunderhebung und Behandlung ab, das an der menschlichen Entwicklung ausgerichtet ist. Dabei unterstreicht Mosey die Tatsache, dass Individuen in ihrer Entwicklung verschiedene Phasen in einer bestimmten Reihenfolge durchlaufen, und sie legt ihr Augenmerk auf die Herausbildung der ▶ anpassenden Fertigkeiten. Diese hält sie für unabdingbar für die erfolgreiche ▶ Ausführung von Betätigungen und Aufgaben im sozialen Kontext („occupational performance").

Wichtig

Mosey geht davon aus, dass jeder Mensch nach einem Gleichgewicht zwischen sich und seiner Umwelt sucht und dass dieses Gleichgewicht durch eine Veränderung der eigenen psychischen und physischen Bedürfnisse und/oder durch neue Anforderungen vonseiten der Umwelt gestört werden kann.

Es bedarf also bestimmter Fertigkeiten – von Mosey als ▶ **„anpassende Fertigkeiten"** bezeichnet –, die zum Erhalt des Gleichgewichts beitragen. Motiviert durch das Ungleichgewicht im Verhältnis zur ▶ Umwelt bemüht sich der Mensch in der Regel darum, neue anpassende Fertigkeiten zu erlernen bzw. zu erwerben. Er benötigt sie, um das gewünschte Gleichgewicht wiederherzustellen.

Die anpassenden Fertigkeiten („adaptive skills")

Mosey beschreibt 6 ▶ anpassende Fertigkeiten („adaptive skills"), die wiederum aus verschiedenen, aufeinander aufbauenden **Teilfertigkeiten** („subskills") bestehen. Diese Teilfertigkeiten bezeichnen die jeweilige Entwicklungsstufe („niveau") jeder einzelnen Fertigkeit. Die betreffende anpassende Fertigkeit ist erst dann vollständig ausgereift, wenn alle Teilfertigkeiten erworben wurden.

Die anpassenden Fertigkeiten sind im Folgenden entsprechend der Reihenfolge ihrer Entwicklung aufgelistet:

1. **sensomotorische Fertigkeit** („perceptual-motor skill"): das Vermögen, sensorische Stimuli wahrzunehmen, zu integrieren und zu organisieren, um zielgerichtete Bewegungen ausführen zu können;
2. **kognitive Fertigkeit** („cognitive skill"): das Vermögen, sich an Lebewesen, Gegenstände und Ereignisse zu erinnern, diese zu ordnen und sie gedanklich zu repräsentieren; hieraus leitet sich problemlösendes und abstraktes Denken ab;
3. **dyadische Interaktionsfertigkeit** („dyadic interaction skill"): Fertigkeiten der Beziehungsaufnahme, z. B. im Verhältnis zum Partner, zu den Familienmitgliedern und zu (gleichaltrigen) Freunden; hierzu gehören zudem die Fertigkeit, unterschiedlich vertraute, verbindliche und intime Beziehungen zu gestalten, sowie Aspekte der Versorgung und der aufmerksamen Fürsorge;
4. **Gruppeninteraktionsfertigkeit** („primary group interaction skill"): alle kommunikativen Fertigkeiten, die notwendig sind, um sinnvoll und erfolgreich an einer Gruppe teilhaben zu können, z. B. in der Zusammenarbeit, beim Umgang mit Werten und Normen, beim Treffen von gemeinsamen Entscheidungen etc.;
5. **Fertigkeit, die die eigene Identität betrifft** („self-identity skill"): das Vermögen, sich selbst als selbstsichere, selbstständige und akzeptable Person wahrzunehmen;
6. **Fertigkeit, die die sexuelle Identität betrifft** („sexual identity skill"): das Vermögen, die eigene Sexualität anzunehmen und eine wechselseitig befriedigende sexuelle Beziehung mit einer anderen Person einzugehen und aufrechtzuerhalten.

Abbildung 6.4 gibt eine Gesamtübersicht über die 6 ▶ anpassenden Fertigkeiten und das ▶ Lebensalter, in dem in einer normalen Entwicklung ein bestimmtes **Fertigkeitsniveau** erreicht wird. Die hellblauen Bereiche stellen die einzelnen Entwicklungsbausteine dar und verdeutlichen den in einer normalen Entwicklung benötigten Zeitraum zur Aneignung der jeweiligen anpassenden Fertigkeit. Die Ziffern in den hellblauen Bereichen weisen auf die **Teilfertigkeiten** hin. Sie korrespondieren mit den Ziffern der in Übersicht 6.1 benannten Teilfertigkeiten.

Die in der Übersicht genauer bestimmten Lebensabschnitte, in denen die einzelnen Teilfertigkeiten gelernt werden, verdeutlichen nochmals, dass der Erwerb der jeweiligen adaptiven Fertigkeit sequenziellen Charakter hat, also schrittweise geschieht. Vergleicht man die Entwicklungsniveaus, wird zudem deutlich, dass sich die anpassenden Fertigkeiten wechselseitig bedingen.

Wichtig

Erst wenn jede der Teilfertigkeiten erlernt wurde und die jeweils vorangehenden Entwicklungsstufen vollständig integriert wurden, spricht man von der „reifen Entwicklung" einer anpassenden Fertigkeit.

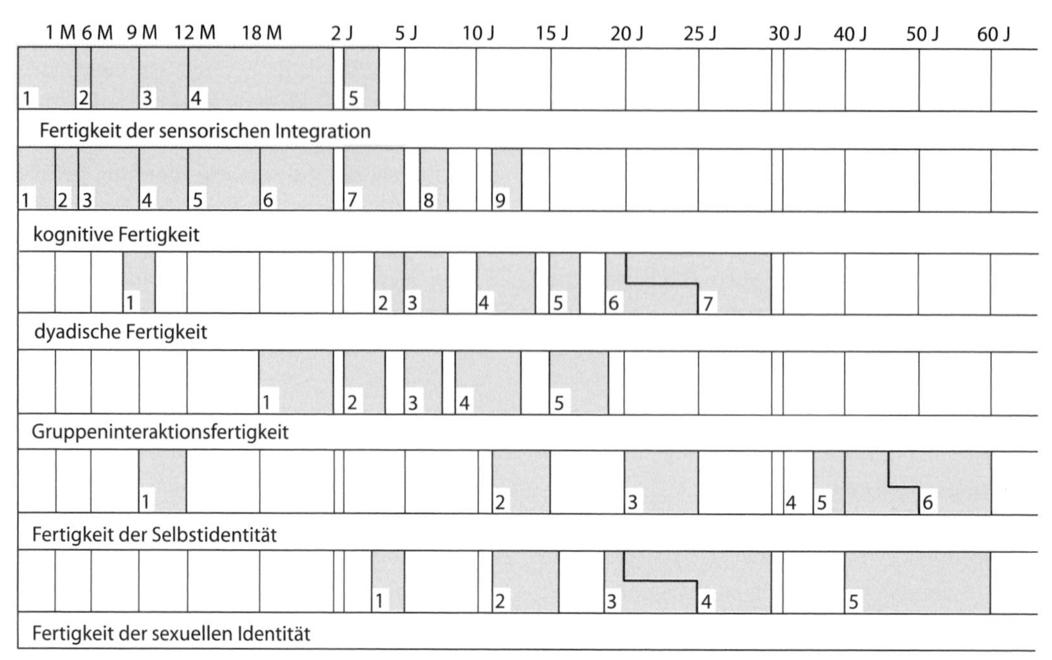

Abb. 6.4. Übersicht zur Entwicklung anpassender Fertigkeiten. **M** Monate; **J** Jahre. (Nach: Mosey 1986)

Übersicht 6.1:
Die einzelnen anpassenden Fertigkeiten mit Beschreibung ihrer Teilfertigkeiten (Mosey 1986)

- **Fertigkeit der sensorischen Integration:**
  Fähigkeit, vestibuläre, propriozeptive und taktile Informationen für den funktionellen Gebrauch aufzunehmen, zu selektieren, zu kombinieren und zu koordinieren
  1. Fähigkeit, das taktile Subsystem zu integrieren (0–3 Monate)
  2. Fähigkeit, einfache Stellungsreflexe zu integrieren (3–9 Monate)
  3. Reifung der Aufrichtungs- und Gleichgewichtsreaktionen (9–12 Monate)
  4. Fähigkeit, beide Körperhälften zu integrieren, die Körperteile in ihrer Beziehung zueinander wahrzunehmen und grobmotorische Bewegungen zu planen (1–2 Jahre)
  5. Fähigkeit, feinmotorische Bewegungen zu planen (2–3 Jahre)

- **Kognitive Fertigkeit:**
  Fähigkeit, sensorische Informationen zum Denken und zur Problemlösung wahrzunehmen, zu repräsentieren und zu organisieren
  1. Fähigkeit, angeborene („inherent") Verhaltensmuster für die Interaktion mit der Umwelt zu nutzen (0–1 Monat)
  2. Fähigkeit, visuelle, manuelle, auditive und orale Reaktionen zueinander in Beziehung zu setzen (1–4 Monate)
  3. Fähigkeit, die Reaktionen der Um-welt auf Handlungen mit Interesse zu verfolgen, Objekte als der äußeren Welt zugehörig zu repräsentieren, Objekte zu erkunden, auf der Basis egozentrischer Kausalität zu handeln und Ereignisse miteinander zu verbinden, an denen das eigene Selbst beteiligt ist (4–9 Monate)

▼

4. Fähigkeit, Ziele und eigene Möglichkeiten zur Umsetzung zu bestimmen, die unabhängige Existenz von Objekten wahrzunehmen, Zeichen zu interpretieren, neues Verhalten zu imitieren, den Einfluss des Raumes zu begreifen und andere Objekte als teilweise kausal bedingt wahrzunehmen (9–12 Monate)
5. Fähigkeit, Probleme durch Versuch und Irrtum zu lösen, Werkzeuge zu benutzen, die Veränderung räumlicher Positionen wahrzunehmen, Ereignisse miteinander zu verbinden, an denen das Selbst nicht beteiligt ist, und die Bedingtheit anderer Objekte wahrzunehmen (12–18 Monate)
6. Fähigkeit, Objekte bildhaft wiederzugeben, etwas zu glauben, von der Wirkung auf die Ursache zu schließen, auf Basis kombinierter räumlicher Relationen zu handeln, anderen Allmacht zuzusprechen und Objekte unabhängig von Zeit und Raum wahrzunehmen (18 Monate bis 2 Jahre)
7. Fähigkeit, Objekte als innere/gefühlsmäßige Vorstellungen zu repräsentieren, zwischen Denken und Handeln zu differenzieren und die Notwendigkeit kausaler Ursachen zu realisieren (2–5 Jahre)
8. Fähigkeit, Objekte sprachlich (denotativ) zu repräsentieren, die Perspektive anderer wahrzunehmen und den eigenen Standpunkt zugunsten eines anderen aufzugeben (Dezentrierung; 6–7 Jahre)
9. Fähigkeit, Objekte in einer umschreibenden (konnotativen) Art zu repräsentieren, formal logisch zu denken und mit Hypothesen zu arbeiten (11–13 Jahre)

- **Dyadische Interaktionsfertigkeit:**
  Fähigkeit, an einer Bandbreite von Zweierbeziehungen teilzunehmen
  1. Fähigkeit, vertrauensvolle familiäre Beziehungen aufzunehmen (8–10 Monate)
  2. Fähigkeit, verbindliche („associated") Beziehungen aufzunehmen (3–5 Jahre)
  3. Fähigkeit, in einer regelbestimmten („authority") Beziehung zu interagieren (5–7 Jahre)
  4. Fähigkeit, kameradschaftliche Beziehungen zu unterhalten (10–14 Jahre)
  5. Fähigkeit, regelbestimmte („authority") Beziehungen zu Gleichaltrigen („peer") aufzunehmen (15–17 Jahre)
  6. Fähigkeit, eine intime Beziehung aufzunehmen (18–25 Jahre)
  7. Fähigkeit, eine versorgende/fürsorgliche („nurturing") Beziehung zu unterhalten (20–30 Jahre)

- **Gruppeninteraktionsfertigkeit:**
  Fähigkeit, sich an einer Reihe primärer Gruppen zu beteiligen
  1. Fähigkeit, an einer parallelen Gruppe teilzunehmen (18 Monate bis Jahre)
  2. Fähigkeit, an einer Projektgruppe teilzunehmen (2–4 Jahre)
  3. Fähigkeit, an einer egozentrisch-kooperativen Gruppe teilzunehmen (5–7 Jahre)
  4. Fähigkeit, an einer kooperativen Gruppe teilzunehmen (9–12 Jahre)
  5. Fähigkeit, an einer reifen Gruppe teilzunehmen (15–18 Jahre)

- **Fertigkeit der Selbstidentität:**
  Fähigkeit, das (eigene) Selbst als relativ autonom, ganzheitlich und als akzeptable Person wahrzunehmen, die sich durch Fortdauer und zeitliche Kontinuität auszeichnet
  1. Fähigkeit, das (eigene) Selbst als wertvolle Person wahrzunehmen (9–12 Monate)
  2. Fähigkeit, Vorteile und Grenzen des (eigenen) Selbst wahrzunehmen (11–15 Jahre)

▼

3. Fähigkeit, das (eigene) Selbst als steuerbar („self-directed") wahrzunehmen (20–25 Jahre)
4. Fähigkeit, das (eigene) Selbst als produktives und konstruktives Mitglied eines sozialen Systems wahrzunehmen (30–35 Jahre)
5. Fähigkeit, das (eigene) Selbst mit seiner autonomen Identität wahrzunehmen (35–50 Jahre)
6. Fähigkeit, den eigenen Alterungsprozess und den abschließenden Tod als Teil des Lebenszyklus zu sehen (45–60 Jahre)

- **Fertigkeit der sexuellen Identität:** Fähigkeit, das eigene Geschlecht anzunehmen und länger andauernde sexuelle Beziehungen zu führen, die sich an der Befriedigung gegenseitiger sexueller Bedürfnisse orientieren

1. Fähigkeit, sein angeborenes Geschlecht zu akzeptieren und entsprechend zu handeln (4–5 Jahre)
2. Fähigkeit, die sexuelle Reifung als positive Wachstumserfahrung zu akzeptieren (12–16 Jahre)
3. Fähigkeit, sexuelle Zuwendung zu geben und zu empfangen (18–25 Jahre)
4. Fähigkeit, eine andauernde/tragfähige („sustained") sexuelle Beziehung aufzunehmen, die sich durch die wechselseitige Befriedigung sexueller Bedürfnisse auszeichnet (20–30 Jahre)
5. Fähigkeit, physiologische Veränderungen der eigenen Sexualität zu akzeptieren, die aufgrund des natürlichen Alterungsprozesses eintreten (40–60 Jahre)

Kontinuum von Funktion und Dysfunktion

Wichtig

Das Funktionieren ist durch das integrierte Lernen der Teilfertigkeiten gekennzeichnet, die zur erfolgreichen Teilnahme am sozialen Leben und damit zur sinnvollen und erfolgreichen Ausführung erwartbarer Betätigungen und Aufgaben notwendig sind (**Übersicht 6.1**).

Die kulturelle Gruppe, der das Individuum angehört, legt dabei meist den erlaubten **Gestaltungsrahmen/-spielraum** fest. Die ► anpassenden Fertigkeiten vermitteln dabei zwischen der Person und den Anforderungen durch die ► Umwelt. Durch die aktive Ausführung anpassender Fertigkeiten erreicht die Person situative Sicherheit sowie die Möglichkeit zur Befriedigung eigener und fremder Bedürfnisse.

Wichtig

Dsyfunktionieren entsteht, wenn die benötigten Teilfertigkeiten nicht erlernt werden.

Wenn ein Mensch **Teilfertigkeiten** nicht erlernt, können dafür laut Mosey (1973) folgende Umstände verantwortlich sein:
- abweichende oder nicht vollständig entwickelte physische Strukturen,
- ernstzunehmender Stress aus der Umgebung,
- Mangel an förderlichen ► Umweltbedingungen, die für die Entwicklung dieser Fertigkeitsbestandteile notwendig sind.

Eine Störung oder **Dysfunktion** ist also das Ergebnis von nicht angemessen oder nicht vollständig durchlaufenen aufeinanderfolgenden Entwicklungsniveaus/Teilfertigkeiten.

Wichtig

Um Funktion und Dysfunktion feststellen zu können, ist es notwendig, die erforderlichen Teilfertigkeiten mit denen zu vergleichen, die eine Person momentan beherrscht. Das (erneute) Erlernen einer Teilfertigkeit sollte so optimal wie möglich verlaufen. Daher ist es wichtig, dass die Aufmerksamkeit auf eine wachstums- bzw. entwicklungsfördernde Umgebung des Klienten gerichtet wird und bleibt. Eine solche Umgebung ist äußerst wichtig, damit der Klient frei experimentieren und üben kann – sich also das angestrebte Niveau auf die Art und Weise aneignen kann, die zu ihm passt.

Befunderhebung und Behandlung

Hat eine Person bestimmte Teilfertigkeiten, die für die Ausübung von Betätigungen und sozialen Rollen notwendig sind, nicht oder nur unzureichend erlernt, entsteht eine **unproduktive Interaktion** mit dem sozialen System. Zur klientenunterstützenden Befunderhebung und Behandlung ist es deshalb notwendig, den Klienten in seinen Rollen und bei den Aktivitäten zu beobachten, die ▶ anpassende Fertigkeiten erforderlich machen. Erst dann kann festgestellt werden, ob er bestimmte Teilfertigkeiten erworben hat.

Wichtig

Der Therapeut ermittelt gemeinsam mit dem Klienten und dem behandelnden Team, welche Fertigkeiten in der aktuellen und zukünftigen Umgebung des Klienten benötigt werden. Mit Hilfe von Aktivitäten, die die Interaktion mit Gegenständen aus der räumlichen und sozialen Umwelt beinhalten („object interactions") und von denen man annimmt, dass sie (bzw. ihre Strukturen/ihr Charakter/ihre Eigenschaften; Anmerk. d. Hrsg.) für eine normale Fertigkeitsentwicklung bedeutend sind, kann der Klient von einer Situation des Dysfunktionierens in eine Situation des Funktionierens gelangen.

Die Aktivitäten werden dabei so gewählt, dass sie für die Ausführung einer bestimmten Teilfertigkeit notwendig sind. Der Ergotherapeut unterstützt den Klienten in seinem persönlichen Wachstum bzw. in seiner Entwicklung und geht dabei von dem Punkt in der Vergangenheit aus, an dem die normale Entwicklung der anpassenden Fertigkeiten unterbrochen wurde. Dies geschieht, indem der Therapeut dem Klienten **Erfahrungsmöglichkeiten** anbietet, die ihn durch die unterschiedlichen Entwicklungsphasen der anpassenden Fertigkeiten führen.

Wichtig

Lernen findet somit durch die Interaktion mit Gegenständen in der räumlichen und sozialen ▶ Umwelt in Abhängigkeit von (Lern- und Lehr-)Erwartungen statt.

Die Aktivitäten haben eine „Tu"-Natur. Die **Lernreaktion** eines Klienten auf die angebotene Aktivität in einer ergotherapeutischen Situation wird beeinflusst durch:
- Elemente der Aktivität,
- Erfahrungen aus der Vergangenheit,
- früher bereits erlernte (Teil-)Fertigkeiten.

Wichtig

Einzelne Bestandteile (Teilfertigkeiten) anpassender Fertigkeiten („adaptive skill components") sollten in der Reihenfolge vermittelt und erlernt werden, die der entwicklungsbedingten Abfolge der Teilfertigkeiten mit ihrem integrativen Charakter entspricht.

Ergotherapeutische **Nahziele** sollten deshalb darauf ausgerichtet sein, dass der Klient die notwendige(n) Teilfertigkeit(en) der entsprechenden anpassenden Fertigkeit(en) erlernt. Das letztendliche **Fernziel** dieser entwicklungsgerichteten Vorgehensweise liegt darin, den Klienten dabei zu unterstützen, dass er vollständig und erfolgreich an den sozialen Rollen und Aufgaben teilnehmen kann, die die ► Umwelt von ihm erwartet.

Die Aktivitäten, die zu diesem Zweck eingesetzt werden können, werden in Bezug auf ihre Elemente analysiert, selektiert und/oder kombiniert, sodass sie dem Klienten die Möglichkeit bieten, die gewünschten Teilfertigkeiten zu erwerben. Symbolische Aktivitäten können eingesetzt werden; der Schwerpunkt sollte jedoch auf den realistischen Aktivitäten liegen, die der Alltagsbewältigung dienen.

Die Gruppeninteraktionsfertigkeit („group interaction skill")

Wichtig

Der Begriff „Gruppeninteraktionsfertigkeit" („group interaction skill") bezeichnet die ► anpassende Fertigkeit, die die Fähigkeit vermittelt, die Rolle eines produktiven Mitglieds in verschiedenen Gruppen zu übernehmen.

Mosey hat zum Erlernen der grundlegenden Gruppeninteraktionsteilfertigkeiten **5 entwicklungsgerichtete Gruppen** konzipiert, die im Folgenden noch näher beschrieben werden. Durch die **Aneignung bestimmter Gruppeninteraktionsmuster** lernt der Klient:

- die Rollen, die als Gruppenmitglied beherrscht werden sollten, zu übernehmen;
- sich mit dem Treffen gemeinsamer Entscheidungen zu beschäftigen;
- effektiv zu kommunizieren;
- Gruppennormen zu erkennen und richtig darauf zu reagieren;
- an der Erarbeitung festgelegter Ziele teilzunehmen;
- beim Erarbeiten des Gruppenzusammenhalts mitzuwirken;
- an der Lösung gruppeninterner Konflikte mitzuarbeiten.

Indem sie den Klienten in einer kleinen Gruppe beobachten, können Ergotherapeuten beurteilen, wie gut er die Gruppeninteraktionsfertigkeit beherrscht, und gemeinsam mit dem Klienten die geeignete entwicklungsgerichtete Gruppe auswählen. Dabei kann das Befundungsinstrument **„Group-Interaction Skill Survey"** (Übersicht zur Gruppeninteraktionsfertigkeit) hilfreich sein **(Tabelle 6.1)**.

Die **Gruppeninteraktionsfertigkeit** wird in der Regel im Alter von 18 Monaten bis 18 Jahren entwickelt und wie folgt umschrieben **(Übersicht 6.1, Abb. 6.4)**:

- Lernen, sich mit Personen zu vertragen, die sich im selben Raum befinden (1,6–2 Jahre);
- Lernen, gemeinsam mit anderen etwas zu unternehmen und zu spielen (2–4 Jahre);
- Sich der Basisfertigkeiten im Umgang mit anderen bewusst werden (5–7 Jahre);
- Lernen, mit anderen an einem Produkt zusammenzuarbeiten, an das Qualitätsanforderungen gestellt werden (8–13 Jahre);
- Lernen, in einer Gruppe sowohl sozialemotionale als auch gegenstandsbezogene Aufgaben zu übernehmen (15–18 Jahre).

Für jede dieser Gruppeninteraktionsteilfertigkeiten hat Mosey insgesamt 5 spezielle wachstums- bzw. entwicklungsfördernde Umgebungen kreiert, die sie **„entwicklungsgerichtete Gruppen"** nennt. Diesem Konzept liegt die folgende Annahme zugrunde: Das Funktionieren und Dysfunktionieren eines Klienten kann bestimmt werden, indem der Therapeut den Klienten in einen Gruppenkontext einbindet und dabei beobachtet, wie angemessen der Klient die Betätigungen bzw. Teilfertigkeiten innerhalb der Gruppe ausführt,

Tabelle 6.1. Übersicht zur Gruppeninteraktionsfertigkeit („Group-Interaction Skill Survey“). (Nach: Mosey 1986)

Gruppentyp	Merkmale	Bemerkungen
Parallelgruppe	Beteiligt sich an einigen Aktivitäten, aber handelt – im Gegensatz zu einer Gruppenaktivität –, als sei es eine individuelle Aufgabe Nimmt andere in der Gruppe wahr Ansatzweise verbaler und nichtverbaler Austausch mit anderen Scheint sich in der Situation relativ wohl zu fühlen	
Projektgruppe	Beteiligt sich gelegentlich an der Gruppenaktivität, kommt hinzu und geht wieder weg, je nach seiner/ihrer Stimmung Sucht vereinzelt Unterstützung von anderen Leistet vereinzelt Hilfestellung bei direkter Nachfrage	
Egozentrisch-kooperative Gruppe	Nimmt das Gruppenziel bezüglich der Aufgabe wahr Nimmt die Normen der Gruppe wahr Handelt, als ob er/sie zur Gruppe gehört Ist bereit teilzunehmen Achtet bzw. wertschätzt die anderen Vermittelt anderen sein/ihr Bedürfnis nach Achtung Berücksichtigt die Rechte anderer Konkurriert nicht zu stark mit den anderen	
Kooperative Gruppe	Äußert eigene Wünsche, Vorstellungen und bekannte Bedürfnisse Nimmt an der Gruppenaktivität teil, scheint aber überwiegend mit seinen/ihren eigenen und den Bedürfnissen der anderen beschäftigt zu sein Geht neben dem Bedürfnis nach Achtung auch auf andere Bedürfnisse der Gruppenmitglieder ein Reagiert besonders auf Gruppenmitglieder, die ihm/ihr in gewisser Hinsicht ähneln	
Reife Gruppe	Reagiert auf alle Gruppenmitglieder Übernimmt eine Reihe instrumenteller Rollen Übernimmt eine Reihe gefühlsbetonter/ausdrucksstarker Rollen Ist fähig, an der Leitung teilzunehmen Fördert eine gute Balance zwischen der Erfüllung einer Aufgabe und den Bedürfnissen der anderen	

die zum Bereich der grundlegenden Gruppeninteraktionsteilfertigkeiten gehören.

Wichtig

Entwicklungsgerichtete Gruppen sollen dem Klienten dabei helfen, die Gruppeninteraktionsfertigkeit Schritt für Schritt zu erlernen. Jede entwicklungsgerichtete Gruppe ist so strukturiert, dass ein bestimmtes Niveau der Gruppeninteraktionsfertigkeit erlernt werden kann.

Die **5 Ebenen** (Niveaus) der entwicklungsgerichteten Gruppen sind voneinander abgegrenzt. Die Beschreibung folgt der festen hierarchischen Reihenfolge:
- Parallelgruppe („parallel group“),
- Projektgruppe („project group“),
- egozentrisch-kooperative Gruppe („egocentric group“),
- kooperative Gruppe („cooperative group“),
- reife Gruppe („mature group“).

Wichtig

Entwicklungsgerichtete Gruppen sind strukturierte Gruppen, die jeweils verschiedene Typen sozialer Gruppen simulieren (können), denen der Mensch im Laufe einer normalen Entwicklung begegnet.

Normalerweise werden die Klienten einer Gruppe zugeteilt, die hinsichtlich der Gruppeninteraktionsfertigkeit einen Schritt weiter ist als der Klient zum Zeitpunkt der Befundung/Beobachtung. Befindet sich der Klient auf dem Niveau der Parallelgruppe, so wird er der Projektgruppe zugeteilt. Die Gruppenmitglieder arbeiten gemeinsam an der **gruppenspezifischen Teilfertigkeit** (Niveau) der Gruppeninteraktionsfertigkeit. Ist dieses Niveau erreicht, kann die gesamte Gruppe zum nächsten Niveau übergehen. Die Voraussetzung hierfür ist, dass alle Gruppenmitglieder die Gruppeninteraktionsteilfertigkeit ungefähr zur gleichen Zeit erlernen. Ist dies nicht der Fall, dann werden nur die Klienten, die das jeweilige Gruppenniveau erreicht haben, der nächstfolgenden Gruppe zugeteilt.

Abhängig von der Größe der Einrichtung und der Anzahl der dort betreuten Klienten kann man entwicklungsgerichtete Gruppen auf verschiedenen Niveaus bilden und anbieten. In einer eher kleinen Einrichtung ist die Umsetzung aller 5 Gruppenniveaus nicht immer möglich. In diesem Fall kann eine **Gruppenkombination** („middle range group") gewählt und/oder es können in Abhängigkeit vom Niveau und von der Problematik der Klienten Akzente gesetzt werden.

Abhängig vom jeweiligen Niveau bietet der Ergotherapeut den Klienten eine **Lernsituation** an, die es ihnen ermöglicht, einen für sie geeigneten Lernweg zu einem gewünschten Verhalten zu wählen. Der Ergotherapeut bestätigt und festigt dieses Verhalten, gibt Feedback und bestimmt die Grenzen, die für die Klienten notwendig sind, damit sie an einer der entwicklungsgerichteten Gruppen teilnehmen können und nicht überfordert sind.

Der Ergotherapeut kann verschiedene **Techniken** einsetzten, um das Verhalten des Klienten zu bestätigen und zu festigen:

- Beim **„shaping"** (Formgeben) z. B. bekräftigt der Ergotherapeut das Verhalten des Patienten, das auf das Entwicklungsziel hinweist.
- Beim **„modelling"** (Modellgeben) ermutigt der Ergotherapeut den Klienten, sich ein anderes Gruppenmitglied als Vorbild zu wählen, das diejenigen Gruppeninteraktionsteilfertigkeiten bereits einsetzt, die er selbst noch erlernen will. Auch der Ergotherapeut kann als Modell dienen und dem Klienten Reaktionsweisen nahe legen, indem er ihm situationsabhängig mögliche Verhaltensweisen aufzeigt.
- Bei der Technik des **„trial and error"** (Versuch und Irrtum) lernt der Klient mit Hilfe von Feedback, ob das Verhalten, das er ausprobiert, geeignet ist.
- Eine weitere Möglichkeit besteht darin, während des Arbeitens in der Gruppe immer wieder Pausen zu machen, um zu **reflektieren**, welches Verhalten welche Effekte gehabt hat.
- Auch das **Rollenspiel** (v. a. auf den höheren Niveaus) ist ein geeignetes Mittel, um das Erwerben der richtigen Gruppeninteraktionsteilfertigkeiten zu üben.

Die **Bekräftigung** sowie das **Feedback** sind in allen Situationen sehr wichtig, sowohl vonseiten des Ergotherapeuten als auch durch die Gruppenmitglieder untereinander.

Wichtig

Entwicklungsgerichtete Gruppen sind in der Regel für jeden Klienten geeignet, der Probleme in den Bereichen der Gruppeninteraktion hat. Die Wahl des richtigen Gruppenniveaus hängt vom Niveau der Gruppeninteraktionsfertigkeit des Klienten ab.

Im Folgenden werden die 5 entwicklungsgerichteten Gruppen näher beschrieben **(Übersicht 6.2)**.

Übersicht 6.2:
Die 5 Niveaus der entwicklungsgerichteten Gruppen

Parallelgruppe

Eine Parallelgruppe (18 Monate bis 2 Jahre) ist eher eine Ansammlung von Individuen als eine echte Gruppe. Sie besteht aus einer Anzahl von Klienten, die in Anwesenheit der anderen individuell arbeiten und spielen. Dies führt lediglich zu einer **minimalen Gemeinschaftlichkeit und Interaktion** zwischen den einzelnen Gruppenmitgliedern während der Ausführung ihrer Aufgaben.

In dieser Gruppe lernt der Klient, in Anwesenheit anderer eine eigene Tätigkeit auszuführen.

Die zu erlernende Fertigkeit richtet sich auf das Ausführen einer Aufgabe in Anwesenheit der anderen Klienten und auf das Sich-Vertragen mit den im selben Raum anwesenden Klienten. Darüber hinaus lernt der Klient, sich der Anwesenheit der anderen Personen im Raum bewusst zu werden und mit den anderen Gruppenmitgliedern einige Worte und Gesten auszutauschen.

Ein **Dysfunktionieren** liegt vor, wenn die genannten Fertigkeiten nicht vorhanden sind. Dies kann sich u. a. dadurch äußern, dass sich der Klient in Anwesenheit der anderen Gruppenmitglieder unwohl und unsicher fühlt und nicht weiß, wie er mit den Anwesenden umgehen soll.

Die Teilfertigkeit dieses Niveaus kann erlernt werden, indem die Interaktion in einer Umgebung stattfindet, die Gelegenheit bietet, Aufgaben in Anwesenheit anderer Personen auszuführen, die sich auf demselben Entwicklungsniveau befinden. Der Ergotherapeut sorgt für die Bedürfnisbefriedigung und die Festigung des Verhaltens auf Parallelgruppenniveau. Die Tätigkeiten, die der Klient ausführt, sollten an sein momentanes Niveau angepasst sein.

Die **Rolle des Ergotherapeuten** umfasst dabei folgende Aufgaben:

- Der Ergotherapeut festigt ein aufgabengerichtetes Verhalten, d. h. das Handeln, das sich auf das Ausführen einer Aktivität oder einer Teilaktivität richtet.
- Er sorgt dafür, dass alle Gruppenmitglieder ausreichend mit Geräten und Materialien versorgt sind.
- Er begleitet den Klienten bei der Aufgabenausführung und gibt dabei, wenn nötig, etwas Hilfestellung.
- Er reagiert auf die sozial-emotionalen Bedürfnisse jedes Gruppenmitglieds, achtet auf die Sicherheitsaspekte und festigt Verhaltensweisen, die notwendig sind, um erfolgreich an den Gruppeninteraktionen auf Parallelgruppenniveau teilzunehmen.

Als **Aktivität** eignet sich die Herstellung eines eigenen (handwerklichen) Produkts, z. B. das Aussägen von Figuren für ein Puzzle oder das Erstellen eines Tontopfes oder eines Linoleumabdrucks für eine Karte.

Auf diesem Niveau zu funktionieren bedeutet, dass sich der Klient bewusst ist, in Anwesenheit anderer Personen arbeiten zu können. Dabei sind Ansätze verbaler und nonverbaler Interaktion erwünscht.

Projektgruppe

In einer Projektgruppe (2–4 Jahre) wird eine **kurz andauernde gemeinschaftliche Aufgabe** erfüllt, bei der nur wenig Interaktion notwendig ist. Die Interaktion richtet sich jedoch lediglich auf die Aufgabe. Die Klienten lernen, indem sie sich mit einer kurz andauernden gemeinschaftlichen Aufgabe beschäftigen (müssen).

▼

Dabei kann bzw. muss der Klient die anderen Gruppenmitgliedern um Hilfe bitten, selbst auf adäquate Weise Hilfe leisten und die Notwendigkeit erkennen, dass man einander gegenseitig helfen muss, wenn man selbst Hilfe bekommen möchte. In diesen Gruppen verfügen die Klienten über eigenes Material und eigene Geräte.

In dieser Gruppe lernt der Klient, in Absprache mit anderen einer eigenen Aufgabe nachzugehen.

Ein **Dysfunktionieren** liegt vor, wenn die genannten Fertigkeiten nicht vorhanden sind und beim Klienten die Neigung besteht, lieber allein zu arbeiten. Dazu kann kommen, dass der Klient Kontakte zu anderen Gruppenmitgliedern vermeidet und Angst davor hat, dass andere bei der Aufgabenausführung besser sein könnten.

Die Teilfertigkeit dieses Niveaus kann erlernt werden, indem die Interaktion in einer **Umgebung** stattfindet, die dem Klienten die Gelegenheit bietet, Aufgaben mit Hilfe von kurz andauernden gemeinschaftlichen Arbeiten zu erfüllen. Dabei sollten die Aufgaben sowohl für den einzelnen Klienten als auch für die Gruppe interessant sein. Darüber hinaus sollten die Aufgaben so gewählt sein, dass sie die Gruppenmitglieder zu gegenseitiger Hilfestellung anregen. Der Ergotherapeut sorgt für die Bedürfniserfüllung und die Bekräftigung des Verhaltens auf Projektniveau.

Die **Rolle des Ergotherapeuten** sieht folgende Aufgaben vor:

- Während des Lernprozesses lotet der Ergotherapeut die Bedürfnisse der verschiedenen Gruppenmitgliedern aus.
- Er versorgt die Gruppe mit Materialien oder hilft der Gruppe bei der Auswahl der richtigen Aufgaben.
- Er festigt das produktive Kooperationsverhalten.

Die Aufgaben sollten eine **Interaktion** zwischen 2 oder mehreren Personen erforderlich machen. Die Interventionssituation sollte so gestaltet sein, dass der Klient sich frei fühlt, „Trial-and-error"-Verhalten auszuprobieren, d. h. nach Versuch und Irrtum zu handeln. Aufgaben, die innerhalb einer bestimmten Zeit abgeschlossen sein müssen oder die hohe Anforderungen beinhalten, sind für dieses Gruppenniveau nicht geeignet.

Eine mögliche **Aktivität** könnte sein, eine Collage zu einem Thema anfertigen zu lassen, das die Gruppe interessiert. Außerdem könnte die Gruppe eine Collage aus individuell gefertigten Tonziegeln erstellen.

Auf diesem Niveau zu funktionieren bedeutet, für kurze Zeit gemeinsam an einer Aktivität arbeiten zu können, die aufgabengerichtetes Verhalten erfordert.

Egozentrisch-kooperative Gruppe

In einer egozentrisch-kooperativen Gruppe (5–7 Jahre) arbeiten die Klienten **gemeinsam an einer länger andauernden Aktivität.** Die Aktivität hat einen komplexen Charakter und kann über mehrere Treffen verteilt werden.

Die Zusammenarbeit der Gruppenmitglieder besteht aus dem gemeinsamen Analysieren der Aktivität, der Aufgabenverteilung, der Planung und der Ausführung. Der Beitrag jedes einzelnen Gruppenmitglieds zur gesamten Aktivität wird normalerweise durch die eigenen Bedürfnisse und Wünsche bestimmt.

In dieser Gruppe lernt der Klient, Basisfertigkeiten im Umgang mit anderen Personen bewusst wahrzunehmen.

Diese Teilfertigkeit besteht darin, dass der Klient Gruppennormen und -ziele erkennt und erlernt. Die erworbenen Kenntnisse können während des Handelns und Experimentierens mit verschiedenen Gruppenrollen eingesetzt werden. Der Klient lernt, sich selbst als einen

Teilnehmer einer Gruppe zu sehen, die Rechte der anderen Mitglieder zu respektieren, ihre Bedürfnisse zu respektieren und selbst Befriedigung in der Erfüllung sozial-emotionaler Bedürfnisse zu finden. Die Gruppenmitglieder kennen einander mehr oder weniger gut und schenken sich gegenseitig Beachtung. Sie benutzen die vorhandenen bzw. zur Verfügung gestellten Materialien und Geräte gemeinsam.
Ein **Dysfunktionieren** liegt vor, wenn die genannten Fertigkeiten nicht vorhanden sind und der Klient die Auseinandersetzung entweder ganz vermeidet oder zu stark sucht; wenn der Klient das Gefühl hat, zu keiner Gruppe zu gehören bzw. nicht akzeptiert zu werden.
Die Teilfertigkeit dieses Niveaus wird mit Hilfe von Interaktionen erlernt, die in einer **Umgebung** stattfinden, die dem Klienten die Gelegenheit bietet, zu wählen, zu planen und in Zusammenarbeit mit anderen Personen bzw. Klienten eine länger andauernde Aktivität auszuführen. Dabei sollte der Klient wetteiferndes Verhalten ebenso ausprobieren können wie die verschiedenen Gruppenrollen und letztendlich die Erfüllung seiner sozial-emotionalen Bedürfnisse erlangen.

Die **Rolle des Ergotherapeuten** beinhaltet dabei folgende Aufgaben:

- Der Ergotherapeut regt die Gruppenmitglieder dazu an, sich gegenseitig in ihrem angemessenen Verhalten zu bekräftigen und zu festigen.
- Er festigt konstruktives und aufgabengerichtetes Verhalten und stimuliert die Initiativen, die innerhalb der Gruppe aufkommen, sowie die Interaktionen bei der Zusammenarbeit.
- Der Einsatz des Ergotherapeuten sollte sich auf die genannten Aspekte beschränken; er fungiert in diesem Gruppentyp lediglich als Ansprechpartner.

Eine **Aktivität** könnte die gemeinsame Zubereitung einer Mahlzeit oder eine länger andauernde kreative Arbeit sein (einen Bauplan anfertigen, ein Modellobjekt – z. B. ein Baumhaus; Anmerk. d. Hrsg. – verwirklichen o. Ä.).
Auf diesem Niveau zu funktionieren heißt, sich selbst als vollwertiges Gruppenmitglied anzuerkennen.
Dabei ist es wichtig, dass die Gruppennorm und das Ziel der Gruppe als **Richtlinien** genutzt werden. Die Gruppenmitglieder müssen in der Lage sein, das aufgabengerichtete Verhalten der anderen zu erkennen und zu würdigen. Darüber hinaus sollten die Gruppenmitglieder in der Lage sein, Würdigungen für ihr eigenes aufgabengerichtetes Verhalten anzunehmen.

Kooperative Gruppe
Die kooperative Gruppe (9–12 Jahre) ist eine **homogene Gruppe.** Die Gruppenmitglieder haben etwa das gleiche Hintergrundwissen und mehr oder weniger übereinstimmende Interessen. Sie werden dazu ermutigt, bei der Ausführung einer Aktivität die eigenen sozial-emotionalen Bedürfnisse und die der anderen zu erkennen und zu befriedigen. Die Aktivität selbst ist zweitrangig; der **Prozess** steht im Mittelpunkt.
In dieser Gruppe lernen die Klienten, an einem Produkt zusammenzuarbeiten, an das bestimmte Anforderungen gestellt werden. Die Gruppenmitglieder bekräftigen einander auf dem sozial-emotionalen (wie man arbeitet) und dem aufgabengerichteten Niveau (was man macht).
Die Teilfertigkeit dieses Niveaus erlernt der Klient, indem er sowohl positive als auch negative Gefühle in einer Gruppe zeigen darf und kann, die Bedürfnisse der anderen Gruppenmitglieder (er-)kennen lernt und diese auch berücksichtigt sowie Spontaneität und gegenseitige Betroffenheit zulässt. Die Teilfertigkeit

dieses Niveaus wird mit Hilfe von Interaktionen erlernt, die in einer **Umgebung** stattfinden, in der sich Personen befinden, die in Bezug auf ihr Entwicklungsniveau ähnlich sind und zusammenpassen. Die Gruppenmitglieder sind in der Lage, an einer kooperativen Gruppe teilzunehmen. Wenn sie dies können und untereinander Anschluss hinsichtlich ihrer Normen und Werte finden bzw. gefunden haben, dann stärken sie sich gegenseitig und können ihre gegenseitigen Bedürfnisse auf angemessene Weise erfüllen. Die Aktivität und der Ort, an dem sie ausgeführt werden soll, sind von nachrangiger Bedeutung.

Die **Rolle des Ergotherapeuten** umfasst dabei folgende Aufgaben:
- Der Ergotherapeut sollte nicht direktiv auftreten und nicht direkt beim Erlernen der Fertigkeit mitwirken.
- Er hilft dem einzelnen Klienten, die Gruppenmitglieder auszusuchen, mit denen er die Teilfertigkeit erlernen kann.
- Er bietet dem Klienten Unterstützung im sozial-emotionalen Bereich an, damit dieser die im Gruppenkontext erworbenen Fertigkeiten auch in anderen Situation anwenden bzw. festigen kann (Transfer).

Der Ergotherapeut kann sich aus der Gruppenbegleitung immer mehr zurückziehen, wenn er merkt, dass die Gruppenmitglieder so weit fortgeschritten sind, dass sie sich in der Gruppe sicher und wohl fühlen, und wenn von einer **Gruppenkohärenz** gesprochen werden kann. Er übernimmt dann verstärkt die Rolle des Beraters.

Eine **Aktivität** könnte darin bestehen, eine kleine Zeitung oder ein zweckgebundenes Informationsblättchen herauszugeben oder einen neu einzurichtenden Raum auszustatten.

Auf diesem Niveau zu funktionieren, basiert auf dem Zustandekommen einer zusammenhaltenden Gruppe, in der man solidarisch ist und sich gegenseitig unterstützt.
Dabei handelt es sich um eine Gruppe, in der sowohl positive als auch negative Reaktionen geäußert werden können, ohne dass dies direkte negative Folgen für den weiteren Zusammenhalt hat. Die Gruppenmitglieder haben gelernt, mit positiven und negativen Reaktionen konstruktiv umzugehen.

Reife Gruppe

Die reife Gruppe (15–18 Jahre) ist eine **heterogene Gruppe,** in der sich Mitglieder mit unterschiedlichem Alter, Geschlecht und Hintergrundwissen befinden. Die Mitglieder sind mehr oder weniger flexibel in der Ausführung der verschiedenen Rollen innerhalb der Gruppe. Sie sollen eine **gemeinsame Balance** zwischen der gestellten Aufgabe und den sozial-emotionalen Rollen finden. Die gemeinsame Balance ist wichtig, um auf diesem Niveau als Gruppe gut funktionieren zu können.

In dieser Gruppe lernt der Klient, Aufgaben zu übernehmen, die sowohl aufgabengerichtet als auch sozial-emotional gerichtet sein können. Zwischen leitenden und ausführenden Rollen besteht kein deutlicher Unterschied. Die jeweils benötigten Funktionen werden von allen Gruppenmitgliedern übernommen.

Die Teilfertigkeit dieses Niveaus erfüllt der Klient, wenn er sich in einer heterogenen Gruppe wohlfühlt und die Fertigkeit besitzt, verschiedene Gruppenrollen zu übernehmen. Den **Lernrahmen** hierzu bieten die Interaktionen in einer heterogenen Gruppe, in der eine adäquate Balance zwischen aufgabengerichteten und sozial-emotionalen Rollen angestrebt wird. Die Gruppe bietet die Gelegenheit, verschiedene Gruppenrollen auszuprobieren, praktisch zu üben und zu festigen. Menschen in dieser Gruppe regen einander zum Erreichen des Gruppenziels an. Sie sind bereit, ihr Funktionieren zur Diskussion zu stellen. Die Bedeutung der gemeinschaftlichen Aufgabe und die sozial-emotionalen Bedürfnisse werden nicht unterschiedlich gewichtet. Es wirkt anregend, wenn man sich sowohl emotional als auch auf Ebene der Aufgaben gegenseitig bekräftigt.

Die **Rolle des Ergotherapeuten** sieht dabei folgende Aufgaben vor:

- Der Ergotherapeut fungiert quasi als zusätzliches Gruppenmitglied. Er übernimmt gelegentlich unterschiedliche Gruppenrollen, fungiert so für die hiermit verbundenen Funktionen als Vorbild und stimuliert die Gruppenmitglieder zur Teilnahme.
- Er sichert geeignete Aktivitäten ab, d. h. er gibt die notwendige Unterstützung bzw. den notwendigen Rückhalt, sodass die Gruppenmitglieder optimal lernen können.

Die Gruppe evaluiert und korrigiert regelmäßig ihre Ziele oder fügt neue hinzu. Manchmal fungieren einzelne Gruppenmitglieder auch als Beobachter. Auf diese Weise lernen sie, eine Gruppensituation auch aus einer anderen, „außenstehenden" Position einzuschätzen. Dies hilft ihnen dabei, in ähnlichen Fällen variabler und ggf. angemessener auf ihre Gruppenmitglieder zu reagieren.
Als **Aktivitäten** kommen z. B. das Organisieren eines Festes, die Gestaltung eines Raumes, die Herstellung von Möbeln etc. infrage.
Auf diesem Niveau zu funktionieren bedeutet, in einer Gruppe verschiedene Aufgaben übernehmen und Rollen einnehmen zu können, wodurch ein Gleichgewicht zwischen Aufgabe und sozial-emotionalem Bereich hergestellt wird und aufrechterhalten bleibt.

Anforderungssteigerung über entwicklungsgerichtete Gruppen

Von der ersten bis zur fünften entwicklungsgerichteten Gruppe steigern sich die Anforderungen, die an die Teilnehmer gestellt werden. Über die verschiedenen Gruppen hinweg ist dabei in Bezug auf die Interaktion, die Aktivitäten und die Rolle des Ergotherapeuten jeweils eine **Entwicklung** zu verzeichnen.

Die **Interaktion** ist in der ersten Gruppe (Parallelgruppe) v. a. aufgabengerichtet, in den weiterführenden Gruppen werden auch sozial-emotionale Interaktionen angesprochen, angeregt und als Schwerpunkte herausgearbeitet. In der fünften Gruppe (reife Gruppe) soll dann ein Gleichgewicht zwischen aufgabengerichteten und sozial-emotionalen Interaktionen entstehen. In dieser letzten Gruppe sind die Gruppeninteraktionen am deutlichsten ausgeprägt.

Die **Aktivität** wird im Verlauf der 5 Gruppen immer komplexer und gruppengerichteter und kann im zeitlichen Aufwand unterschiedlich sein. Die Aktivität kann sowohl Ziel als auch Mittel der Gruppeninteraktion sein.

Die **Rolle des Ergotherapeuten** verändert sich über die Gruppen hinweg. Ein zu Beginn eher direktives und stimulierendes Vorgehen wandelt sich zu einer eher nondirektiven, begleitenden Haltung.

6.5 Anwendung der Bezugsrahmen im Behandlungsprozess

Im Folgenden geht es um die Anwendung ergotherapeutischer Bezugsrahmen in der **Praxis**. Wo es zur Veranschaulichung notwendig ist, wird nochmals exemplarisch auf den entwicklungsorientierten Bezugsrahmen zurückgegriffen.

Behandlungsprozess

Eine Behandlung setzt sich aus **Befunderhebung und Intervention (Abb. 6.3)** zusammen. A.C. Mosey (1986) gibt hierfür eine bestimmte Reihenfolge an. Danach beginnt die Behandlung mit der

Befunderhebung und beschäftigt sich danach mit der Zielbestimmung und der Prioritätensetzung. Anschließend wird ein Behandlungsplan aufgestellt; dann wird die eigentliche Intervention durchgeführt. Ihr folgt die wiederholte Befunderhebung, und ggf. wird daran anschließend der ergotherapeutische Behandlungsprozess beendet.

Befunderhebung

Wie der Hilfesuchende und der Ergotherapeut die ersten Begegnungen und die Phase der Befunderhebung gestalten, ist von großer Bedeutung für den Gesamtverlauf der Behandlung und hat wesentliche Auswirkungen auf den Aufbau der ergotherapeutischen Beziehung. Um einen ersten Eindruck vom und validierbare Informationen über das Funktionsverhalten des Klienten innerhalb der 6 Fertigkeitsbereiche („adaptive skills“; **Übersicht 6.1**) zu erhalten, kann der Ergotherapeut folgende Vorgehensweisen einsetzen:

- Interviews,
- Fragebögen,
- Beobachtung des aufgabengerichteten Verhaltens,
- Beobachtung der Kontaktaufnahme und des Beziehungsaufbaus zu anderen Personen.

Diese Möglichkeiten unterscheiden sich jeweils in Bezug auf die Beziehungsstrukturierung zwischen Therapeut und Klient, die Direktheit bzw. Indirektheit der Datenerhebung sowie hinsichtlich des möglichen Inhalts und der Aufbereitungsqualität des Datenmaterials. Bereits bei der **Auswahl des Befunderhebungsverfahrens** gelangt ein spezifischer Bezugsrahmen zur Anwendung.

Zielbestimmung

Wird der **entwicklungsorientierte Bezugsrahmen** eingesetzt, wird evaluiert, ob der Klient aufgabengerichtete Basisfertigkeiten und die unteren Niveaus der gruppeninteraktionellen Fertigkeitsbereiche **(Tabelle 6.1)** beherrscht.

Zu den **aufgabengerichteten Basisfertigkeiten** gehören laut Mosey (1986) beispielsweise:

- Arbeitstempo,
- zielgerichteter Einsatz von Geräten und Materialien,
- Engagement,
- Konzentration,
- Verstehen mündlicher und schriftlicher Instruktionen und deren Ausführung,
- Genauigkeit,
- Aufmerksamkeit für Details,
- Problemlösungsvermögen,
- logisch aufgebautes Arbeiten.

Wenn der Klient diese aufgabengerichteten Basisfertigkeiten nicht beherrscht, werden sie zu ersten Zielen der Behandlung erhoben – denn ohne diese Fertigkeiten ist der Klient normalerweise nicht in der Lage, an den Gruppen teilzunehmen, in denen es darum geht, verschiedene Niveaus der **Gruppeninteraktionsfertigkeit** zu erreichen (entwicklungsgerichtete Gruppen). Hier sei nochmals darauf hingewiesen, dass die einzelnen anpassenden Fertigkeiten miteinander verschränkt sind. So setzen sich die aufgabengerichteten Basisfertigkeiten z. B. aus senorisch-integrativen und kognitiven anpassenden Fertigkeiten zusammen.

Die ersten Ziele **(Nahziele)** müssen für den Klienten erreichbar sein und sind zunächst in ihrer Anzahl eingeschränkt. Ergotherapeut und Klient legen die Ziele und auch die Prioritäten gemeinsam fest. Das Erreichen des höchsten Niveaus eines Fertigkeitsbereichs geschieht im Prinzip nach einer festen Reihenfolge, der auch der Behandlungsplan folgt. So bildet bei den anpassenden Fertigkeiten jedes Niveau die Basis für das nächsthöhere Niveau.

Hinweis
Wer als Therapeut auf diese Art arbeiten möchte, sollte die **Entwicklung des Menschen** von der Empfängnis bis ins hohe ► Alter – sowohl in den psychischen und sozialen als auch in den motorischen Bereichen – sehr gut kennen. Das gesamte Behandlungsteam, dessen Mitglied der Ergotherapeut ist, sollte „Mosey-minded" sein, wenn nach der Methode von Mosey gearbeitet wird. Die Teammitglieder sollten die Aufgaben klar verteilen und genau abgrenzen. Auf diese Weise lässt sich deutlicher bestimmen, welche Disziplin welche Fertigkeitsbereiche betont bzw. schwerpunktmäßig behandelt.
Abschließend sei Folgendes gesagt: Moseys Konzeption liefert eine **Strukturvorgabe** für die Behandlung, die dem Ergotherapeuten einen Halt gibt. Hierdurch entsteht allerdings die Gefahr, dass der Ergotherapeut die Probleme des Klienten zu schnell und zu stark bestimmten Feldern bzw. Bereichen zuordnet, die durch den jeweiligen Bezugsrahmen ins Blickfeld rücken. Daher ist es gerechtfertigt, an dieser Stelle davor zu warnen, dass der hierarchische Aufbau innerhalb der Fertigkeitsbereiche zu starr angewandt wird – das „Eigene" des Klienten muss eine Chance bekommen, am gesamten Prozess mitzuwirken.
Der Ergotherapeut sollte sich stets bewusst sein, dass die angegebenen Altersgrenzen lediglich eine Art Richtwert/Orientierungswert darstellen.

6.6 Neuere Entwicklungen zu Moseys Werk

An dieser Stelle kann zunächst auf weitere deutschsprachige Publikationen bzw. Übersetzungen hingewiesen werden, die Moseys Gedankengut in den vergangenen Jahren zugänglich gemacht haben (Wisenöcker 1996; Götsch 1999; Hagedorn 2000). Sie befassen sich mit **Moseys Modell der Profession** oder geben eine kurze Einführung in das **Konzept der anpassenden Fertigkeiten**. Dennoch kann für Deutschland bisher kaum von einer (detaillierten) diskursiven Erörterung der entsprechenden theoretischen Grundlagen gesprochen werden.

Ebensowenig scheint sich die reflektierte **Anwendung des entwicklungsorientierten Bezugsrahmens** im Behandlungsprozess derzeit abzuzeichnen, so wie er in diesem Beitrag – vor 5 Jahren der deutschsprachigen Berufsgruppe erstmals – genauer vorgestellt wurde. Zumindest fehlen dokumentierte Erfahrungsberichte, und die Zahl der zu diesem Themenbereich angebotenen Fortbildungen bleibt übersichtlich.

Gleichwohl findet in den letzten Jahren in den USA eine erneute intensivere Auseinandersetzung mit Moseys Werk statt. Im Rahmen verschiedener Forschungsprojekte stehen dabei v. a. das theoretische **Konzept der Gruppeninteraktionsfertigkeit** und die zugehörigen Niveaus (Ebenen der entwicklungsgerichteten Gruppen) im Mittelpunkt der Revision und Analyse (z. B. Salo-Chydenius 1996; zur Gruppenarbeit allgemein Howe u. Schwartzberg 2000).

Besonders erwähnenswert sind hier v. a. die Arbeiten von Mary Donohue, die die entsprechenden Publikationen von Mosey im Rückblick analysiert hat. Von ihr stammen konkrete Vorschläge, wie das theoretische Konzept der Gruppeninteraktionsfertigkeit und die Gruppenniveaus weitergehend erforscht werden können (Donohue 1999). In Anlehnung an ihre auf Inhalt, Aufbau und Validität der Gruppeninteraktionsteilfertigkeiten (Gruppenniveaus) ausgerichteten Analyse entwickelt sie **3 Annahmen**:

- Die meiste Menschen funktionieren im Laufe ihre Entwicklung gleichzeitig auf verschiedenen Niveaus. Beispiel: Jemand arbeitet tagsüber mit seinen Kollegen auf dem hohen Interaktionsniveau der reifen Gruppe und spielt abends mit seinen Kindern auf Projektgruppenniveau.

- Es gibt eine Beziehung zwischen der Art der Aktivität und dem Funktionsniveau.
- Erwachsene funktionieren auf einem niedrigen Gruppeninteraktionsniveau, wenn die Aktivität es erfordert, d. h. sie richten sich auf ein niedrigeres Funktionsniveau ein.

Alle diese Annahmen benötigen zu ihrer Validierung weitergehende Erforschung. Diese kommt einer **empirischen Evaluation** von Moseys Überlegungen zur Gruppeninteraktionsfertigkeit entgegen und erlaubt in einem anschließenden Untersuchungsschritt die Optimierung diesbezüglicher Interventionsprozesse.

Donohue hat als Grundlage solcher Forschungsvorhaben mittlerweile mit Hilfe einer Likert-Skala ein **Schema zur Beobachtung der Gruppeninteraktionsfertigkeit** entwickelt („Group Level of Function Profile", GLFP), das sie auf dem WFOT-Kongress 2002 in Stockholm präsentierte. Aktuelle Informationen zum Forschungsstand finden sich auf der Website der „New York University School of Education", „Department of OT" (http://www.nyu.edu/education/ot).

Zusammenfassung

Dieser Beitrag lieferte einen Überblick zum Werk von A.C. Mosey, speziell zu ihren Ideen zum Aufbau der Profession der Ergotherapie und zur praktischen Anwendung ihrer Konzeption der Bezugsrahmen. Moseys Sichtweise der Beziehung zwischen den **Bestandteilen der Profession** – philosophische und ethische Annahmen, ► Wissens- und Gegenstandsbereich, Praxis, Prinzipien und Medien – wurde gekennzeichnet und beschrieben. Das Konzept der ► **Bezugsrahmen** nach Mosey wurde eingeführt und deren Zweck bzw. Funktion umrissen.

Wegen seiner verbreiteten Verwendung in der Praxis wurde der entwicklungsorientierte Bezugsrahmen einschließlich der zugehörigen ► **anpassenden Fertigkeiten** besonders ausführlich besprochen. Die anpassenden Fertigkeiten bilden die grundlegenden Bestandteile der Fähigkeit zur Ausführung von Betätigungen und Aufgaben im sozialen Kontext und zur Übernahme sozialer Rollen. Im Rahmen einer anpassenden Fertigkeit – der Gruppeninteraktionsfertigkeit – werden von Mosey **5 entwicklungsgerichtete Gruppen** beschrieben, die für die Förderung von Klienten mit Schwierigkeiten im Bereich der Gruppeninteraktion als angemessen gelten.

Der für einen Klienten angemessene Typ einer entwicklungsgerichteten Gruppe ist abhängig vom Niveau seiner **Gruppeninteraktionsfertigkeit.** In diesem Kapitel wurden alle 5 Typen entwicklungsgerichteter Gruppen – einschließlich der jeweiligen Konstruktion, der ► Umweltaspekte, der Rolle des Ergotherapeuten und der passenden Aktivitäten – beschrieben.

Mosey gibt genaue **Richtlinien** vor, wie eine Behandlung aufzubauen ist. Durch den offensichtlich entwicklungsbedingten Aufbau der verschiedenen Fertigkeitsbereiche und durch ihren Zusammenhang untereinander kann der Ergotherapeut dem Klienten verdeutlichen, auf welchem Niveau günstigstenfalls mit der Behandlung begonnen werden kann. Moseys Methode bietet dem Ergotherapeuten **Orientierung** für eine gezielte Beobachtung und einen methodischen (zielgerichteten, bewussten, prozessartigen, systematischen) Aufbau der Behandlung. Den Abschluss bilden Überlegungen zur **neueren Entwicklung und Forschung** zu Moseys Werk im In- und Ausland.

Glossar

Die Umschreibungen der Begriffe entsprechen jeweils den Definitionen nach Mosey.

▶ **Alter („age"):** Das Alter oder die Phase im Lebenszyklus, das/die als chronologisches Alter oder Entwicklungsalter betrachtet werden kann.

▶ **Anpassende Fertigkeiten („adaptive skills"):** Grundlegend erlernte Verhaltensmuster in Bezug auf Entwicklungsaspekte, die für die erfolgreiche Teilnahme und Ausführung verschiedener Betätigungen und Aufgaben entscheidend sind.

▶ **Ausführung von Betätigungen, Aufgaben im sozialen Kontext und Übernahme sozialer Rollen; auch „Betätigungsperformanz" („occupational performance"):** Große organisierte Verhaltensmuster, durch die das Individuum an den Erfordernissen der Umwelt teilnimmt und ihnen gerecht wird.

▶ **Bezugsrahmen („frame of reference"):** Eine Verzahnung zwischen Theorie und Praxis; beschreibt einen bestimmten Ausschnitt des professionellen Gegenstandsbereichs und enthält eine Skizzierung von Verhaltensweisen, die anzeigt, ob sich ein Klient in diesem spezifischen Bereich in einem Zustand von Funktion oder Dysfunktion befindet.

▶ **Komponenten der Performanz („performance components"):** Die psychosozialen Aspekte der Ergotherapie – sensorische Integration, kognitive Funktionen, psychologische Funktionen und soziale Interaktion; die Bausteine, aus denen die Betätigungsperformanz zusammengesetzt ist. Die Komponenten sind auf vielfältige Art integriert, ausgearbeitet und verfeinert, um dem Individuum die Einbindung in verschiedene Betätigungen zu ermöglichen.

▶ **Prinzipien und Medien („legitimate tools"):** Die zulässigen Mittel der Angehörigen einer Profession, mit denen sie ihrem gesellschaftlichen Auftrag nachkommen.

▶ **Umwelt („environment"):** Bezieht sich auf die Summe von Umgebungselementen, Bedingungen oder Einflüssen, die auf die individuelle Existenz oder Entwicklung wirken.

▶ **Wissensbereich („body of knowledge"):** Ein geordnetes Set ausgewählter theoretischer Systeme, die als wissenschaftliche Basis und theoretische Fundierung der Praxis dienen.

Literatur

Donohue MV (1999) Theoretical base of Mosey's group interaction skills. OT International 6/1: 35–51

Donohue MV (2002) Interrater reliability of clinicians and students with the Group level of Function Profile [unveröffentlichtes Vortragsmanuskript vom WFOT Kongress Stockholm; für mehr Information: http://home.att.net/~marydonohue/wsb]

Götsch K (1999) Bedeutung der Sozialwissenschaften für die Ergotherapie. In: Scheepers C et al.(Hrsg) Ergotherapie vom Behandeln zum Handeln. Lehrbuch für die theoretische und praktische Ausbildung. Thieme, Stuttgart, S. 50–65

Hagedorn R (2000) Ergotherapie – Theorien und Modelle: Die Praxis begründen. Thieme, Stuttgart, S. 118–121

Howe M, Schwartzberg SL (2000) A functional approach to group work in occupational therapy, 2nd edn. Lippincott Williams and Wilkins, Philadelphia

Miller RJ, Walker KF (1988) Six perspectives on theory for the practice of OT. Aspen, Rockville/MD

Mosey AC (1968) Recapitulation of ontogenesis: a theory for the practice of occupational therapy. American Journal of Occupational Therapy 22: 426–432

Mosey AC (1969) Treatment of pathological distortion of body image. American Journal of Occupational Therapy 23: 413–416

Mosey AC (1970) Three frames of reference for mental health. Slack, Thorofare/NJ

Mosey AC (1973) Activities therapy. Raven, New York

Mosey AC (1974) An alternative: the biopsychosocial model. American Journal of Occupational Therapy 28: 137–140

Mosey AC (1980) A model for occupational therapy. Occupational Therapy in Mental Health 1: 11–32

Mosey AC (1981) Occupational therapy: configuration of a profession. Raven, New York

Mosey AC (1986) Psychosocial components of OT. Raven, New York

Mosey AC (1996) Applied scientific inquiry in the health professions. The American Occupational Therapy Association, Bethesda/MD

Salo-Chydenius S (1996) Changing helplessness to coping: an exploratory study of social skills training with individuals with long-term mental illness. OT International 3/3: 174–189

Wisenöcker E (1996) "Configuration of a Profession": Ein Berufsmodell für die Ergotherapie, Teil 1 und 2. Österreichische Zeitschrift Ergotherapie 3, 4

Das kanadische Modell der „occupational performance" und das „Canadian Occupational Performance Measure"

Mary Law, Helene Polatajko, Anne Carswell, Mary Ann McColl, Nancy Pollock, Sue Baptiste

7.1 Einführung – 138

7.2 Das kanadische Modell der „occupational performance" – 138

7.3 Klientenzentrierte Praxis – 142

7.4 Das „Canadian Occupational Performance Measure" (COPM) – 143

Entwicklung – 144

Beschreibung – 144

Klinische Anwendbarkeit – 148

Reliabilität – 149

Validität – 149

Glossar – 151

Literatur – 152

7.1 Einführung

Unabhängig davon, wo sie arbeiten, finden es Ergotherapeuten zunehmend wichtig, das **Ergebnis der Behandlung** am Ende der Therapie zu messen. Der Anlass für dieses Bedürfnis sind das Engagement von Ergotherapeuten für eine hohe Behandlungsqualität, der Wunsch nach Klientenzufriedenheit und die zunehmende Forderung nach Kosteneffektivität im Gesundheitswesen.

Eine ergotherapeutische Behandlung verbessert die Lebensqualität von Personen, die Schwierigkeiten bei der Performanz ihrer Betätigungen haben. Mit dem immer größeren Wert, den Ergotherapeuten auf das Ergebnis der ▶ „occupational performance" (Betätigungsperformanz) legen, ist es wichtig, dass ihnen eine zuverlässige und gültige **Methode** zur Verfügung steht, um dieses Ergebnis zu messen. In diesem Kapitel wird eine solche Methode, das „Canadian Occupational Performance Measure" (COPM; Law et al. 1991, 1994a, b), vorgestellt.

7.2 Das kanadische Modell der „occupational performance"

Das ▶ „Canadian Occupational Performance Measure" (COPM) beruht auf einem spezifischen theoretischen **„Occupational-performance"-Modell,** nämlich dem kanadischen Modell der „occupational performance" (Department of National Health and Welfare, Canadian Association of Occupational Therapists 1983; Canadian Association of Occupational Therapists 1997).

> **Wichtig**
>
> Das kanadische Modell der "occupational performance" beschreibt den Zusammenhang zwischen Personen, den Betätigungen, die sie täglich ausführen, und der Um-welt, in der sie leben, arbeiten und spielen (Canadian Association of Occupational Therapists 1997).

Nach diesem Modell **(Abb. 7.1)** wird ▶ **„occupational performance"** definiert als „die Fähigkeit, sinnvolle kulturell bedingte und altersentsprechende Betätigungen auszuwählen, zu organisieren und zufriedenstellend auszuführen, um sich selbst zu versorgen, Freude am Leben zu haben und zum sozialen und ökonomischen Gefüge einer Gemeinschaft beizutragen" (Canadian Association of Occupational Therapists 1997, S. 30).

Der Sinn des kanadischen Modells der „occupational performance" besteht darin, Ergotherapeuten beim Überdenken der Betätigungen, die Menschen in ihrem täglichen Leben ausführen, anzuleiten. **Betätigung** (▶ „occupation") wird definiert als „Gruppen von Aktivitäten und Aufgaben im täglichen Leben, die von den Individuen und ihrer Kultur bestimmt und strukturiert sowie mit Wert und Bedeutung belegt werden. „Occupation" ist alles, was Menschen tun, um sich zu betätigen; dazu gehören die Selbstversorgung, die Freude am Leben (Freizeit) und das Beitragen zum sozialen und ökonomischen Gefüge der Gemeinschaften, in denen sie leben (Produktivität)" (Canadian Association of Occupational Therapists 1997, S. 34).

Da diese Definition alles umfasst, was Menschen tun, wird klar, dass Betätigung mehr als nur Arbeit bedeutet. Im kanadischen Modell der „occupational performance" wird Betätigung als Grundbedürfnis aller angesehen; sie bringt Bedeutung und Sinn in das Leben eines Menschen und trägt zu Gesundheit und Wohlbefinden bei.

> **Wichtig**
>
> Eine zentrale Idee im kanadischen Modell der „occupational performance" ist die Spiritualität des Einzelnen, die er bei Betätigung erfährt (Canadian Association of Occupational Therapists 1997).

„Spiritualität" bezieht sich auf das ganz persönliche Innere, die Anteile einer Person, die sie motivieren, sich den Aufgaben und Tätigkeiten

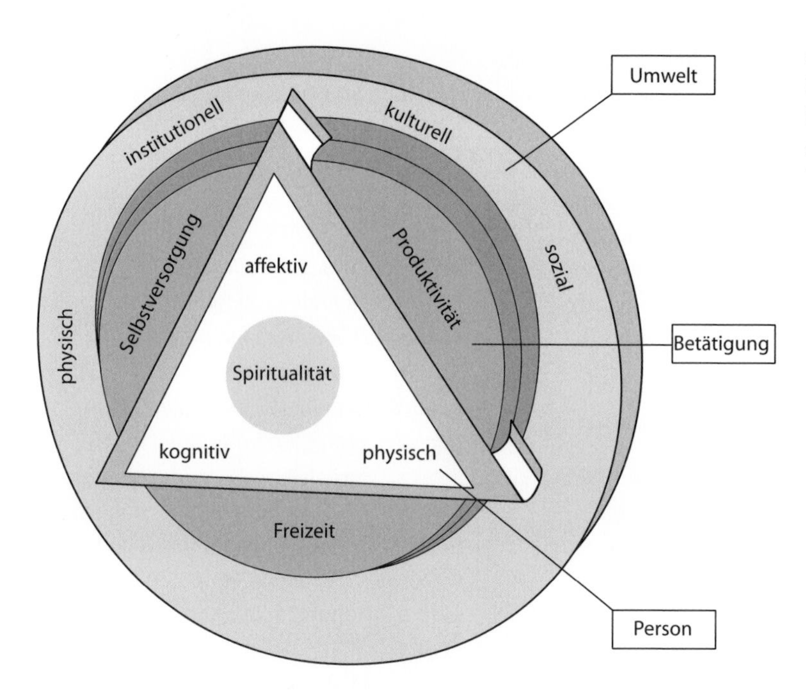

Abb. 7.1. Das kanadische Modell der „occupational performance". (Nach: Canadian Association of Occupational Therapists 1997)

im täglichen Leben zu stellen. Bei Betätigung kommen charakteristische Züge einer Person zum Ausdruck, die affektive, kognitive und physische **Komponenten** enthalten. Für Ergotherapeuten ist es wichtig zu verstehen, welche Charakteristika einer Person bei den alltäglichen Betätigungen hilfreich sind und welche sie behindern:

- **Affektive Komponenten** schließen alle sozialen und emotionalen Anteile ein, die bei Betätigung vorkommen.
- Zu **kognitiven Komponenten** gehören geistige Faktoren, wie Kognition, Intellekt, Konzentration, Gedächtnis und Beurteilung.
- Zu den **physischen Komponenten** gehören die sensorischen und motorischen Anteile, die bei Betätigung zum Tragen kommen.

Wichtig

Ein weiterer wichtiger Faktor innerhalb des kanadischen Modells der „occupational performance" ist die Umwelt.

Das Modell geht davon aus, dass die **Umwelt** in **4 verschiedene Arten** unterteilt werden kann: die kulturelle, die institutionelle, die physische und die soziale Umwelt (Canadian Association of Occupational Therapists 1997):

- Zur **kulturellen Umwelt** gehören Traditionen und Werte von Personengruppen innerhalb einer Gesellschaft, darunter auch ethnische Praktiken, Feier- und Routinegewohnheiten.
- Die **institutionelle Umwelt** bezieht sich auf gesellschaftliche Praktiken und Institutionen, darunter ökonomische, rechtliche und politische Institutionen, wie Regierungen und Behörden.
- Die **physische Umwelt** besteht sowohl aus natürlichen als auch aus geschaffenen Gebilden, in denen sich menschliche Betätigung abspielt.
- Zur **sozialen Umwelt** gehören soziale Beziehungen, Organisationsstrukturen innerhalb der Gemeinde sowie soziale Einstellungen und Überzeugungen.

Als Ergotherapeuten sind wir uns des bedeutsamen Einflusses bewusst, den die Umwelt auf die Fähigkeit von Personen mit Behinderungen hat, den täglichen Betätigungen nachzugehen. Die Umwelt kann Performanz erleichtern, wenn sie adaptiert ist (z. B. durch Rampen und leicht zugängliche Transportmittel). Andererseits kann die Umwelt die Performanz von Personen mit **Fähigkeitsstörungen** beeinträchtigen (z. B. wenn zu wenig Geld für physische Adaptationen vorhanden ist oder wenn die Einstellung der Gesellschaft die Integration eines Individuums verhindert).

Wichtig

Das kanadische Modell der „occupational performance" verdeutlicht die allgegenwärtigen, einander bedingenden Beziehungen zwischen Personen, ihren Betätigungen und ihrer Umwelt.

Eine Person beteiligt sich im Laufe des Lebens an vielen Betätigungen, solchen der Selbstversorgung, der Produktivität und der Freizeit. **Übersicht 7.1** zeigt Beispiele für diese Bereiche der „occupational performance". Die Komponenten einer Person, die zur „occupational performance" beitragen, sind als affektive, kognitive und physische Faktoren definiert. Das kanadische Modell der „occupational performance" hebt die ► **Spiritualität** als das Wesentliche einer Person hervor, ebenso die **Charakteristika** einer Person, die ihr Zielbewusstsein und Einmaligkeit verleihen. Alle Betätigungen werden innerhalb der Umwelt ausgeführt, die als physisch, kulturell, sozial und institutionell definiert ist.

Übersicht 7.1:
Beispiele für Betätigungen in Performance-Bereichen

Selbstversorgung
- **Sorgen für die eigene Person:** Anziehen, Bad, Mahlzeiten
- **Mobilität:** Treppen, Bett, Auto
- **Regelung persönlicher Angelegenheiten:** Transport, Finanzen, Dienstleistungen

Produktivität
- **Bezahlte/unbezahlte Arbeit:** Arbeitsstelle finden bzw. erhalten
- **Haushaltsführung:** saubermachen, Wäsche waschen, kochen
- **Spiel/Schule:** Spiele spielen, zur Schule gehen, Hausaufgaben machen

Freizeit
- **ruhige Erholung:** Hobbys, Kunsthandwerk, Lesen, Kartenspielen
- **aktive Erholung:** Sport, Ausflüge, Reisen
- **soziale Aktivitäten:** Besuche, Telefongespräche, Partys, Korrespondenz

Im kanadischen Modell der „occupational performance" ergeben sich Art und Qualität, wie eine Betätigung ausgeführt wird, aus der **Interaktion** zwischen Personen, ihren Betätigungen und der Umwelt. „Occupational performance" wird als persönliche Erfahrung betrachtet, sodass die am besten geeignete Methode zu ihrer Erfassung die Aussage der betroffenen Person selbst ist.

Die Ziele des kanadischen Modell der „occupational performance" werden mit Hilfe des **„Occupational-performance"-Prozesses** in die Praxis umgesetzt (Fearing et al. 1997). Der „Occupational-performance"-Prozess ist in Abb. 7.2 dargestellt.

Der Einsatz des „Occupational-performance"-Prozesses hilft den Ergotherapeuten, in Zusammenarbeit mit den Klienten Probleme bezüglich der Ausführung von Betätigungen zu benennen, zu validieren und Prioritäten zu setzen sowie die Ursachen für Probleme herauszufinden, Ziele, Behandlungspläne und -strategien zu entwickeln und das Ergebnis

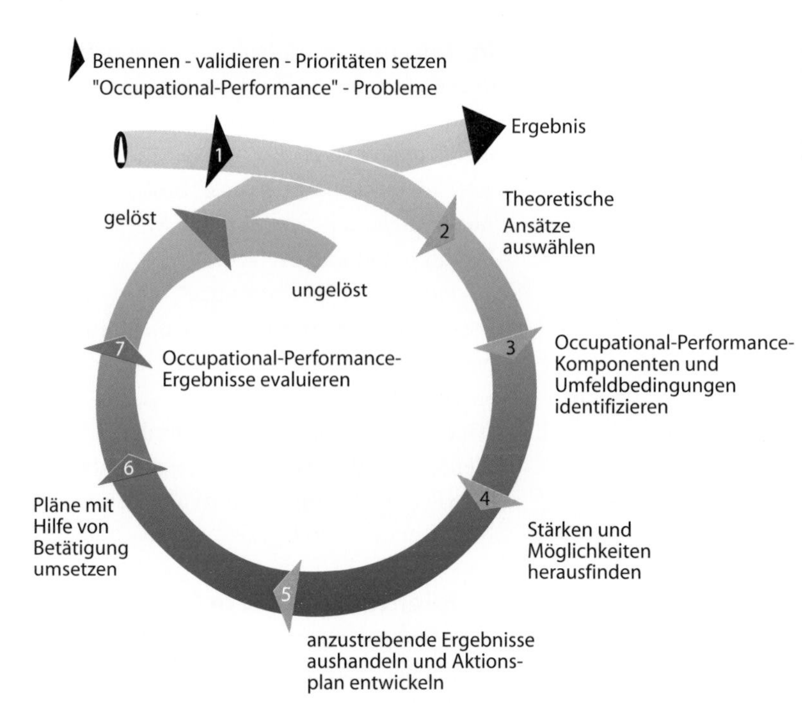

Abb. 7.2. Das „Occupational performance“-Prozess-Modell (OPPM). (Nach: Canadian Association of Occupational Therapists 1997)

auszuwerten. Die **7 Schritte des „Occupational-performance“-Prozesses** sind in **Übersicht 7.2** zusammengefasst.

Übersicht 7.2:
Die 7 Schritte des "Occupational-performance"-Prozesses (Canadian Association of Occupational Therapists 1997)

- **Schritt 1:** „Occupational performance“ benennen, validieren und Prioritäten setzen. Zusammen mit dem Klienten werden Probleme bezüglich der „occupational performance“ benannt und validiert, und es werden Prioritäten vereinbart. Wenn keine Probleme identifiziert werden, ist der Behandlungsprozess beendet.
- **Schritt 2:** Theoretischen Ansatz auswählen. Nach der Benennung, Validierung und Rangfestsetzung wählt der Therapeut, entsprechend den Informationen des Klienten, einen oder mehrere theoretische Ansätze aus, die die weiteren Stadien des Prozesses begleiten.
- **Schritt 3:** „Occupational-performance“-Komponenten und Umweltbedingungen herausfinden. Ergotherapeut und Klient finden gemeinsam diejenigen „Occupational-performance“-Komponenten und Umweltbedingungen heraus, die zu den „Occupational-performance“-Problemen führen.
- **Schritt 4:** Stärken und Möglichkeiten herausfinden. Stärken und Möglichkeiten, die Klient und Ergotherapeut in den „Occupational-performance“-Prozess einbringen, werden identifiziert.
- **Schritt 5:** Anzustrebende Ergebnisse aushandeln, Aktionsplan entwickeln. Klient und Therapeut handeln gemeinsam aus, was das Ergebnis für den Klienten bei der Ergotherapie sein soll, und entwickeln Aktionspläne. Die Pläne geben

an, was Klient und Ergotherapeut tun werden, um die Einschränkungen in der „occupational performance" zu beheben oder wenigstens zu mindern, um zum angestrebten Ergebnis zu kommen.
- **Schritt 6:** Pläne mit Hilfe von Betätigung umsetzen. Die Pläne werden in die Tat umgesetzt, überprüft und laufend modifiziert. Die Umsetzung geschieht durch Aktivitäten, die geeignet sind, die Einschränkungen in den „Occupational-performance"-Komponenten oder in den Umweltbedingungen zu beseitigen oder zu reduzieren.
- **Schritt 7:** „Occupational-performance"-Ergebnisse evaluieren. Das Ergebnis des „Occupational-performance"-Prozesses wird festgestellt. Wenn die angestrebten Ziele erreicht wurden, wird die Behandlung beendet. Wurden sie nicht erreicht, werden die Ziele überprüft. Wenn der Eindruck besteht, dass die Fortsetzung des Prozesses für den Klienten nützlich ist, werden Teile des Prozesses wiederholt.

„Occupational performance" wird anhand von **2 Aspekten** gemessen:
- anhand der Performanz (das eigentliche Ausführen einer Betätigung),
- anhand der Zufriedenheit mit der Performanz (wie einverstanden eine Person mit der Art und Weise ist, wie sie eine Betätigung ausführen kann).

Diese theoretischen Begriffe aus dem kanadischen Modell der „occupational performance" liegen dem **„Canadian Occupational Performance Measure"** (COPM) zugrunde. Das COPM wird dadurch zum Mittel, die Vorstellungen des kanadischen Modells der „occupational performance" in die Praxis umzusetzen.

Im kanadischen Modell der „occupational performance" gibt es mehrere Annahmen, die das ► „Canadian Occupational Performance Measure" untermauern:
- „Occupational performance" besteht aus der Ausgewogenheit zwischen Selbstversorgung, Produktivität und Freizeit.
- „Occupational performance" wird durch Personen erfahren und kann nicht einfach beobachtet oder durch eine andere Person eingestuft werden.
- „Occupational performance" findet sich bei Menschen jeden Alters und Geschlechts und bei allen Arten von Behinderungen.

7.3 Klientenzentrierte Praxis

Aufgrund der 2. Annahme über die ► „occupational performance", nämlich dass sie eher ein erfahrenes als ein objektives Phänomen ist, empfiehlt das kanadische Modell der „occupational performance" den **klientenzentrierten Ansatz** für die Ergotherapie. Für den klientenzentrierten Ansatz setzte sich als erster Rogers (1939) in „The Clinical Treatment of the Problem Child" ein. In der Ergotherapie wurde die klientenzentrierte Praxis definiert als „ein Ansatz zur Behandlung, der den Respekt für und die Partnerschaft mit den Personen, die zur Behandlung kommen, einschließt" (Law et al. 1995, S. 253).

Wichtig

Klientenzentrierte Praxis in der Ergotherapie geht davon aus, dass jede Person, die behandelt wird, sich selbst am besten kennt und daher den Schwerpunkt der Behandlung selbst festlegen sollte.

Jeder zu behandelnde Klient bringt **spezifische Stärken und Bedürfnisse** mit. Dem Ergotherapeuten kommt die Rolle zu, in Partnerschaft mit dem Klienten die Ergebnisse der „occupational performance" zu optimieren.

Zu den **spezifischen Konzepten** der klientenzentrierten Praxis, die das kanadische Modell der „occupational performance" unterstreicht, gehören:

- der Respekt vor den Klienten und ihren Familien sowie die Überzeugung, dass die Klienten sowohl beim Benennen ihrer „Occupational-performance"-Probleme als auch bei der Entscheidung für die Therapie frei wählen können;
- die Überzeugung, dass Klienten und Familien dafür verantwortlich sind zu entscheiden, welchen Betätigungen sie nachgehen;
- die Bereitstellung einer auf den Einzelnen abgestimmten Therapie;
- das Einbeziehen der Umwelt, in der jemand lebt, und der Rollen, die er übernimmt, während der gesamten therapeutischen Intervention;
- die informative Hilfestellung, die es dem Klienten ermöglicht, seine „Occupational-performance"-Probleme zu identifizieren;
- das Verständnis von ergotherapeutischer Intervention als Partnerschaft zwischen Klienten, ihren Familien und den Ergotherapeuten.

Eine **ausführlichere Darstellung** des kanadischen Modells der „occupational performance" und des Konzepts der klientenzentrierten Praxis in der Ergotherapie ist nachzulesen bei Canadian Association of Occupational Therapists (1997; „Enabling Occupation: An Occupational Therapy Perspective") oder bei Law (1998; „Client-Centered Occupational Therapy").

7.4 Das „Canadian Occupational Performance Measure" (COPM)

Wichtig

Das ► „Canadian Occupational Performance Measure" (COPM) ist ein Beurteilungsinstrument, mit dem innerhalb eines bestimmten Zeitraums die Eigenwahrnehmung des Klienten bezüglich seiner ► „occupational performance" gemessen werden kann.

Das COPM ist darauf ausgelegt, dass es **Veränderungen**, wie sie von Personen in ergotherapeutischer Behandlung innerhalb des Behandlungszeitraums empfunden werden, feststellt.

Zur **speziellen Zielsetzung** des COPM gehören:

- das Benennen der „Occupational-performance"-Probleme eines Klienten (in den Bereichen „Selbstversorgung", „Produktivität" und „Freizeit");
- das Benennen der Prioritäten, die der Klient in der ergotherapeutischen Behandlung setzen möchte;
- die durch den Klienten selbst vorgenommene Bewertung der Performanz und seiner Zufriedenheit mit der Performanz in Bezug auf die identifizierten Betätigungsprobleme;
- das Messen der Veränderung in der Selbstbewertung der „occupational performance" innerhalb des Behandlungszeitraums.

Das COPM wurde als generelles Beurteilungsinstrument für die Ergotherapie entwickelt und kann als solches in allen Altersgruppen, in sämtlichen Entwicklungsstadien und bei vielerlei Fähigkeitsstörungen angewandt werden bzw. wurde bereits angewandt.

Entwicklung

Ende der 1970er Jahre begannen der kanadische Berufsverband („Canadian Association of Occupational Therapists", CAOT) und das „Kanadische Institut für Nationale Gesundheit und Soziales" („Department of National Health and Welfare Canada", DNHW), gemeinsam die **Richtlinien für klientenzentrierte Praxis** zu entwickeln (Department of National Health and Welfare, Canadian Association of Occupational Therapists 1983). Die Arbeitsgruppe entwickelte ein Modell der „occupational performance", das sich auf die Arbeit von Reed u. Sanderson (1980) stützt. Darin wird definiert, dass „occupational performance" die Betätigungen der Selbstversorgung, Produktivität und Freizeit beinhaltet, die eine Person täglich in ihrer persönlichen Umwelt ausführt, sowie die Rollen, die diese Person annimmt.

Das Modell basiert auf mehreren **Grundannahmen**, darunter die ganzheitliche Sicht auf den Menschen, der Glaube an den Wert aller Menschen und die Überzeugung, dass Menschen aktive Teilnehmer an ihrer Umwelt sind. Es stellt fest, dass „occupational performance" sowohl durch persönliche Faktoren als auch durch die Umwelt beeinflusst wird.

In den Richtlinien für die klientenzentrierte Praxis der Ergotherapie (Department of National Health and Welfare, Canadian Association of Occupational Therapists 1983) wurde empfohlen, **Interventionsrichtlinien** (Department of National Health and Welfare, Canadian Association of Occupational Therapists 1986) und ein ergebnisorientiertes **Beurteilungsinstrument** der "occupational performance" (Department of National Health and Welfare, Canadian Association of Occupational Therapists 1987) zu entwickeln. Nachdem die Arbeitsgruppe alle ergebnisorientierten Beurteilungsinstrumente, die Mitte der 1980er Jahre verfügbar waren, überprüft hatte, kam sie zu dem Schluss, dass kein geeignetes Instrument zur Beurteilung der "occupational performance" für Ergotherapeuten existierte. Sie regte an, "ein Instrument speziell für Ergotherapeuten zu entwickeln und zu testen, wie weit es die wichtigen Beiträge der Ergotherapie deutlich macht" (Department of National Health and Welfare, Canadian Association of Occupational Therapists 1987, S. 39).

Die „Kanadische Ergotherapie-Stiftung" und das "Nationale Programm für Gesundheitsforschung und -entwicklung" leisteten den Autorinnen finanzielle Unterstützung bei der Entwicklung eines Ergebnismessinstruments. So entstand das ► "Canadian Occupational Performance Measure". Die **Vorgaben** für ein solches Messinstrument lauteten: Es sollte

- das Modell der „occupational performance" widerspiegeln,
- klientenzentriert sein,
- die Rollen und Rollenerwartungen der Klienten einbeziehen,
- die spezifische Umwelt des Klienten berücksichtigen,
- allgemein anwendbar und nicht alters- oder diagnosespezifisch sein,
- Wichtigkeit, Zufriedenheit und Performanz einbeziehen,
- die Ergebnisse unterschiedlicher Therapieziele messen.

Das „Canadian Occupational Performance Measure" wurde erstmals 1991 veröffentlicht (Law et al. 1991), die 2. Version, die zusätzlich Informationen zu den psychometrischen Eigenschaften des Instruments enthielt, erschien 1994 (Law et al. 1994a), die 3. Version 1998 (Law et al. 1998).

Beschreibung

Das COPM soll zu Beginn der ergotherapeutischen Behandlung angewandt werden. Die **besonderen Merkmale** dieses Messinstruments sind in **Übersicht 7.3** zusammengefasst.

Übersicht 7.3:
Merkmale des "Canadian Occupational Performance Measure"

Das „Canadian Occupational Performance Measure" (COPM):
- Basiert auf einem wohldefinierten ergotherapeutischen Modell
- Umfasst die "Occupational-performance"-Bereiche der Selbstversorgung, Produktivität und Freizeit
- Sieht die "Occupational-performance"-Komponenten als notwendig für den "Occupational-performance"-Prozess an
- Schließt die Rollen und Rollenerwartungen des Klienten ein
- Berücksichtigt, wie wichtig die Performance-Bereiche für den Klienten sind
- Misst die vom Klienten identifizierten Probleme
- Sieht eine erneute Erhebung der identifizierten Problembereiche vor
- Konzentriert sich auf das persönliche Umfeld des Klienten und stellt dadurch die Relevanz der Probleme für den Klienten sicher
- Berücksichtigt die Zufriedenheit des Klienten mit der derzeitigen Performanz
- Bezieht den Klienten von Anbeginn der Therapieerfahrung mit ein
- Erhöht die Einbindung des Klienten in den therapeutischen Prozess
- Kann auf allen Stufen der Entwicklung eingesetzt werden
- Kann bei Klienten mit jeglicher Art von Fähigkeitsstörung angewandt werden
- Unterstützt die Sichtweise, dass Klienten für ihre Gesundheit und ihren therapeutischen Prozess selbst verantwortlich sind
- Erlaubt dem Klienten und dem Therapeuten, sich mit den aktuellen Dingen des Lebensabschnitts zu befassen
- Ermöglicht Einsatz und Adaptation zielgerichteter Aufgaben und Aktivitäten
- Ermöglicht Angaben von Personen aus dem sozialen Umfeld des Klienten, wenn er selbst nicht fähig ist, in eigener Sache zu antworten

Die Erhebung wird in **4 Schritten** durchgeführt:
- **Schritt 1:** „Occupational-performance"-Probleme erkennen;
- **Schritt 2:** Wichtigkeit der „Occupational-performance"-Probleme einstufen;
- **Schritt 3:** Performanz und Zufriedenheit bewerten;
- **Schritt 4:** Performanz und Zufriedenheit erneut bewerten.

Das COPM wird in einem **4-Stufen-Prozess** durchgeführt. Dabei benutzt der Ergotherapeut ein halbstrukturiertes Interview, um den Klienten oder seinen Betreuer in die Lage zu versetzen, „Occupational-performance"-Probleme zur Behandlung zu identifizieren. Nach einer ersten Gewöhnungsphase benötigen die meisten Therapeuten für die Durchführung 20–40 min. Die Dauer hängt davon ab, wie stark ein Klient ins Detail geht.

Schritt 1: „Occupational-performance"-Probleme erkennen

Der erste Schritt des ► COPM soll dem Klienten dazu verhelfen, die **speziellen Probleme** zu benennen, aus deren Grund er sich ergotherapeutisch behandeln lassen will. Der Ergotherapeut befragt den Klienten oder den Betreuer bezüglich der ► „occupational performance". Das Ziel des Interviews besteht darin herauszufinden und festzustellen, welche spezifischen Betätigungen ein Klient ausführt und welche davon ihm Schwierigkeiten bereiten.

Fallsituation

So könnte ein junger Mann, der sich bei der Arbeit eine Rückenverletzung zugezogen hat, eine Reihe arbeitstypischer Aufgaben aufzählen, die er momentan nicht ausführen kann, aber auch Aufgaben aus dem Selbstversorgungsbereich, die für ihn schwierig sind, sowie durch Schmerzen eingeschränkte Freizeitaktivitäten.

Das Interview dient zur **Identifikation solcher „Occupational-performance"-Probleme.** Der Therapeut unterhält sich mit dem Klienten, um ihn dazu zu bringen, an das zu denken, was er normalerweise tut, und dabei Betätigungen zu nennen, die er tun muss, tun möchte oder die von ihm erwartet werden; er sollte auch berichten, bei welchen Tätigkeiten er Schwierigkeiten hat.

Für Therapeuten ist es wichtig, einen **eigenen Stil** für diese Interviews zu entwickeln, da es keine detaillierten Anweisungen gibt. Für manche Klienten ist es ganz einfach, ihre „Occupational-performance"-Probleme zu benennen, weil sie ganz genau wissen, was ihnen Schwierigkeiten bereitet. Andere Klienten benötigen mehr Hilfestellung. Ergotherapeuten können diesen Prozess erleichtern, indem sie mit den Klienten jeden einzelnen Bereich durchgehen, also „Selbstversorgung", „Produktivität" und „Freizeit". Dabei können sie Beispiele für Tätigkeiten aus der jeweiligen Kategorie anführen und den Klienten fragen, ob ähnliche Dinge für ihn schwierig sind.

Wichtig

Es ist zu beachten, dass Tätigkeiten, die der Klient nicht nennt, dann auch nicht im COPM-Bewertungsbogen eingetragen werden.

Das COPM sollte so früh wie möglich im Behandlungsprozess durchgeführt werden. Es kann jedoch Situationen geben, in denen es ratsam ist abzuwarten, bis sich der Zustand des Klienten stabilisiert hat. Wenn der Klient eine **kognitive Schädigung** hat, wird der Ergotherapeut die gleichen Kriterien wie bei jeder anderen Erhebung zugrunde legen, bei der er die Fähigkeit des Klienten, Fragen zu beantworten, beurteilt. Wenn der Klient unfähig ist zu antworten, so kann er den Bogen gemeinsam mit einem Betreuer ausfüllen. Allerdings sollte sich der Therapeut bewusst sein, dass sich die Sichtweise des Betreuers und diejenige des Klienten möglicherweise unterscheiden.

Am Ende des 1. Schrittes des COPM-Prozesses hat der Klient eine Reihe von **„Occupational-performance"-Problemen** benannt, die in den COPM-Bogen eingetragen worden sind.

Schritt 2: Wichtigkeit der „Occupational-performance"-Probleme einstufen

Im 2. Schritt bittet der Therapeut den Klienten, für jede genannte Schwierigkeit die Wichtigkeit einzustufen. Mit Hilfe einer **Bewertungskarte**, die zum COPM-Handbuch gehört, wird die Wichtigkeit auf einer Skala von 1–10 eingestuft; dabei bedeutet 1 „überhaupt nicht wichtig" und 10 „besonders wichtig".

Wichtig

Durch diese Einstufung soll sichergestellt werden, dass der Therapeut vom Klienten selbst erfährt, welche Prioritäten in der Behandlung gesetzt werden sollten.

Es könnte sein, dass der Klient 10–15 „Occupational-performance"-Probleme benennt, die Behandlung jedoch nicht alle Probleme gleichzeitig angehen kann. Die Einstufung der Wichtigkeit kann dazu dienen, Prioritäten für die Behandlung zu setzen.

Schritt 3: Performanz und Zufriedenheit bewerten

Im 3. Schritt bittet der Therapeut den Klienten, sich die **Einstufung der Wichtigkeit** anzusehen und bis zu 5 Probleme auszuwählen, auf die sich die ergotherapeutische Behandlung zunächst konzentrieren soll. Dabei ist es nicht unbedingt notwendig, dass der Klient die 5 wichtigsten Probleme nennt; aber die Einstufung kann dem Klienten als hilfreiches Werkzeug dienen, die Probleme auszuwählen, die er in der Behandlung als erste angehen will.

Sobald diese Auswahl getroffen ist, wird der Klient gebeten, seine derzeitige Performanz für diese Aktivitäten einzustufen, d.h. zu beurteilen, wie gut er sie derzeit ausführen kann. Außerdem soll er einstufen, wie zufrieden er derzeit mit der Qualität seiner Ausführung ist. Diese Einstufungen erfolgen ebenfalls auf einer 10-Punkte-Skala. Anschließend lassen sich die **Gesamtbewertungen für Performanz und Zufriedenheit** errechnen.

Im Anschluss an Schritt 3 untersuchen Klient und Therapeut gemeinsam die **Performanzkomponenten** (affektiv, kognitiv, physisch) und die **Umweltbedingungen**, die zu den durch das COPM identifizierten Problemen des Klienten bei den genannten Aktivitäten führen. Weitere Befunderhebungen werden durchgeführt, um festzustellen, warum es beim Klienten zu den „Occupational-performance"-Problemen kommt. Dabei sollten jedoch nur diejenigen Performanzkomponenten und Umweltbedingungen untersucht werden, die möglicherweise mit den „Occupational-performance"-Problemen zusammenhängen.

Fallsituation

Eine 65-jährigen Frau, die nach einem Schlaganfall in einem Rehabilitationszentrum ist, hat als die 4 wichtigsten Elemente der „occupational performance", die sie in der ergotherapeutischen Behandlung wieder lernen möchte, „Schreiben", „Flüssigkeiten ausgießen", „Staubsaugen" und „Tanzen" genannt **(Tabelle 7.1)**. Betrachtet man nun das Element „Ausgießen von Flüssigkeiten" näher, so werden Klientin und Therapeut nach Schritt 3 untersuchen, welche Performance-Komponenten und welche Umweltbedingungen für die Schwierigkeiten verantwortlich sind. Mit standardisierten Verfahren lassen sich die Funktion der oberen Extremität und das Problemlöseverhalten testen, und man kann herausfinden, ob es Performance-Komponenten gibt, die – falls verbessert – der Klientin das Ausgießen ermöglichen würden. Außerdem könnten die Umweltbedingungen, wie z.B. die physischen Anforderungen der Tätigkeit und das Gewicht des Objekts, untersucht werden, um herauszufinden, welche Faktoren die Ausführung behindern und was verändert werden könnte, um die Klientin zu befähigen, die Aufgabe auszuführen. **Tabelle 7.2** zeigt ein weiteres Beispiel.

Schritt 4: Performanz und Zufriedenheit erneut bewerten

Bei der erneuten Erhebung soll der Klient oder sein Betreuer noch einmal die Performanz und die Zufriedenheit mit der Ausführung der Akti-

Tabelle 7.1. Beispiel 1: 65-jährige Frau nach Schlaganfall

„Occupational-performance"-Probleme	Wichtigkeit	Performanz	Zufriedenheit
Schreiben	10	1	1
Flüssigkeiten ausgießen	6	3	9
Staubsaugen	7	4	4
Tanzen	9	3	2

Performanzwert = (1 + 3 + 4 + 3) : 4 = 2,75; Zufriedenheitswert = (1 + 9 + 4 + 2) : 4 = 4,00.

vitäten, die als schwierig empfunden wurden, einstufen. Der Zeitpunkt hierfür wird von Klient und Therapeut gemeinsam bestimmt. Die erneute Erhebung wird dann durchgeführt, wenn Klient und Therapeut meinen, dass es Zeit ist, **neue Informationen** zu sammeln. Auch an bestimmten Punkten der Behandlung, z. B. bei Entlassung, können die Daten dann nochmals erhoben werden. Dabei werden wieder die beiden Gesamtwerte errechnet und die Veränderung zu den vorherigen Werten festgestellt.

Wichtig

Die Veränderung in Zufriedenheit und Performanz sind die wichtigsten Werte im „Canadian Occupational Performance Measure".

Klinische Anwendbarkeit

Wichtig

Das ► „Canadian Occupational Performance Measure" wird derzeit in über 20 Ländern der Welt eingesetzt und wurde in 8 Sprachen übersetzt.

Die **englische Version** ist beim „College of Occupational Therapists" (Großbritannien) erhältlich. Die **deutsche Version** kann über das BTZ Köln, Vogelsanger Str. 193, 50825 Köln, oder über Barbara Dehnhardt, Sievertstr. 18, 30625 Hannover, bezogen werden. In Österreich und der Schweiz ist sie beim jeweiligen Berufsverband erhältlich.

Das COPM wurde in Untersuchungen getestet, die darauf abzielten, Fehler in der **Auslegung des Messinstruments** zu erkennen. Die Studien ergaben, dass das Handbuch verständlich und hilfreich bei der Anwendung des Instruments ist (Law et al. 1994b).

Wichtig

Das COPM kann bei einer großen Bandbreite von „Occupational-performance"-Problemen eingesetzt werden.

So wurden in einer Studie mit 256 Klienten insgesamt 1084 „Occupational-performance"-Probleme festgestellt (Law et al. 1994b). Davon lagen 54,2% im Selbstversorgungsbereich, 25,6% im Bereich der Produktivität und 20,1% im Freizeitbereich.

Tests mit Klienten und Therapeuten zeigen, dass die meisten die Durchführung des COPM für einfach halten, sobald sich der Therapeut eingearbeitet hat. Manche Klienten berichte-

Tabelle 7.2. Beispiel 2: 18-jähriger Mann mit Schädel-Hirn-Verletzung

„Occupational-performance"-Probleme[1]	Wichtigkeit[1]	Performanz		Zufriedenheit	
		Zeitpunkt 1	Zeitpunkt 2	Zeitpunkt 1	Zeitpunkt 2
Transfer in die Badewanne	10	4	7	4	7
Mobilität innerhalb des Hauses	10	2	9	4	7
Briefe schreiben	10	7	7	6	5
Einkaufen	10	6	8	7	8
Freunde kennen lernen	10	2	10	4	10

Zeitpunkt 1: Performanzwert = 4,2; Zufriedenheitswert = 5,0; **Zeitpunkt 2:** Performanzwert = 8,2; Zufriedenheitswert = 7,5; **Veränderung:** Performanzwert = 4,0; Zufriedenheitswert = 2,5.

ten, dass sie sich zunächst überfordert fühlten – besonders dann, wenn sie es nicht gewohnt waren, selbst **Probleme für die Behandlung** zu identifizieren. Viele Klienten empfanden es jedoch als sehr positiv, dass sie selbst Probleme benennen konnten und dass der Therapeut während der Behandlung auf sie hörte. In einer Studie von McColl et al. (1997) fanden 75% einer aus 61 Personen bestehenden Gruppe das COPM hilfreich beim Erkennen von Problemen. Die Klienten hatten keinerlei Schwierigkeiten bei der Anwendung der Einstufungsskalen.

In einer Fallstudie mit einem depressiven Klienten zeigte Waters (1995), dass das COPM dazu beitrug, dass die Therapie „unter eigener Regie" stattfinden konnte. Toomey et al. (1995) fanden heraus, dass folgende Faktoren die **klinische Anwendbarkeit des COPM** fördern:

- halbstrukturierte Art,
- Anwendbarkeit auch im nichtklinischen Bereich,
- klientenzentrierter Ansatz.

Sie stellten zudem fest, dass Therapeuten, die den **klientenzentrierten Ansatz** für richtig halten und sich damit wohl fühlen, vom COPM besonders angetan waren. Nachdem Scull (1997) das COPM bei der Behandlung von Menschen mit geistiger Behinderung eingesetzt hatte, berichtete sie, dass es klientenzentriert, ganzheitlich und motivierend sei und bei Klienten mit geistiger Behinderung die Herausbildung von Einsicht unterstütze. Sie merkte jedoch auch an, dass das COPM zeitaufwändig sein kann, für manche Klienten möglicherweise schwierig zu verstehen ist und dass die richtige Benennung der jeweiligen Probleme im Bereich der „occupational performance" von der Einsicht des Klienten abhängt. MacKenzie (1994) stellte fest, dass das COPM für ältere Menschen und ihre Betreuer hilfreich ist, um „Occupational-performance"-Probleme zu benennen und um Unterschiede in der Wahrnehmung von Klienten und Betreuern zu ermitteln.

Reliabilität

Zur ► Reliabilität (Zuverlässigkeit) des COPM wurden bislang **3 Studien** durchgeführt.

> **Wichtig**
>
> Die Reliabilität eines Messinstruments bezieht sich auf die Konstanz der Werte unter verschiedenen Bedingungen – z. B. bei unterschiedlichen Bewertern oder zu verschiedenen Zeitpunkten (während der Zustand des Klienten gleich geblieben ist).

Eine Studie von Sanford et al. (1994) zur Test-Retest-Reliabilität ermittelte **Interclass-** ► **Korrelationskoeffizienten** von 0,63 für „Performanz" und von 0,84 für „Zufriedenheit". Weitere Studien fanden höhere Reliabilitätswerte. In einer Studie mit Eltern von kleinen Kindern mit Fähigkeitsstörungen ermittelten Law u. Stewart (1996) Test-Retest-Reliabilitätswerte von 0,79 für „Performanz" und von 0,75 für „Zufriedenheit". Bosch (1995) ermittelte in einer Studie mit älteren Erwachsenen in der Rehabilitation eine Test-Retest-Reliabilität von 0,80 für „Performanz" und von 0,89 für „Zufriedenheit".

Validität

> **Wichtig**
>
> Die ► Inhaltsvalidität (Inhaltsgültigkeit) des COPM bezieht sich darauf, ob das Instrument die gesamte Breite der ► „occupational performance" erfasst.

Bosch (1995) schloss, dass die Inhaltsgültigkeit des COPM aufgrund der Art, wie es entwickelt wurde, hervorragend sei: Das COPM sei ein individuelles Beurteilungsinstrument, das die **Prioritäten des Klienten** widerspiegele.

Bei der Entwicklung des COPM wurden spezifische theoretische **Richtlinien** angewandt und die „Occupational-performance"-Bereiche „Selbstversorgung", „Produktivität" und „Freizeit" ins Zentrum gerückt. Das COPM wird in vielen Bereichen der ergotherapeutischen Praxis in vielen Ländern der Erde eingesetzt. Die Inhaltsvalidität des Instruments wird auch durch das Ausmaß gestützt, in dem das COPM in ergotherapeutischen Studien und in Präsentationen auf Kongressen zum Einsatz gebracht wird.

Wichtig

Bezüglich der ► Konstruktvalidität des COPM hat sich die Forschung auf die Fähigkeit des COPM konzentriert, die innerhalb einer bestimmten Zeit eingetretenen Veränderungen zu erfassen.

In einer Studie mit zerebralparetischen Kindern in ergotherapeutischer Behandlung wurden **Veränderungen der COPM-Werte** mit Veränderungen der Handfunktion und der Bewegungen der oberen Extremität verglichen (Law et al. 1997). Die Studie ergab niedrige bis mittlere Korrelationen zwischen COPM-Werten und einer der Performance-Komponenten (Fertigkeiten der Hand und der oberen Extremität). Veränderungen in Handfertigkeiten korrelierten zu 0,32 mit Veränderungen der Performanz und zu 0,28 mit Veränderungen der Zufriedenheit im COPM.

Andere Studien (Bosch 1995; McColl et al. 1997) ergaben eine **Kriteriumsvalidität** mit positiven Korrelationen zwischen dem COPM und dem „Short-Form-36" (Ware et al. 1993), dem COPM und dem „Structured Activities of Independent Living Scale" (SAILS; Mahurin et al. 1991), dem COPM und dem „Reintegration into Normal Living Index" (Wood-Dauphinee et al. 1988) sowie dem COPM und der „Life Satisfaction Scale" (Michalos 1980).

Wichtig

Die Fähigkeit des COPM, Veränderungen aufzuspüren – also die Sensibilität des Messinstruments – wurde untersucht, indem die Veränderungswerte von Klienten innerhalb eines bestimmten Zeitraums daraufhin überprüft wurden, ob die Veränderungen mit Veränderungen der Funktion, wie sie von anderen (Therapeuten oder Betreuungspersonen) wahrgenommen wurden, vergleichbar waren.

Law et al. (1994b) berichteten, dass es bei einer Kontrollgruppe von 131 Klienten **signifikante Unterschiede** zwischen den Anfangs- und den Endwerten gab, und zwar sowohl in der Performanz als auch in der Zufriedenheit. Bei einer Gruppe von 10 Kindern mit entwicklungsbedingten Koordinationsstörungen zeigte Wilcox (1994) erhebliche Veränderungen der „occupational performance" und der Zufriedenheit nach 12 ergotherapeutischen Behandlungseinheiten mit einem metakognitiven Ansatz. Diese Veränderungen bestanden auch noch 3 Monate später bei einer Nachuntersuchung. In einer Qualitätssicherungsstudie im Rahmen der Behandlung erwachsener Menschen mit geistiger Behinderung fanden Mirkopolous u. Butler (1994) während der ergotherapeutischen Behandlung eine Verbesserung der Performanz und der Zufriedenheit von 78%.

Veränderungen im COPM wurden auch mit **Gesamtveränderungen** verglichen, die von Betreuern, Therapeuten und Klienten eingestuft wurden (Sanford et al. 1994). Veränderungswerte der COPM-Performanz korrelierten dabei mit der Beurteilung der Gesamtveränderung durch die Betreuer auf einem Niveau von 0,55, bei Einstufung durch Therapeuten auf einem Niveau von 0,30 und bei Beurteilung durch die Klienten auf einem Niveau von 0,62. Veränderungen der Zufriedenheit korrelierten mit 0,56 für Betreuer, mit 0,33 für Therapeuten und mit 0,53 für Klienten. Diese

Korrelationen zeigen, dass Veränderungen, die mit dem COPM erfasst werden, zu umfassenden Funktionsveränderungen, wie sie von anderen wahrgenommen werden, in Beziehung stehen.

Zusammenfassung
Das COPM ist ein **zuverlässiges und gültiges Messinstrument** für die vom Klienten selbst erlebte Performanz und die Veränderung dieser Performanz bei ergotherapeutischer Behandlung. Das COPM kann von Ergotherapeuten in vielen verschiedenen klinischen Settings eingesetzt werden. Forschungen haben gezeigt, dass das COPM eine hervorragende Test-Retest-Reliabilität aufweist und dass es sensitiv ist für Veränderungen, die nach ergotherapeutischer Behandlung wahrgenommen wurden. Das COPM setzt das theoretische Konzept des **kanadischen Modells der „occupational performance"** und den **klientenzentrierten Ansatz** der Ergotherapie in die Praxis um. Die Anwendung des COPM versetzt Ergotherapieklienten in die Lage, die „Occupational-performance"-Probleme herauszufinden, die der Behandlung bedürfen, und es befähigt Klienten und Therapeuten, gemeinsam auf ein befriedigendes Ergebnis in der „occupational performance" hinzuarbeiten.
In diesem Kapitel wurden die Grundlagen des kanadischen Modells der „occupational performance" beschrieben. Sie dienen als Basis für das „Canadian Occupational Performance Measure", ein Messinstrument, das Ergotherapeuten einsetzen können, wenn es darum geht, dass Klienten Probleme ihrer „occupational performance" für die Ergotherapie benennen.
Die Anwendung des COPM unterstützt Ergotherapeuten darin, den **Behandlungsschwerpunkt** festzulegen. Somit orientiert sich die Ergotherapie an den Bedürfnissen des Klienten und führt mit größerer Wahrscheinlichkeit zu Sinn und Bedeutung für den Klienten und zum erwünschten Ergebnis.

Glossar

▶ **„Canadian Occupational Performance Measure" (COPM):** Im Deutschen etwa „Kanadisches Instrument zum Erfassen und Messen der Occupational Performance".

▶ **COPM-Interview:** Eine Unterhaltung zwischen dem Klienten, der ergotherapeutisch behandelt werden möchte, und dem Ergotherapeuten, mit dem Ziel, dass der Klient in die Lage versetzt wird, Probleme bei seinen Alltagstätigkeiten zu identifizieren, die er in der Ergotherapie behandelt sehen möchte.

▶ **Inhaltsvalidität:** Bezieht sich darauf, inwieweit ein Instrument tatsächlich die Charakteristika erfasst, die es untersuchen will.

▶ **Konstruktvalidität:** Bezieht sich darauf, inwieweit ein Instrument mit vorher entwickelten Hypothesen konform geht.

▶ **Korrelationskoeffizient:** Eine statistische Größe mit Werten zwischen 0 und 1, die die Beziehung zwischen 2 Variablen ausdrückt.

▶ **Kriteriumsvalidität:** Bezieht sich darauf, inwieweit die mit diesem Instrument erzielten Ergebnisse denen entsprechen, die mit einem anderen, ähnlichen Instrument erreicht wurden.

▶ **„Occupation":** Bedeutet ungefähr „Betätigung", „Tätigkeit", „Handlung", „Aktivsein", „(beruflich) Tätigsein" – also all das, was man tut, weil man es möchte oder muss. Der Begriff wurde teilweise nicht übersetzt.

▶ **„Occupational Performance":** Die Art und Weise, wie ein Mensch seine jeweilige Betätigung aus- oder durchführt.

▶ **Reliabilität:** Bezieht sich auf die Konstanz der Ergebnisse eines Instruments, und zwar sowohl auf die zeitliche Konstanz (Test-

Retest-Reliabilität) als auch auf die Konstanz bei unterschiedlichen Beurteilern (Interrater-Reliabilität).

▶ **Spiritualität:** Das innere, ganz persönliche Wesen eines Menschen; der eigene Geist; die persönlichen Charakterzüge, die durch Sozialisation erworben oder genetisch bedingt sein können; für manche Menschen gehört auch Religiosität dazu.

Literatur

Bosch J (1995) The reliability and validity of the Canadian Occupational Performance Measure. Master's Thesis. McMaster University, Hamilton

Canadian Association of Occupational Therapists (1997) Enabling occupation: an occupational therapy perspective. CAOT, Ottawa

Department of National Health and Welfare (DNHW), Canadian Association of Occupational Therapists (1983) Guidelines for the client-centred practice of occupational therapy (H39–33/1983 E). Department of National Health and Welfare, Ottawa

Department of National Health and Welfare, Canadian Association of Occupational Therapists (1986) Intervention guidelines for the client-centred practice of occupational therapy (H39–100/1986 E). Department of National Health and Welfare, Ottawa

Department of National Health and Welfare, Canadian Association of Occupational Therapists (1987) Towards outcome measures in occupational therapy (H39–114/1987 E). Department of National Health and Welfare, Ottawa

Fearing VG, Law M, Clark M (1997) An occupational performance process model: fostering client and therapist alliances. Canadian Journal of Occupational Therapy 64: 7–15

Law M (1998) Client-centred occupational therapy. Slack, Thorofare/NJ

Law M, Baptiste S, Carswell A, McColl M, Polatajko H, Pollock N (1994a) Canadian Occupational Performance Measure, 2nd edn. CAOT, Toronto

Law M, Baptiste S, Carswell A, McColl M, Polatajko H, Pollock N (1998) Canadian Occupational Performance Measure, 3rd edn. CAOT, Toronto

Law M, Baptiste S, Carswell-Opzoomer A, McColl M, Polatajko H, Pollock N (1991) Canadian Occupational Performance Measure Manual. CAOT, Toronto

Law M, Baptiste S, Mills J (1995) Client-centred practice: what does it mean and does it make a difference? Canadian Journal of Occupational Therapy 62: 250–257

Law M, Polatajko H, Pollock N, Carswell A, Baptiste S, McColl M (1994b) The Canadian Occupational Performance Measure: results of pilot testing. Canadian Journal of Occupational Therapy 61: 191–197

Law M, Rosenbaum P, Russell D, Pollock N, Walter S, King G (1997) A comparison of intensive neurodevelopmental therapy plus casting and a regular occupational therapy program for children with cerebral palsy. Dev Med Child Neurol 39: 664–670

Law M, Stewart D (1996) Test retest reliability of the COPM with children (unveröffentlichtes Manuskript)

MacKenzie A (1994) Differences in perceptions between older persons and their carers. Master thesis. King's College, London

Mahurin RK, Bettignies BH, Pirozzolo FJ (1991) Structured assessment of independent living skills: preliminary report of a performance measure of functional abilities in dementia. Journal Gerontol 46: 58–66

McColl M, Patterson M, Law M (1997) Validation of the COPM for community practice. Queen's University, Kingston

Michalos A (1980) Satisfaction and happiness. Social Indicators Research 8: 385–422

Mirkopolous C, Butler K (1994) Quality assurance: clients' perceptions of goal performance and satisfaction. 11th World Congress of Occupational Therapy, London

Reed K, Sanderson SR (1980) Concepts in occupational therapy. Williams & Wilkins, Baltimore

Rogers C (1939) The clinical treatment of the problem child. Houghton-Mifflin, Boston/MA

Sanford J, Law M, Swanson L, Guyatt G (1994) Assessing clinically important change as an outcome of rehabilitation in older adults. Conference of the American Society of Aging, San Francisco/CA

Scull D (1997) An outcome measure for adult mental health: an evaluation study of the COPM for adult mental health. Undergraduate honours thesis, University of Wales, Cardiff

Toomey M, Nicholson D, Carswell A (1995) The clinical utility of the Canadian Occupational Performance Measure. Canadian Journal of Occupational Therapy 62: 242–249

Ware JE, Snow KK, Kosinski M, Gandek B (1993) SF-36 Health Survey: manual and interpretation guide. The Health Institute, New England Medical Centre, Boston/MA

Waters D (1995) Recovering from a depressive episode using the Canadian Occupational Performance Measure. Canadian Journal of Occupational Therapy 62: 278–282

Wilcox A (1994) A study of verbal guidance for children with developmental coordination disorder. Unpublished master thesis, University of Western Ontario, London, Ont.

Wood-Dauphinee S, Opzoomer A, Williams JI, Marchand BB, Spitzer WO (1988) Assessment of global function: the reintegration to normal living index. Arch Phys Med Rehabil 69: 583–590

Anmerkungen zum derzeitigen Entwicklungsstand rund um das kanadische Modell in Deutschland (2003)

Barbara Dehnhardt, Angela Harth, Anke Meyer, Sabine George (COPM-Team Deutschland)

8.1 Einleitung – 154

8.2 Aktueller Stand bezüglich des „Canadian Occupational Performance Measure" (COPM) in Deutschland – 154

8.3 Aktueller Stand bezüglich des „Canadian Model of Occupational Performance" (CMOP)/ „Occupational-performance"-Prozess-Modells (OPPM) in Deutschland – 155

Literatur – 155

8.1 Einleitung

Seit der ersten **deutschen Übersetzung** des COPM-Manuals und des Bogens durch B. Dehnhardt, A. Harth und A. Meyer im Jahre 1998 hat sich inhaltlich am „Canadian Model of Occupational Performance" (CMOP), am „Occupational-performance"-Prozess-Modell (OPPM) und am Bogen des „Canadian Occupational Performance Measure" (COPM-Bogen) nichts verändert. Momentan ist von kanadischer Seite aus auch keine Neuauflage von Bogen oder Handbuch vorgesehen.

Erstmalig wurde das kanadische Modell in Deutschland im Jahre 1998 durch Workshops von Frau Prof. Helene Polatajko von der Universität Toronto bekannt gemacht. Seitdem werden durch das COPM-Team Workshops organisiert und Vorträge gehalten; in den verschiedenen Fac hhochschulstudiengängen für Ergotherapeuten ist dies fester Bestandteil des Lehrangebots. Seit dem Jahre 2000 sind ergotherapeutische Praxismodelle auch in der **Ausbildungs- und Prüfungsverordnung für Berufsfachschulen verankert** (u. a. wird das kanadische Modell vorgeschlagen) und werden im Fach „Grundlagen der Ergotherapie" gelehrt.

Die Zahl der **deutschen Publikationen** zum kanadischen Modell oder dessen Messinstrument übersteigt mittlerweile die Anzahl der Publikationen zu anderen Modellen und ihren Instrumenten. Es wurden von Absolventen der Fachhochschulstudiengänge zahlreiche Bachelor-Arbeiten zu diesem Thema verfasst. Auch auf den Kongressen des „Deutschen Verbandes der Ergotherapeuten" ist eine zunehmende Anzahl an Beiträgen zum kanadischen Ansatz im Programm zu finden. Aber auch auf Kongressen anderer Disziplinen stellen mittlerweile Ergotherapeuten im deutschsprachigen Raum ihre Arbeit mit dem COPM vor, u. a. in der Neurologie, Psychiatrie, Handchirurgie und Pädiatrie.

8.2 Aktueller Stand bezüglich des „Canadian Occupational Performance Measure" (COPM) in Deutschland

Am „Neurologischen Krankenhaus München" ergab eine Überprüfung der Veränderungssensitivität des COPM an einer nichtrandomisierten Stichprobe (n=75) signifikante Veränderungen der Performanz- und Zufriedenheitswerte im Therapieverlauf (George et al. 2001). Weiterhin wurde ein **Leitfaden zur Durchführung des Interviews in der Neurologie** entwickelt (George 2002).

Inzwischen liegt eine Adaptation des COPM-Bogens (neben dem Fachbereich Neurologie) auch für den **Fachbereich Pädiatrie** vor (Scholz et al. 2002); im **Fachbereich Psychiatrie** wird derzeit noch daran gearbeitet. Für die modifizierte Neurologieversion wurde erneut an einer nichtrandomisierten Stichprobe von 120 Personen (George et al. 2002) die Sensitivität positiv belegt ($p<0{,}001$). Weitere Untersuchungen zu den psychometrischen Eigenschaften der deutschen Version dieses Instruments sind dem COPM-Team nicht bekannt.

Wichtig

Momentan wird davon ausgegangen, dass das COPM ein nützliches Instrument ist, um den klientenzentrierten Ansatz in die Praxis umzusetzen und um Veränderungen in der Performanz und der Zufriedenheit des Klienten zu messen.

Ob die erhaltenen Werte tatsächlich ein **Maß für Veränderungen der Betätigungsperformanz** darstellen, erscheint unklar, solange die Objektivität des Instruments nicht belegt ist. Ähnliche Bedenken werden in den Niederlanden diskutiert.

Im Rahmen des Projekts **„Evaluation von Befundsystemen"** des „Deutschen Verbandes der Ergotherapeuten" (DVE) wurde in der ersten Runde einer Delphi-Befragung von

31 deutschen Experten im Fachbereich Neurologie Anfang 2003 u. a. gefragt: „Welche Assessment-Instrumente verwenden Sie?" Zum Zeitpunkt des Redaktionsschlusses der vorliegenden Arbeit hatten 24 Personen geantwortet. Davon arbeiteten 16 mit dem COPM. Nur die Handkraftmessung wurde mit 18 Nennungen von dieser Stichprobe häufiger als das COPM genannt (Deutscher Verband der Ergotherapeuten 2003).

8.3 Aktueller Stand bezüglich des „Canadian Model of Occupational Performance" (CMOP)/ „Occupational-performance"-Prozess-Modells (OPPM) in Deutschland

Verschiedene Arbeiten befassen sich mit der **praktischen Umsetzung des klientenzentrierten Arbeitens** nach dem kanadischen Modell in der Pädiatrie (Gede et al. 2002; Scholz et al. 2002) und in der Neurologie (Frye et al. 2002; George 2002; George u. Kroll 2003). Grob zusammengefasst lassen sich aus diesen Arbeiten folgende **Hinweise** ableiten:

- Der klientenzentrierte Ansatz ist in der Praxis deutscher Ergotherapeuten noch nicht vollständig verstanden oder implementiert.
- Die kanadische Definition der klientenzentrierten Praxis lässt aus deutscher Perspektive Fragen offen.
- Die Terminologie des kanadischen Ansatzes wird zum Teil unterschiedlich übersetzt (z. B. „occupation" und „occupational performance").
- Es erscheint fraglich, ob OPPM und COPM in den einzelnen Fachbereichen umsetzbar sind.

Um solche und ähnliche aktuelle Fragen in einem Forum deutschsprachiger Ergotherapeuten diskutieren und Lösungsansätze für den deutschsprachigen Raum entwickeln zu können, gründete das COPM-Team im November 2002 eine **„Klinische Expertengruppe zum COPM"**. Zu den ersten beiden Treffen kamen Ergotherapeutinnen aus Deutschland, Österreich und der Schweiz zusammen. Die Gruppe wird sich künftig regelmäßig treffen, um folgende **Themen** zu bearbeiten:

- Anwendbarkeit und klinischer Nutzen des COPM,
- Schwächen und Stärken von CMOP, OPPM und COPM,
- Möglichkeiten der Standardisierung des COPM-Interviews und Überprüfung der psychometrischen Eigenschaften des COPM,
- Diskussion der derzeitigen Terminologie,
- Erstellung eines Katalogs zu weiteren Forschungsaktivitäten.

Die **wissenschaftlichen Arbeiten zum kanadischen Modell** und seinem Assessment befinden sich noch im Anfangsstadium, ebenso wie die Studiengänge selbst. Viele praktisch tätige Ergotherapeuten haben jedoch beides, Modell und Assessment, in ihre Arbeit übernommen und sind begeistert, ein Instrument an der Hand zu haben, das ihnen zum einen hilft, klientenzentriert zu arbeiten, und zum anderen, sich in ihrer Therapie an den Alltagstätigkeiten der einzelnen Klienten zu orientieren. Sie fühlen sich wohl damit, besser zur beiderseitigen Zufriedenheit und zum Wohl ihrer Klienten beitragen zu können.

Literatur

Dehnhardt B, Harth A, Meyer A (1999) Das „Canadian Occupational Performance Measure" Handbuch. Selbstverlag

Deutscher Verband der Ergotherapeuten – AG Evaluation von Befundsystemen im DVE (2003) Ergebnisse der ersten Runde einer Delphi-Befragung zu ergotherapeutischen Befundsystemen im Fachbereich Neurologie. Unveröffentlichte Daten

Frye M, Sauer B, Wallmichrath K (2002) Der "Occupational Performance Process" – eine Möglichkeit zum klientenzentrierten ADL? Eine explorative Forschung zur Entwicklung der ergotherapeutischen "Vorstufe einer Leitlinie" für das Wasch- und Anziehtraining mit Schlaganfallpatienten in deutschen neurologischen Rehabilitationskliniken aufgrundlage des Occupational Performance Process (OPP). Diplomarbeit der Fachrichtung Ergotherapie. Hogeschool Zuyd

Gede H, Kroll M, Meisgeier K (2002) Ist klientenzentriertes Handeln im Fachbereich Pädiatrie in deutschen Ergotherapiepraxen in der Arbeit mit Grundschulkindern erkennbar? Eine Analyse und Beschreibung des ergotherapeutischen Prozesses im Fachbereich Pädiatrie unter Bezugnahme auf die Klientenzentrierte Praxis und das Canadian Model of Occupational Performance. Diplomarbeit der Fachrichtung Ergotherapie. Hogeschool Zuyd

George S (2002) Praxishandbuch COPM – Darstellung des COPM und Entwicklung eines Praxisleitfadens zur Durchführung des Interviews in der neurologischen Klinik. Schulz-Kirchner, Idstein

George S, Kroll M (2003) Der klientenzentrierte ergotherapeutische Prozess nach dem kanadischen Modell – Grundlagen und Möglichkeiten zur praktischen Umsetzung. Ergotherapie & Rehabilitation 2: 39

George S, Lojewski N, Rehbein M, Stättmayer P, Yassouridis A, Prosiegel M (2002) Das Canadian Occupational Performance Measure in der neurologischen Rehabilitation. Phys Med Rehab Kuror 12: 219

George S, Olek L, Lösekrug S et al. (2001) Canadian Occupational Performance Measure (COPM): Patientenzentrierte Zielfindung und Outcome-Messung in der Ergotherapie. Neurologie & Rehabilitation 7/4: 185–191

Scholz S, Strebel H, Sulzmann I (2002) Don't tell – ask! Möglichkeiten und Schwierigkeiten des Klientenzentrierten Ansatzes in der Pädiatrie. Diplomarbeit der Fachrichtung Ergotherapie. Hogeschool Zuyd

Zum Fortgang der Professionalisierung der deutschen Ergotherapie – eine Fiktion

Ulrike Marotzki, Birgit Maria Hack

9.1 **Einleitung – 158**

9.2 **Die deutsche Auseinandersetzung mit konzeptionellen Modellen der Ergotherapie – 159**

Die Sorge um eine einseitig praktische Rezeption der Modelle – 159

Der theoretische Zwittercharakter der Modelle – wissenschaftliche versus pragmatische Begründung – 162

9.3 **Der Rahmen der Fiktion – das Thema der Professionalisierung – 164**

9.4 **Die Fiktion – 167**

Professionalisierungsprozess und Paradigmenwechsel – ein fiktiver Rückblick auf die Berufsentwicklung im Jahre 2030 – 168

Eine ergotherapeutische Berufsbiographie in Stadium 3 – Verbindung von praktischer ergotherapeutischer Tätigkeit mit Forschungsaktivitäten – 172

Fiktiver Vortrag anlässlich der Eröffnung des ergotherapeutischen Forschungszentrums in Bad Pyrmont im Jahre 2030: „Der zentrale Zugang zu den ergotherapeutischen Arbeitsfeldern" von Frau Wiebke West – 175

Fiktiver wissenschaftlicher Beitrag in einem ergotherapeutischen Fachjournal: „Die Repräsentationsproblematik ergotherapeutischen Wissens – Zur diskursiven Kultur der Ergotherapie seit der Jahrtausendwende"; Brückenpfeiler – Ergotherapeutisches Forschungsjournal 2030 (Jg. 1, Heft 1), S. 3–17 – 180

9.5 **Abschließende Bemerkung – 183**

Literatur – 183

9.1 Einleitung

Die vorangegangenen Buchkapitel machen deutlich, welch umfangreiche theoretische Arbeit im Bereich der Ergotherapie in den USA, in Kanada und in Großbritannien bereits geleistet wurde. Deutsche Ergotherapeutinnen und Ergotherapeuten werden mit Neugier, vielleicht auch mit etwas Neid auf die Resultate der Arbeit der englischsprachigen Kolleginnen und Kollegen schauen. Gerade um nicht in einem Gefühl des Defizits zu verharren, wenn es um die theoretischen Entwicklungen der deutschen Ergotherapie geht, ist es notwendig, **Zukunftsideen zur Situation des Berufs** hierzulande zu entwickeln, die die Fortsetzung eines schwierigen und dornigen Weges in Richtung Professionalisierung unterstützend begleiten können. Das energetische Potenzial, das nötig ist, um berufsgruppenspezifische Belange entschieden weiterzuentwickeln, liegt dabei letztlich in einer gemeinsamen „visionären Leitidee".

Ein solches Bild der professionellen Zukunft einer Berufsgruppe kann nie Sache einzelner Personen oder Gruppierungen sein. Zudem gehört es zum Wesen einer **Vision**, dass sie sich als „inneres Gesicht", als geistige „Erscheinung" hervortut und somit nicht von außen übergestülpt, gleichsam eingefordert werden kann. Wohl aber kann sie durch den Austausch individueller Ideen initiiert werden, ist also auch im **Diskurs**[1] kulturell gestaltbar.

Wir werden im letzten Teil unseres Beitrags unsere Ideen zu einer zukünftigen Ergotherapie in Form einer **Fiktion** präsentieren. Dieses erzählerische und argumentative Mittel des „So-tun-als-ob" erlaubt es uns, etwas nur in unserer Vorstellung Existierendes, Erdachtes und Erdichtetes für kurze Zeit Realität werden zu lassen. Der wesentliche Unterschied zur Darstellung einer reinen Vision besteht darin, dass eine Fiktion neben dem Guten, Schönen und Wünschenswerten auch kritische und widersprüchliche Elemente einschließen kann. Eine Fiktion ist eine „bewusst gesetzte widerspruchsvolle oder falsche Annahme als methodisches Hilfsmittel bei der Lösung eines Problems" (Duden 1990). Durch ein späteres Ausscheiden des Falschen wird es möglich, zum richtigen, d. h. angemessenen Ergebnis – gemeint ist hier die gemeinsam geteilte Vision zur zukünftigen Ergotherapie – zu kommen. Den Zeitpunkt für unsere Fiktion siedeln wir um das Jahr 2030 an.

Wir beginnen unseren Beitrag jedoch zunächst mit pointiert kritischen Gedanken zu den derzeitigen **Chancen und Risiken,** die die Auseinandersetzung mit konzeptionellen Modellen der Ergotherapie hierzulande birgt. Daran anschließend werden wir einige **professionstheoretische Überlegungen** anstellen, die Orientierungspunkte für die Fiktion geben sollen. Schließlich skizzieren wir, wie bereits erwähnt, mit den Mitteln der **Fiktion** eine durch Höhen und Tiefen wandelnde, selbstbewusste, kritische und diskussionsfreudige deutsche Ergotherapie.

In allen Teilen – dies sei hier von uns betont und von Ihnen als Lesende gedanklich mitge-

---

[1] Der Begriff „Diskurs" findet sich in sprachwissenschaftlichen, philosophischen und sozialwissenschaftlichen Theorien. Er ist übersetzbar in Begriffe wie „Denken" und „Gedankenaustausch", aber auch „Erörterung" und „Verhandlung". Je nach Wissenschaftsansatz bedeutet er: tatsächlich realisierte sprachliche Äußerungen, heftige Wortwechsel, Wortstreitereien oder eine logisch fortschreitende Methodik des Denkens. Wir gebrauchen den Begriff hier wie Jürgen Habermas (1981a) im kommunikationstheoretischen Sinn als verständigungsorientierten Argumentationsprozess. Ein Diskurs ist also ein vernünftiger Gedankenaustausch, dessen metakommunikative Struktur die Möglichkeit der Regelung etwaiger Konflikte bietet. „Von ‚Diskursen' will ich nur sprechen, wenn der Sinn des problematisierten Geltungsanspruchs die Teilnehmer konzeptuell zu der Unterstellung nötigt, dass grundsätzlich ein rational motiviertes Einverständnis erzielt werden könnte, wobei ‚grundsätzlich' den idealisierenden Vorbehalt ausdrückt: wenn die Argumentation nur offen genug geführt und lange genug fortgesetzt werden könnte" (Habermas 1981a, S. 71). Als einführenden Text in die kommunikationstheoretischen Überlegungen von Habermas verweisen wir auf das Kapitel „Theorie des kommunikativen Handelns (Habermas II)" in Treibel (1993), S. 153–178.

führt – bleibt dieser Beitrag notwendigerweise eine wenig abgesicherte Zusammenhangskonstruktion, entworfen mit dem Fokus auf verschiedene Diskursebenen aus unserer persönlichen und beruflichen Perspektive. Dies liegt nicht zuletzt daran, dass in Deutschland bisher nur sehr vereinzelt auf strukturierte **Daten zur professionellen Entwicklung der Ergotherapie** zurückgegriffen werden kann. Die hier zusammengetragenen Aspekte der Reflexion und Evaluation provozieren sicher auch deshalb eine Diskussion, der wir mit Interesse entgegensehen.

9.2 Die deutsche Auseinandersetzung mit konzeptionellen Modellen der Ergotherapie

Der deutschsprachige Leser bekommt bei der Auseinandersetzung mit den vorangegangenen Beiträgen möglicherweise den Eindruck, konzeptionelle Modelle der Ergotherapie seien ihm gleichermaßen neu, fremd und vertraut. Dies mag vielleicht mit dem hohen Anspruch der Modelle zusammenhängen. Zum einen wollen sie der komplexen Wirklichkeit ergotherapeutischer Praxis – wie sie jeder Berufspraktiker kennt – umfassend gerecht werden, zum anderen erheben sie den Anspruch, diese Praxis mit – aus der Perspektive der Modellentwickler – praxisrelevanter Theorie zu verzahnen. Vertraut ist wohl die Form, in der Fragen der Praxis gestellt werden. Man erkennt sich in diesen Fragen gewissermaßen wieder. Weniger vertraut und neu ist möglicherweise die Art, wie Theorien ausgewählt und geordnet werden.

Für die deutsche Ergotherapie in ihrer gegenwärtigen Entwicklungsphase stellt der gleichwertige Umgang mit den vertrauten und fremden Anteilen ergotherapeutischer Arbeit in der Gestalt von Praxismodellen eine besondere Herausforderung dar. Die derzeitige Einführung konzeptioneller Modelle wird als „kritisch" im doppelten Wortsinn betrachtet:

- Sie birgt Chancen und Risiken, die es zu benennen und abzuwägen gilt.
- Sie ist von entscheidender Bedeutung für die Zukunft der Ergotherapie als Profession.

Zunächst einige Überlegungen zu den Chancen und Risiken. Die intensive Auseinandersetzung mit Modellen der „occupational therapy" amerikanischer und kanadischer Herkunft bildet für die deutschsprachige Ergotherapie eine eindeutige **Chance**. Modelle repräsentieren gebündeltes, systematisiertes Wissen unterschiedlicher theoretischer und praktischer ergotherapeutischer Herkunft. Dieses Wissen wurde bei strenger Orientierung an der ergotherapeutischen Praxis über Jahrzehnte zusammengetragen. Auf den ersten Blick ergibt sich hieraus für die hiesige Ergotherapie die Möglichkeit, Sackgassen zu umgehen, die von anderen bereits erkundet wurden. Es scheint möglich, eigene mühsame und aufwändige Suchbewegungen nach praxisrelevantem und der Professionalisierung förderlichem Wissen abzukürzen.

Es wäre geradezu ignorant und überheblich, beim jetzigen Stand der deutschen Ergotherapie auf diesen Fundus ergotherapeutischen Wissens verzichten zu wollen. Dennoch verbinden sich mit der Einführung konzeptioneller Modelle in die deutschsprachige Ergotherapie aus unserer Sicht auch gewisse **Risiken**:

- Erstens könnte es zu einer einseitig praktischen Rezeption der Modelle kommen.
- Zweitens stellt sich die Frage nach dem Umgang mit dem „theoretischen Zwittercharakter" der konzeptionellen Modelle.

Die Sorge um eine einseitig praktische Rezeption der Modelle

Ein erster Aspekt, der zur Sorge einer einseitig praktischen Rezeption der Modelle beiträgt, ergibt sich daraus, dass in Deutschland im Bereich „Ausbildung und Forschung in der Ergotherapie" bisher noch keine **strukturellen**

Voraussetzungen existieren, die mit dem englischen Sprachraum vergleichbar wären. Dies erschwert eine den Inhalten angemessene, breitgefächerte (disziplinäre wie disziplinübergreifende) und kritische Auseinandersetzung mit den konzeptionellen Modellen.

Ein zweiter Aspekt, der die Befürchtung einer eher pragmatischen Rezeption unterstreicht, sind die vielerorts unausgereiften Organisationsstrukturen ergotherapeutischer Berufspraxis und das noch ausbaubare Selbst- und Fremdverständnis der praktizierenden Ergotherapeutinnen und Ergotherapeuten. Dies kann sicherlich auch vor dem Hintergrund gesetzgeberischer und marktpolitischer Faktoren sowie einer mangelhaften Situation ergotherapeutischer Aus- und Weiterbildungsmöglichkeiten gesehen werden. Leider fehlen hierzu bisher aussagekräftige empirische Untersuchungen.

Nach unserer Erfahrung lässt sich jedoch beobachten, dass ein knapper Stellenplan, hohe Behandlungszahlen und begrenzte Sachmittel in ergotherapeutischen Abteilungen und Praxen häufig einhergehen mit dem Fehlen eines schriftlich fixierten und regelmäßig aktualisierten ergotherapeutischen Konzepts, das die professionelle und qualitativ verbindliche Position der Ergotherapie im Gesamtgefüge der Einrichtung oder der regionalen Gesundheitsversorgung kennzeichnet und schützt. Selbst eine schlichte Behandlungsdokumentation als notwendige Grundlage für Effektivitätsnachweise über ergotherapeutische Leistungen gelingt unter den genannten **strukturellen Arbeitsbedingungen** oft nicht. Die inhaltliche, arbeitsorganisatorisch-wirtschaftliche und gesundheitsökonomische Betonung der direkten Arbeit mit dem Klienten reduziert Freiräume, die es dem einzelnen Berufsvertreter wie der gesamten Berufsgruppe ermöglichen würden, über grundlegende Systematisierungs- und Professionalisierungsbelange nachzudenken bzw. diese aktiv umzusetzen.

Der **Wissenszuwachs** aus Fortbildungen und Fachpublikationen (z. B. zu konzeptionellen Modellen der Ergotherapie) wird vielen deshalb bestenfalls im „Freiraum" der individuellen ergotherapeutisch-praktischen Arbeit mit dem Klienten einsetzbar erscheinen. Gerade das Wissen über und die Erkenntnisse aus konzeptionellen Modellen lassen sich jedoch auch dazu nutzen, die grundlegende Struktur der eigenen professionellen Arbeit zu überdenken. Und dies könnte sich letztlich in weniger verschwommenen und konträren Selbst- und Fremdbildern der Ergotherapie (Thole u. Steier 1990; Kootz 1991) und in Verbindung hiermit in angemesseneren Arbeitsbedingungen niederschlagen.

Ein dritter Aspekt der oben beschriebenen Sorge entsteht aus der **Zersplitterung der Ergotherapie** in vielfältige Praxisfelder, die in Deutschland traditionell recht eng an der fachlichen Ausdifferenzierung der Medizin orientiert sind, während eine übergreifende Reflexion ergotherapeutischer Inhalte bisher nur zaghaft entstehen bzw. fortschreiten konnte. Ein Fach „Grundlagen der Ergotherapie" ist erst im Rahmen der kürzlich verabschiedeten neuen Ausbildungs- und Prüfungsordnung (EthAPrO) bildungsrechtlich abgesichert worden.[2]

Viele Ergotherapeutinnen und Ergotherapeuten könnten aus dieser einmal gelernten und berufsmäßig verinnerlichten (medizinisch-praktischen) Fachorientierung heraus dazu neigen, die Modelle, die die biopsychosozialen Zusammenhänge menschlicher Betätigung als Gegenstand der Ergotherapie

[2] Zum 01.07.2000 trat die Umsetzung der neuen Ausbildungs- und Prüfungsverordnung für Ergotherapeuten (APrV) vom 02.08.1999 (BGBl. I, S. 1731) in Kraft. Seither existieren unterschiedliche curriculare Vorschläge und Vorgehensweisen zur Berücksichtigung der dem Fach zugeordneten Inhalte (ergotherapeutische Modelle, Behandlungsprozess, Methodik/Didaktik, Kommunikation, Gesprächsführung, Ethik) innerhalb der 3-jährigen Ausbildungszeit.

unterstreichen, für ihr Praxisfeld als nicht vorrangig relevant zu beurteilen. Die mit der psychosozialen Dimension menschlicher Betätigung fachspezifisch traditionell betrauten Arbeitsbereiche der Ergotherapie (Pädiatrie, Psychiatrie und Arbeitsrehabilitation) würden ihren Theorie- und Methodenbestand sicherlich durch Erhebungsinstrumente und Handlungsanleitungen aus den Modellen bereichern können. Allerdings wäre selbst dann durch diese einseitig traditionell-fachpraktisch gebundene Rezeption eine wesentliche Chance zur intensiven und kritischen Auseinandersetzung mit den schwierigen Fragen nach dem **zentralen Zugang der Ergotherapie zu ihren Aufgabengebieten** vertan.

Gleichzeitig bleibt zu bedenken: Wenn dem programmatischen Anliegen der deutschen Ergotherapie nach **Professionalisierung** und **Angleichung des Ausbildungsniveaus auf europäischer Ebene** Rechnung getragen werden soll (s. unten), kann man einer Diskussion über das disziplinäre Gegenstandsverständnis der Ergotherapie und über eine daran orientierte systematische und theoretische Fundierung des Berufs auf Dauer nicht entgehen. Es wird zukünftig zu diskutieren sein, wie sich natur-, sozial- und geisteswissenschaftliche Wissensbereiche in der ergotherapeutischen Arbeit zueinander verhalten und welche Bedeutung ihnen jeweils für das Selbst-, Klienten- und Aufgabenverständnis zukommt. Die konzeptionellen Modelle der Ergotherapie halten hierfür argumentative Ansätze bereit.

Den beschriebenen Umständen entsprechend ist vorerst zu erwarten, dass die Aneignung der konzeptionellen Modelle in den hierzulande verfügbaren Strukturen in einer Vielfalt kurzer **Fortbildungsseminare** stattfinden wird, die dem legitimen Bedarf von Ergotherapeuten entsprechen, neue und effektive Mittel für die Praxis kennen zu lernen. Die anfänglich dominierende Fragestellung der Seminarteilnehmer an die Modelle wird die nach dem Gebrauchs- bzw. Nutzwert für die individuelle Praxis sein. Die Anbieter werden demzufolge die Methoden und Assessments betonen.

In derartigen Strukturen kann im Vermittlungszusammenhang der Seminare die Prüfung des jeweiligen Modells auf seine Vereinbarkeit mit dem eigenen professionellen Selbstverständnis kaum im Mittelpunkt stehen. Dies würde sicher den Rahmen eines Fortbildungsseminars sprengen. Aus eigener wissenschaftlicher Erfahrung können wir sagen, dass es ein schwieriger Weg ist und einer bestimmten **Kultivierung des Diskurses** bedarf, auf einer Metaebene (übergeordneten Ebene) über das eigene, so vertraute berufliche Selbstverständnis oder beispielsweise auch über die Verwendung von geläufigen und neuen Begriffen (z. B. „Performanz") zur Beschreibung der eigenen Arbeit zu reden und nachzudenken. Hier haben Ergotherapeuten in Deutschland einen extremen Nachteil gegenüber ihren Kolleginnen und Kollegen aus den Herkunftsländern der Modelle, denn dort ist über wissenschaftliche Qualifikationsstrukturen in der Ergotherapie eine Streitkultur verbreitet, die auch prinzipielle Fragen professioneller Orientierungen zu stellen wagt.

Eine **Aneignung der Modelle,** die rein auf die praktische Verwertbarkeit in der Arbeit mit dem Klienten bezogen ist, birgt jedoch mehrere **Risiken:**

- Die komplexen Modelle würden auf ihre Funktion als Hilfsmittel für die Behandlungspraxis reduziert, d. h. ihre Mittel zur Befunderhebung, Therapieplanung und -durchführung würden überbetont.
- Zwangsläufig würden diejenigen theoretischen Gehalte der Modelle vernachlässigt, die für die Professionalisierung insofern relevant sind, als sie den ergotherapeutischen Handlungsbereich für den praktisch tätigen Ergotherapeuten systematisieren und mit verschiedenen aufeinander abgestimmten theoretischen Konzepten untermauern (Kap. 2).

- Vernachlässigt blieben zudem in den Modellen enthaltene Annahmen und Werte, die dem ergotherapeutischen Handeln zugrunde gelegt werden, d.h. die Ideen zu einer „Philosophie" der Ergotherapie. Wenn man jedoch auch in Deutschland beginnt, von Paradigmen, gar einem Paradigmenwechsel (Kap. 1) in der Ergotherapie zu sprechen, muss dem eine Auseinandersetzung mit den grundlegenden Orientierungen ergotherapeutischen Handelns und mit der eigenen Fachsprache – den Begriffen, derer sich die Ergotherapie bedient – vorausgegangen sein.

Wichtig

Konzeptionelle Modelle umfassen mehr als die theoretische Erklärung bestimmter Praxisphänomene; sie bestimmen die Begriffe und kennzeichnen den Standpunkt, von dem aus die ergotherapeutische Praxis betrachtet wird.

Angesichts der vertrauten und fremden Modellgehalte bietet sich nicht nur die Möglichkeit, etwas Neues zu verwerten; man erhält auch die Chance, sich darin zu üben, etwas Vertrautes sprachlich zu identifizieren bzw. sich argumentativ gegen eine Vereinnahmung durch eine Haltung zu wehren, die durch das jeweilige Modell vermittelt wird und die dem eigenen **Selbstverständnis** nicht entspricht.

Wir wünschen der deutschen Ergotherapie – und dies werden wir in der Fiktion auszumalen versuchen –, dass in den nächsten Jahren Formen kultiviert und strukturelle Voraussetzungen geschaffen werden, die es ermöglichen, **übergreifende ergotherapeutische Fragestellungen** in einer Verbindung von Theorie und Praxis zu reflektieren, wie dies auch in den Modellen thematisiert wird.

Der theoretische Zwittercharakter der Modelle – wissenschaftliche versus pragmatische Begründung

Der Zwittercharakter konzeptioneller Modelle besteht darin, dass sie zunächst den Eindruck einer in sich stimmigen und logisch aufgebauten Theorie vermitteln. Bei näherer Betrachtung zeigt sich jedoch, dass die einzelnen modellspezifischen Begriffe, Konzepte und ihre Verknüpfungen untereinander **vielfältige Fragen** aufwerfen, die wissenschaftlich noch zu überprüfen sind.

Wichtig

Modelle sind keine wissenschaftlich fundierten Theorien. Ihre Funktion und Stärke kann vielmehr darin gesehen werden, dass sie einen ideellen Zusammenhang konstruieren bzw. skizzieren, der begründetes Handeln möglich macht und eine bestimmte professionelle Haltung unterstützt.

Ein ergotherapeutisches Modell macht also in pragmatischer Absicht vielfältige theoretische Anleihen und greift einem wissenschaftlichen Nachweis vor, der im Einzelnen noch zu erbringen ist. Es ist die **Komplexität** des angenommenen ergotherapeutischen Zusammenhangs, die es so enorm schwierig macht, wissenschaftliche Anforderungen zu erfüllen. In diesem Punkt trifft sich die Ergotherapie mit vielen anderen helfenden sozialen, pädagogischen und medizinischen Berufen.

Zusätzlich stellen konzeptionelle Modelle der Ergotherapie ein bisher unvertrautes **Begriffsinventar** zur Verfügung, das spezifisch ergotherapeutische Zusammenhänge verdichtet und sie gleichzeitig transdisziplinär anschlussfähig macht[3]. Doch diese Begriffe sind bisher definitorische Skizzen, die unter Berücksichtigung deutscher Theorieressourcen genauer ausgearbeitet werden müssen.[4]

---

[3] Zum Begriff der Transdisziplinarität vgl. die Fußnote auf S. XX

Wichtig

Man könnte konzeptionelle Modelle also auch als umfangreiche Forschungsprogramme für vielfältige wissenschaftliche Projekte der Ergotherapie verstehen, wie dies von den jeweiligen Modellschulen zum Teil auch gehandhabt wird.

Ergotherapeutische **Grundannahmen zum Aufgaben- und Gegenstandsbereich der Profession** warten beispielsweise noch auf ihre genauere theoretische Begründung und empirische Überprüfung. Die Funktion von Grundannahmen im Rahmen konzeptioneller Modelle besteht darin, ergotherapeutisches Handeln in größere Zusammenhänge einzuordnen und hierdurch eine komplexe ergotherapeutische Praxis plausibel zu machen. Eine weitergehende Überprüfung z. B. der Annahme, „dass Betätigung für das Leben ebenso nötig ist wie Essen und Trinken" (William Rush Dunton 1919, zitiert nach Miller u. Walker 1993), sprengt den Rahmen eines Modells und ist eher eine Frage, die grundlegend philosophisch zu untersuchen ist.

Zur **praktischen Unterstützung des ergotherapeutischen Problemlösungsprozesses** wurden auf Basis der verschiedenen Modelle bereits viele Befundungsinstrumente und Fragebögen entwickelt. Diese haben für gezielte und effektive ergotherapeutische Behandlungsprogramme sowie für den Nachweis der Wirksamkeit ergotherapeutischer Angebote mit Sicherheit einiges zu bieten. Allerdings genügen sie bisher nur in Ausnahmen wissenschaftlichen Kriterien. Im Rahmen angewandter Forschung können Validierungsstudien hierzu in Zukunft einiges leisten. Die bereits durchgeführten Studien zum COPM („Canadian Occupational Performance Measure") können als vorbildlich gewertet werden.

Diese beiden Beispiele für die Notwendigkeit einer theoretischen und empirischen Begründung der Modelle machen ein weiteres Problem deutlich: Ergotherapeutische Modelle widersetzen sich der **Aufteilung in Grundlagen- und Anwendungsforschung**. Eine wissenschaftliche Untersuchung kann sich hier auf jeweils ausgesuchte Zusammenhänge beziehen, die aus der Komplexität des Modells entnommen werden. So könnte man im Rahmen des Konzepts der Habituation nach Kielhofner untersuchen, wie sich ausgesuchte alltägliche Routinen, wie z. B. die tägliche Ernährung, über die Lebensspanne entwickeln und welche Bedeutung dieser Entwicklungsweg für die ergotherapeutische Rehabilitation (beispielsweise nach einem Schlaganfall) hat. Die Ergebnisse – wie immer sie ausfallen – sind nicht Teil des Modells, sondern müssen in ihrer Bedeutung für das Modell erst wieder neu interpretiert werden.

Möglicherweise greift eine deutsche Ergotherapie, die sich als wissenschaftliche Profession etablieren will, auf die als „unwissenschaftlich" belächelten ergotherapeutischen Modelle nur als Ideengeber für die eigene Forschung zurück, um sich dann dem „mainstream" wissenschaftlicher Disziplinen mit der anerkannten Aufgabenteilung in Grundlagen- und Anwendungsforschung anzuschließen – einer Aufteilung, die übrigens in Deutschland dominanter ist als in den angelsächsischen Ländern. Oder die deutsche Ergotherapie versucht anders-

[4] Beispielhaft genannt seien hier die Begriffe „Performanz", „Habituation" und „Volition". Performanz findet sich als Konzept in der Linguistik, wo es vom Konzept der Kompetenz unterschieden wird; Habituation knüpft an die soziologischen Begriffe „Habitualisierung" und „Habitus" an, die auf (informelle) Normen und Entscheidungsentlastung verweisen; Volition ist als Begriff aus der Handlungspsychologie bekannt, wo er verschiedene vermittelnde Kontrollstrategien fasst, die neben unterschiedlichen Bewusstseinslagen die Handlungsrealisierung beeinflussen. Es wird jeweils im Einzelnen zu klären sein, wo und in welcher Art sich die gleichlautenden Begrifflichkeiten inhaltlich voneinander abgrenzen bzw. übereinstimmen, d. h. was genau die Ergotherapie in Übereinstimmung mit ihrem Gegenstandsbereich mit diesen Begriffen bezeichnet.

herum zunächst einmal, auf die „wissenschaftliche Anerkennung" durch die etablierten Disziplinen zu verzichten, weil sie die **Arbeit mit Modellen** für ihren Aufgabenbereich und vielleicht auch für den Stand ihrer Entwicklung für angemessen hält.

Wichtig

Mit Sicherheit stellt ein Modell einen eigenen kleinen Forschungskosmos dar, der den Blick auf bestimmte Fragestellungen der Ergotherapie lenkt und in dem Fragen der Praxis den Gradmesser für die Bedeutung, die Vielfalt und das Ausmaß einzubeziehender Theorien bilden.

In den USA wurden die Fragen nach einer für die Ergotherapie **angemessenen Forschung** und nach der Notwendigkeit einer **einheitlichen Fundierung** der Ergotherapie in den letzten Jahren vielseitig diskutiert. Eine allseits befriedigende Antwort ist bis heute nicht gefunden, und es wird vermutlich auch nie eine geben. Im deutschen Sprachraum beginnt diese Diskussion erst. Es ist nicht zu erwarten, dass man hier schneller zu einem Ergebnis kommt. Auch diesen Aspekt werden wir in unserer Fiktion berücksichtigen.

9.3 Der Rahmen der Fiktion – das Thema der Professionalisierung

Gedanken zur zukünftigen professionellen Entwicklung der deutschen Ergotherapie müssen auf den **Begriff der Professionalisierung** Bezug nehmen. Mit diesem Begriff sind vielseitige Konzepte verbunden, die die Entwicklung, Differenzierung und hierarchische Ordnung von Berufen beschreiben. Für die fiktive Fortschreibung des Professionalisierungsprozesses der deutschen Ergotherapie werden wir uns im nächsten Abschnitt einiger Rahmenelemente bzw. Orientierungspunkte bedienen. Diese werden uns durch die sich hier anschließenden professionstheoretischen Überlegungen zur Verfügung gestellt.

Im Rahmen der Differenzierung gesellschaftlicher Arbeit in verschiedene Funktionsbereiche (z. B. Industrie, Handel, Handwerk, Gesundheit) entstehen, verschwinden und wandeln sich Berufe, die sich auf die Übernahme, Organisation und Ausdifferenzierung spezifischer gesellschaftlicher Arbeitsaufgaben spezialisieren. Die kompetente professionelle Ausführung gesellschaftlicher Aufgaben erfordert den **Erwerb von Spezialwissen** in unterschiedlicher Breite und Tiefe. Dieses Wissen wird auf inhaltlich und zeitlich unterschiedlich aufwändigen und formal institutionalisierten Bildungswegen angeeignet. Bildungswege, das Maß der übernommenen Verantwortung und die Autonomie bei der Berufsausübung sind voneinander abhängig und in hohem Maße für den Grad der gesellschaftlichen Anerkennung eines Berufs bestimmend.

Eine Möglichkeit, den **Grad der Professionalisierung** eines Berufs festzustellen, besteht darin, den Beruf danach zu untersuchen, ob er spezifische Merkmale aufweist, die von einigen wenigen Disziplinen im Laufe ihrer Entstehungsgeschichte bereits erworben wurden. Der „Besitz" dieser Merkmale berechtigt dann zur Einordnung in die Kategorie der Profession. Zu den Vorbildern unter den Professionen gehören nach dem professionstheoretischen Ansatz, der „Merkmalansatz" genannt wird, die Medizin, die Juristerei und die Theologie.

Combe u. Helsper (1995) fassen dementsprechend die entscheidenden **Merkmale einer Profession** zusammen:

- Erstens ist für eine Profession ein **systematisches und wissenschaftliches Wissen** kennzeichnend, für das spezifische Verfahren der Aneignung existieren.
- Zweitens verfügt eine Profession über einen Wertbezug, der sich am Allgemeinwohl ausrichtet, handlungsorientierend wirkt und in einem **Berufsethos** repräsentiert wird. Als

kontrollierenswert gilt beispielsweise die Ausrichtung der Berufsausübung an finanziellen Kriterien.
- Ein drittes Merkmal bildet die **Autonomie der Kontrolle über Standards der Berufsausübung und Ausbildung.** Diese Autonomie zielt auch darauf ab, dass sich der einzelne Berufsausübende die Selbstkontrolle zur Gewohnheit macht und eine gewisse Unabhängigkeit gegenüber der Einschätzung und Beurteilung durch andere erlangt.

In Anlehnung an dieses Professionsverständnis entstand der Begriff der **„Semi-Profession"** (Etzioni 1969), der auf Berufe angewendet wird, die die genannten Kriterien nicht voll erfüllen. Im Bereich des Gesundheitswesens zählen hierzu die meisten nichtärztlichen Gesundheitsberufe rund um die Medizin.

Die obige Beschreibung mag den Eindruck vermitteln, dass Berufe mittels eigener Anstrengungen in der Lage sind, sich einen Platz unter den Professionen zu erkämpfen. Doch tragen zum gesellschaftlichen Ansehen eines Berufs und zu seiner Einordnung als Profession bzw. Semi-Profession vielfältige **berufsexterne gesellschaftliche Faktoren** bei, die nicht unmittelbar von seinen Vertretern beeinflusst werden können. Für den Bereich „Gesundheit" sollen hier einige wichtige Faktoren genannt werden:
- Gesetzgebung,
- institutionelle Struktur,
- Zuständigkeit und Aufgabenteilung im Gesundheitswesen,
- traditionell starke Position der Medizin,
- Berufsrecht,
- konjunkturelle Entwicklungen,
- kulturelle Normvorstellungen, wie die von der Rolle und Aufgabe der Frau in der Gesellschaft.

Das reine Vorhandensein der oben beschriebenen und von außen erkennbaren **Professionsmerkmale** sagt jedoch noch wenig aus über:
- den Stand und die Komplexität der berufsinternen Aufgabendifferenzierungen,
- das berufliche Selbstverständnis,
- die hiermit verbundenen Logiken des beruflichen Handelns.

Berufsinterne Aufgabendifferenzierungen entstehen einerseits über die Seite der Auftraggeber (Gesellschaft, Klient, gesetzliche Grundlage der Finanzierung, Institution etc.) und andererseits über die Entwicklung eines berufsinternen Gegenstandsverständnisses – eines Verständnisses davon, was im Rahmen der unterschiedlichen Institutionalisierungsformen des beruflichen Auftrags (Akutklinik, Rehabilitationseinrichtung, Praxis, aufsuchender Dienst etc.) im Mittelpunkt der beruflichen Arbeit stehen sollte.

Auch das **professionelle Selbstverständnis** eines Berufs und seiner Mitglieder entwickelt sich im Gegenspiel dazu, wie sich der spezifische Auftrag des Berufs gesellschaftlich entwickelt. Das jeweilige Selbstverständnis wird entscheidend mitbestimmt von den strukturellen und diskursiven Möglichkeiten, die für eine Berufsgruppe bestehen, wenn es darum geht, nicht nur über die Form der Aufgabenerfüllung des einzelnen Berufsangehörigen im Rahmen einer Institution, sondern über den Beruf, seinen gesellschaftlichen Auftrag und seinen Gegenstand zu reflektieren sowie seine Zukunft zu gestalten. Im Einzelnen verbinden sich hiermit Fragen nach den professionellen Kompetenzen, nach dem eigenen auszubauenden systematischen Wissen, nach Aufgabenteilungen bzw. Schnittstellen zu anderen Berufen, nach Wertvorstellungen, z. B. in Bezug auf die Kennzeichen einer guten ergotherapeutischen Arbeit, und nach einer wertschätzenden Beziehung zum Klienten.

Berufliche Handlungslogiken bauen auf diesem Selbstverständnis auf. Sie umfassen berufsspezifische Strategien zur Problemlösung (Problemidentifizierung, Problemeingrenzung, Problemlösung), die theoretischen und praktischen

Mittel, die in diesem Prozess zur Anwendung kommen, und die Ziele eines Berufs, die den Arbeits-/Behandlungsprozess ideell leiten. Berufliche Handlungslogiken werden von den jeweiligen Berufen autonom hervorgebracht und unterliegen keinen institutionellen Einflüssen (Riemann 1997).

Auch diese **internen Merkmale** kennzeichnen den Professionalisierungsstand eines Berufs. Eine Möglichkeit, die Qualität dieser berufsinternen Kennzeichen herauszuarbeiten, besteht darin, ihre Entstehung im Rahmen der jeweiligen Berufsgeschichte im Wechselspiel mit den gegebenen gesellschaftlichen Rahmenbedingungen exakt und detailliert zu beschreiben.

Wichtig

Allgemein und vereinfacht lässt sich sagen, dass ein Professionalisierungsprozess an der Naht zwischen dem (externen) gesellschaftlichen und dem berufsinternen Entwicklungsprozess abläuft. Einerseits führt dieser Prozess zu einer formal geregelten gesellschaftlichen Positionierung im Gefüge der Berufe, die durch Anerkennung, Prestige und Machtverhältnisse gekennzeichnet ist; andererseits bilden sich in diesem Prozess berufsintern professionelle Aufgabenbereiche, das berufliche Selbstverständnis und berufsspezifische Handlungslogiken heraus.

Eine Studie von Schewior-Popp (1994) beschreibt die **Professionalisierungsprozesse von Krankengymnastik und Ergotherapie** in Deutschland. Die Autorin plädiert dafür, die Ausdifferenzierung der Aufgabenfelder dieser Berufe zu betrachten. Trotz des relativ niedrigen gesellschaftlichen Status dieser Berufe seien eine hohe Verantwortlichkeit und Autonomie bei der Durchführung beruflicher Tätigkeiten zu beobachten. Ein tieferes Verständnis der professionellen Merkmale könne daher nur erreicht werden, indem man die Entstehung und Entwicklung der Aufgaben- und Kompetenzbereiche und der Ausbildung differenziert beschreibe.

In der Studie werden die Berufsgeschichten von Krankengymnastik und Ergotherapie sowie deren Ausbildungswege untersucht sowie Entwicklungsphasen herausgearbeitet. Schewior-Popp (1994) weist nach, dass die Ergotherapie in ihrem Professionalisierungsprozess wichtige **Etappen** zurückgelegt hat. Als entscheidende Punkte nennt sie u. a. die Organisation des Berufs in einem Berufsverband, das Inkrafttreten berufsrechtlicher Regelungen und der ersten Ausbildungs- und Prüfungsordnung sowie Prozesse berufsinterner Differenzierungen und Abgrenzungen gegenüber anderen Berufen im Umfeld.

Für den **Fortgang des Professionalisierungsprozesses** sieht Schewior-Popp (1994) aber auch Hürden bzw. Hemmnisse: Einerseits engten gesetzliche, materielle und personelle Rahmenbedingungen den Ausbildungsbereich und die Selbstverwaltungsmöglichkeiten des Berufs ein (Schewior-Popp 1994, S. 169; DVE 1997/1998; Jehn u. Miesen 1999); andererseits berge gerade auch der Prozess der berufsinternen Differenzierungen und Abgrenzungen gegenüber anderen Berufen gewisse Konfliktpotenziale, die mit dem beruflichen Selbstverständnis in Zusammenhang stünden.

Um eine **berufsinterne Zersplitterung** zu vermeiden und das Problem der Abgrenzung und Legitimation nach außen zu lösen, sei es wichtig, nicht Kompetenzbereiche abzuschotten, sondern berufsinterne Handlungslogiken zu entwickeln, die sowohl auf wissenschaftlichen Leitdisziplinen als auch auf Handlungswissen der Praxis beruhen (Schewior-Popp 1994, S. 167). In Bezug auf die Rahmenbedingungen der Ausbildung fordert die Autorin, dass vertikal und horizontal durchlässige Ausbildungsgänge geschaffen werden (Schewior-Popp 1994, S. 169). Damit spricht sie ein Kernproblem der meisten überwiegend von Frauen ausgeübten Berufe im Gesundheitswesen an: das vollständige Fehlen von Qualifizierungs- und Karrieremöglichkeiten.

Zusammenfassung

Für unsere folgenden Überlegungen wurden hier wichtige Orientierungspunkte bzw. **Stichworte** gegeben, die wir in unterschiedlichen Zusammenhängen und Thematisierungen in unserer Fiktion aufgreifen werden. Es wurden folgende Punkte benannt:

- Paradigmenwechsel,
- der zentrale Zugang zum Aufgabenfeld,
- die Kultivierung eines ergotherapeutischen Diskurses.

Mehr oder weniger statische und zu erwerbende Merkmale, die auch Aussagekraft über den **gesellschaftlichen Ort und Status einer Profession** haben, stellen folgende Punkte dar:

- Entwicklung eines systematischen und wissenschaftlichen Wissens,
- Wertbezug bzw. Berufsethos,
- Autonomie der Kontrolle über Standards der Berufsausübung und Ausbildung.

Schewior-Popp (1994) wies in ihrer **Professionalisierungsstudie** zu Krankengymnastik und Ergotherapie auf folgende Aspekte hin:

- Prozess der Professionalisierung,
- äußere und innere Entwicklungsbedingungen eines Berufs.

Gefordert werden in diesem Zusammenhang:

- Schaffung von Qualifizierungswegen in Form von vertikal und horizontal durchlässigen Ausbildungsgängen,
- aktive Entwicklung eigener professioneller Handlungslogiken anstelle einer Abschottung nach außen.

9.4 Die Fiktion

Es gibt einige wichtige Publikationen, in denen die Geschichte (Marquardt 1988) und die aktuelle Situation des Berufs in seinen Praxisfeldern und im Bereich der Ausbildung (Jehn u. Miesen 1999) beschrieben bzw. in denen ein Ausblick auf die Ergotherapie in das Jahr 2005, der auf demographische Daten zur Bevölkerungs- und Krankheitsentwicklung gestützt ist (DVE 1997/1998), gegeben wurden. Diese Werke dienen allerdings nicht als konkrete Ausgangsbasis für unsere Fiktion. Die bereits beschriebenen **Orientierungspunkte** (s. oben) müssen ausreichen, um die Verbindung zur realen Situation aufrechtzuerhalten.

In der Fiktion greifen wir die genannten **Aspekte der Professionalisierung** auf und bringen sie mit eigenen Ideen, Erfahrungen, Hoffnungen und Befürchtungen in Bezug auf eine zukünftige Ergotherapie in Zusammenhang. Der Kunstgriff der Fiktion entbindet uns dabei von der Pflicht, Themenkomplexe (z. B. den Aufbau eines systematischen Wissens für die Ergotherapie, die Erörterung der wissenschaftstheoretischen Debatte um den Paradigmenbegriff) aufwändig herzuleiten. Ein derartiges Vorhaben würde zu entsprechend vielen weiteren Beiträgen von erheblichem Umfang führen und erscheint in diesem Rahmen nicht realisierbar. Der folgende Abschnitt soll vielmehr schlaglichtartige Einblicke in eine fiktive Zukunft der deutschen Ergotherapie erlauben.

Der Einblick wird durch **4 Konstruktionen** gewährt:

- einen fiktiven Rückblick auf die Berufsentwicklung der Ergotherapie im Jahr 2030,
- eine fiktive ergotherapeutische Berufsbiographie,
- einen fiktiven Vortrag, gehalten anlässlich der Eröffnung des ergotherapeutischen Forschungszentrums in Bad Pyrmont im Jahre 2030,
- einen fiktiven wissenschaftlichen Beitrag mit dem Titel „Zur diskursiven Kultur der

Ergotherapie seit der Jahrtausendwende" in einem ergotherapeutischen Fachjournal.

Warum wählen wir nun das Jahr 2030 als Zeitpunkt für unsere Fiktion? Hagedorn (Kap. 2) beschreibt für die „occupational therapy" in den USA, Kanada und Großbritannien die Entwicklung der ergotherapeutischen Berufspraxis als **evolutionären Prozess.** Dieser vollziehe sich in den genannten Ländern in Zyklen, die nach ihrer Beobachtung jeweils etwa 30 Jahre umfassen. Die Kennzeichen der von Hagedorn beschriebenen **3 Stadien** werden hier zitiert (Kap. 2):

- **Stadium 1:** Entwicklung und Erkundung
  - Suche nach relevanten existierenden Kenntnissen und Techniken zur Entwicklung einer Praxis,
  - Übernahme von Kenntnissen und Techniken in die Praxis;
- **Stadium 2:** Standardisierung vs. Diversifizierung
  - Anpassung von Kenntnissen und Techniken, sodass sie für die Ergotherapie an Relevanz gewinnen,
  - Entwicklung von Spezialgebieten, die spezifische Kenntnisse und Techniken erfordern,
  - Herausbildung verwandter Therapieformen;
- **Stadium 3:** Akademische Untersuchung
  - Berufsausbildung mit Hochschulniveau,
  - Anwachsen der Forschung, kritische Einschätzung der Praxis, akademische Publikationen,
  - Entwicklung von Theorien und Modellen speziell für die Ergotherapie,
  - Suche nach einigenden Konzepten und Definitionen.

Nimmt man für die deutsche Ergotherapie eine entsprechende Entwicklung in sich überschneidenden **30-Jahres-Zyklen** an, ist es zunächst überraschend festzustellen, dass von der Einführung des Berufs im Jahre 1947 bis zum Inkrafttreten des Berufsgesetzes und der ersten Ausbildungs- und Prüfungsordnung tatsächlich 30 Jahre vergingen. Die US-amerikanische „occupational therapy" befand sich nach dieser Theorie übrigens gerade am Ende der 2. Phase. Sie ist der Entwicklung der deutschen Ergotherapie nach diesem Modell somit genau um einen Zyklus voraus. Für die deutsche Ergotherapie kennzeichnet das Ende der 1990er Jahre nach diesem Zyklenmodell auch ungefähr das Ende des 2. Stadiums. Für unsere Fiktion begeben wir uns an das Ende eines angenommenen 3. Stadiums der deutschen Ergotherapie. Wir gehen also von einem bereits durchlaufenen Prozess der Akademisierung aus, nehmen eine umfangreiche Forschungstätigkeit für die Ergotherapie an und vollziehen eine fiktive Suche nach einigenden Konzepten und Definitionen nach **(Abb. 9.1)**.

Professionalisierungsprozess und Paradigmenwechsel – ein fiktiver Rückblick auf die Berufsentwicklung im Jahre 2030

Initiale Auslöser für die umwälzende Entwicklung des Berufs der Ergotherapie sind schwer auszumachen. Sie gehen wohl bis in die 1990er Jahre zurück. Zu dieser Zeit trat nach langen Jahren der Überarbeitung eine neue **Ausbildungs- und Prüfungsordnung** für die Berufsfachschulen in Kraft, die im Vergleich zur 23 Jahre alten Vorgängerin neue Schwerpunkte setzte. Der Anteil sozialwissenschaftlicher Fächer wurde deutlich erhöht, ein Fach „Grundlagen der Ergotherapie" erstmals eingeführt. Die Kolleginnen und Kollegen aus den verschiedenen Praxisfeldern und Schulen begannen, sich mit den ursprünglich aus den angelsächsischen Ländern stammenden **konzeptionellen Modellen der Ergotherapie** zu beschäftigen, die ihnen im Vergleich zu ihrer gewohnten Orientierung an medizinischen Fachbereichen

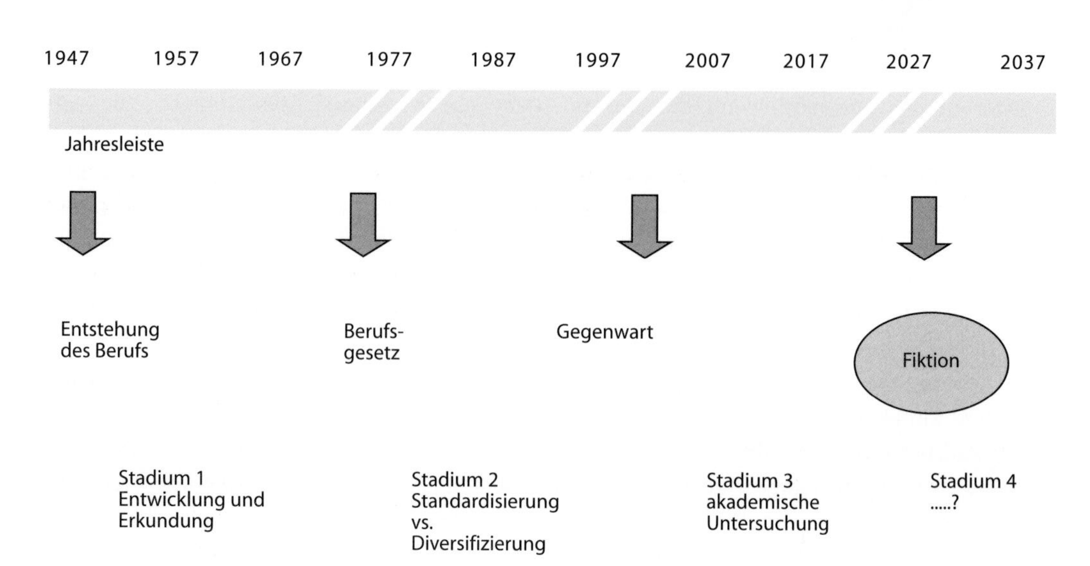

Abb. 9.1. Jahresleiste zur zeitlichen Einordnung der Fiktion in eine zyklenbestimmte Berufsentwicklung der deutschen Ergotherapie in Anlehnung an Hagedorns evolutionären Prozess der Berufsentwicklung (Kap. 2).

und Therapiemethoden eine andersartige Systematik ihres Handlungsfeldes vorstellten.

Parallel hierzu trugen Ende der 1990er Jahre **neue gesetzliche Grundlagen des Gesundheitswesens** zur allmählichen Verkleinerung der Kliniken bei. Stärkere Forderungen nach Effektivitätsnachweisen gingen Hand in Hand mit knapper werdenden Mitteln. Auch die Ergotherapie blieb von diesen Entwicklungen nicht unbeeinflusst. Sie begann, kaum merklich, mit der Verlagerung sowohl ihres inhaltlichen als auch ihres räumlichen Schwerpunkts in die Nähe der Lebens- und Arbeitswelten ihrer Klienten. Dies war der Anfang einer kritischen und sehr verunsichernden Phase in der Geschichte der deutschen Ergotherapie, denn der einsetzende Orientierungswechsel war nicht intendiert und vollzog sich unaufhaltsam und zum Teil schmerzhaft (Stelleneinsparungen). Die Auswirkungen waren auf den Ebenen der Institutionalisierung ergotherapeutischer Angebote, der Aus-, Fort- und Weiterbildung sowie der ergotherapeutischen Veröffentlichungen in Fachjournalen nachzuvollziehen.

Die Diskussion um die **„Qualitätssicherung"** sollte sich in unterschiedlicher Weise auf allen Ebenen als Katalysator der Entwicklung auswirken. Einerseits begann die Suche nach Wegen zur Beschreibung und nach Mitteln zur Objektivierung ergotherapeutischer Leistungen. Es wurden Befundungs- und Validierungsinstrumente gesucht und entwickelt, die einen Effektivitätsnachweis für die Ergotherapie ermöglichen sollten. Andererseits trat eine große Unsicherheit in Bezug auf die Frage zutage, welche die maßgeblichen Erfolgskriterien einer ergotherapeutischen Behandlung sein sollten. In dieser Phase wurde die schillernde und widersprüchliche Komplexität des ergotherapeutischen Arbeitsbereichs sichtbar. Sie führte in den Ergotherapien aller medizinischen Fachbereiche zu einer sehr heftigen, kontroversen, aber prinzipiell alle verbindenden Debatte darüber, wie Handlungsfähigkeit als biopsychosozialer Gegenstand der Ergotherapie zu beschreiben sei und wo die Schwerpunkte der ergotherapeutischen Arbeit lägen, die dann auch die Hauptkriterien für den Nachweis des Behandlungserfolgs bilden sollten. Damals konnte noch niemand wissen, dass mit dieser

Debatte eine schleichende, aber grundlegende theoretische Neuorientierung des Berufs begann.

Mit der Zeit bildeten sich deutliche **Gruppierungen**, die verschiedene Positionen vertraten und unterschiedliche Prioritäten für ihre Arbeit setzten. Zu diesem Zeitpunkt realisierten diese Gruppierungen allerdings noch nicht, dass sie mit ihrem jeweiligen Ansatz einen Teil des Kontinuums repräsentierten, das einen umfassenden ergotherapeutischen Gegenstandsbereich beschreibt.

Eine dieser Gruppierungen könnte man als die **„klassischen Ergotherapeuten"** bezeichnen. Dazu zählten überwiegend Ergotherapeuten in den sich rasant ausbreitenden ergotherapeutischen Praxen und in Akutkrankenhäusern. Ergotherapeuten dieser Gruppe orientierten sich an der Medizin und am neusten Stand z. B. neuropsychologischer, neuropädiatrischer, biomechanischer, psychiatrischer und psychotherapeutischer Erkenntnisse. Für sie hatten die Wiedergewinnung, der Erhalt und die Verbesserung physischer, psychischer und kognitiver Handlungsfunktionen nach Einwirkung einer körperlichen Schädigung, Störung oder Behinderung erste Priorität. Die Funktionsstörung musste, medizinisch indiziert, durch den Einsatz spezifischer Techniken und Methoden behandelt werden.

Nur eine so verstandene Ergotherapie fiel in den schmaler werdenden Finanzierungsbereich der Krankenkassen, womit sich der Nachweis einer eher naturwissenschaftlich-medizinischen und weniger einer sozial-medizinischen Effektivität verband. Der enger werdende Handlungsrahmen für die „klassischen Ergotherapeuten" durch die diversen neuen Gesetze und der Kampf um die Existenzsicherung hatten wesentlichen Einfluss auf die **Prioritätensetzung** dieser Gruppe. Der Blick über die medizinischen Grenzen hinaus wurde zunehmend unfinanzierbar. Diese Entwicklung hielt bis in das 2. Jahrzehnt des 21. Jahrhunderts hinein an. Für den Bereich der allgemeinen Krankenhäuser bildeten sich z. B. ergotherapeutische Multibereichsabteilungen, die entsprechende therapeutische Arbeitsplätze überwiegend für die Akutbehandlung vorhielten. So sollte die Versorgung von Patienten unterschiedlichster medizinischer Fachbereiche auf Grundlage der verschiedenen ergotherapeutischen Behandlungsverfahren sichergestellt werden.

Eine andere Gruppierung, man mag sie die **„neuen Ergotherapeuten"** nennen, siedelte sich außerhalb der Klinik verstärkt in mobilen Fachdiensten, Gemeindezentren und – in präventiver Funktion – auch in Firmen an. Gemeinsam mit den Kolleginnen und Kollegen aus Heimen, Kindergärten, Schulen und vielfältigen Einrichtungen der ambulanten Versorgung galt ihr erhöhtes Interesse den hilfesuchenden Menschen in ihrer konkreten Umgebung. Ihre Priorität lag darin, den betroffenen Menschen die Aktivitäten zu ermöglichen, deren Ausführung diese selbst als wesentlich für ihre Lebensführung erachteten. Da es sich zum großen Teil um schwer chronisch kranke, alte und auch einsame Menschen handelte, ging es manchmal um kleinste Aktivitätsmöglichkeiten mit großer individueller Bedeutung und um die Schaffung eines sozialen Umfelds als unterstützenden Hintergrund.

Eine 3. Gruppe, die **„ergotherapeutische Generalisten"** genannt werden könnte, setzte sich aus Personen zusammen, die überwiegend etwas mehr Distanz zur direkten Arbeit mit Klienten hatten. Sie machten sich Gedanken um den inneren Zusammenhang und den äußeren Zusammenhalt der Ergotherapie. Zu dieser Gruppe gehörten anfänglich überwiegend Schulleiter, Lehrer und Abteilungsleiter.

In dieser Phase zum Ende des 1. Jahrzehnts des 21. Jahrhunderts gab es vermehrt **Veröffentlichungen**, in denen einige Kollegen und Kolleginnen von ihren positiven Erfahrungen bei der Konzeptentwicklung völlig neuer Praxisbereiche in Firmen und in der Gemeinde berichteten. Einige von ihnen hatten sich nach langen Berufsjahren noch einmal für ein Aufbaustudium an einer Fachhochschule entschieden und sich dort mit Grundlagen der Ergotherapie und auch mit betriebswirtschaftlichen Inhalten vertraut gemacht. Eine wichtige Botschaft dieser Berichte war die Kunde, dass es für einige transdisziplinär angelegte Projekte gelungen war, Modellfinanzierungen über Bund, Krankenkassen oder EU-Fonds zu erwirken.

Eine weitere Botschaft wurde schon als selbstverständlich aufgenommen: dass **Praxismodelle** mehr noch als die verschiedenen neurophysiologischen, neuropsychologischen, motorisch-funktionellen und psychosozialen Behandlungsverfahren – diese gehörten zum Standardrepertoire der erfahrenen Therapeuten – eine gute Unterstützung bei der Bewältigung der schwierigen Anfangssituation am neuen Arbeitsplatz und bei der ergotherapeutischen Konzeptentwicklung darstellten. Als **besonders hilfreiche Aspekte** der Modelle wurden genannt:

- Systematisierung der verschiedenen Ebenen der menschlichen Handlungsfähigkeit, die es zu beachten gilt,
- starke Berücksichtigung der Umwelt,
- differenzierte Betrachtung der Bedürfnisse der Klienten.

Der Rückblick überspringt hier die Entwicklungen zu Anfang des 2. Jahrzehnts, als es zur „Schulenbildung" mit eigenen Zeitschriften rings um die Modelle kam, und das Phänomen, dass die Verständigung zwischen den Ergotherapeuten immer weniger wegen ihrer medizinischen Fachzugehörigkeit, dafür vermehrt wegen ihrer jeweiligen Modellzugehörigkeit schwierig wurde, und wendet sich nun der **Fachhochschulentwicklung** zu.

An verschiedenen Fachhochschulen kam es Anfang des 21. Jahrhunderts zur parallelen Einrichtung von **Studiengängen für Ergotherapie** und andere Gesundheitsberufe, ein für diese Berufsgruppen wichtiger Meilenstein zur Eröffnung vertikaler Bildungs- und Karrierewege. Die Angehörigen dieser Berufsgruppen nutzten die Chance, verstärkt verbindende Fragestellungen und Anliegen (von denen es sehr viele gab) gemeinsam zu bearbeiten und in transdisziplinären Studienangeboten umzusetzen. Nach und nach wurden gemeinsame Grundlagen für die Lehrpläne erarbeitet und umgesetzt und schließlich auch horizontale Durchstiegsmöglichkeiten geschaffen.

Über das 2. und 3. Jahrzehnt entwickelten die **Studienbereiche** der verschiedenen Fachhochschulen sehr unterschiedliche Profile. Einige gingen stärker in die anwendungsbezogene Forschung (z. B. Entwicklung und Evaluierung von Befunderhebungsverfahren), andere orientierten sich mehr an Grundlagenfragen, die den Zusammenhang von menschlicher Betätigung und Gesundheit betreffen.

Im 2. Jahrzehnt entstanden in Zusammenarbeit mit den Berufsverbänden und weiteren gesundheitspolitischen Gremien in den transdisziplinären Foren der Fachhochschulen Überlegungen zur Einrichtung eines aus verschiedenen Kammern zusammengesetzten Kontrollorgans der Therapie- und Pflegeberufe, das den Ausbau von **Selbstverwaltungsrechten** betreiben sollte. Die europäische Entwicklung zur Angleichung der nationalen Gesundheitssysteme kam diesen Professionalisierungsbestrebungen der deutschen Gesundheitsberufe entgegen und wirkte sich förderlich aus. Mit Hilfe der internationalen Kontakte, die sich zu Beginn des neuen Jahrhunderts über die Fachhochschulen verstärkt entwickelten, und durch die systematisch betriebene Analyse der Geschichte der helfenden Berufe in Deutschland ließ sich nachweisen, dass die Selbstverwaltungsrechte dieser Berufsgruppen in Deutschland im Vergleich zu anderen Ländern v. a. aus historischen Gründen ausgesprochen gering waren. Zu den **angestrebten Rechten** gehörten:

- Definitionskompetenzen für Ausbildungsstandards,
- Betrieb eines Berufsregisters,

- Überwachung einer Berufsordnung,
- Definition von Tätigkeitsbereichen.

Trotz der diversen ergotherapeutischen Interessengruppierungen, die sich im 1. Jahrzehnt des 21. Jahrhunderts herausgebildet hatten, und der profilierenden Abschottung über eine „Schulenbildung" entlang der verschiedenen konzeptionellen Modelle im 2. Jahrzehnt entwickelte sich – quasi kaum merklich – ein Konsens aller an der Debatte beteiligten Ergotherapeuten. Dieser fand seinen Niederschlag auch im berufsständischen Vertretungsorgan der Ergotherapeuten in einer **Reform und Neuordnung der Arbeitsgruppen** entlang der gewonnenen systematischen und ergotherapeutisch-wissenschaftlichen Erkenntnisse. Die Herausbildung eines einheitlichen Wertbezugs erfuhr ihre symbolische Würdigung in der Neugestaltung des verbandlichen Logos, das die ursprüngliche Idee von der Ergotherapie als einer geschwungenen Brücke wieder aufgriff. In ihrem weit gespannten Bogen (eines mehrdimensionalen Verständnisses menschlicher Handlungsfähigkeit) verbindet die (ergotherapeutische) Brücke 2 voneinander getrennte und prinzipiell unvereinbare Welten: die Welt der medizinischen Diagnose und die Lebenswelt der Patienten.

Erst im Rückblick ist es allmählich angebracht, von einem **Paradigmenwechsel** in der Ergotherapie zu sprechen: Die reduktionistische und additive Betrachtung von Einzelkomponenten und Funktionen menschlicher Handlungsfähigkeit im Rahmen der rein biologisch-körperlichen und psychisch-individuellen Möglichkeiten ist heute überwunden, und eine integrierende Sichtweise einer vom sozialen Kontext des Menschen abhängigen individuellen, leiblichen Handlungsfähigkeit bestimmt den ergotherapeutischen Gegenstand.

Eine ergotherapeutische Berufsbiographie in Stadium 3 – Verbindung von praktischer ergotherapeutischer Tätigkeit mit Forschungsaktivitäten

Wiebke West[5] schloss ihre 3-jährige **Ergotherapieausbildung** im letzten Jahrgang an der letzten Berufsfachschule ab, die im Jahre 2008 noch nicht in eine Fachhochschule integriert war. Schon während ihrer Ausbildung interessierte sie sich besonders für die konzeptionellen Modelle der Ergotherapie und vertiefte ihre Kenntnisse zum „Modell menschlicher Handlungsdurchführung", indem sie Kurse der entsprechenden Fortbildungsakademie belegte und einige Monate nach ihrem ergotherapeutischen Examen den A-Grad erwarb, d. h. die **Grundstufe einer 3-stufigen Weiterbildung** erfolgreich abschloss.

Nachdem sie sich nun für eine **gemeindenahe Tätigkeit** gut gewappnet fühlte, trat Frau West ihre erste Stelle in einem mobilen geriatrischen und multiprofessionellen Team in einer niedersächsischen Kleinstadt an. Ihr Arbeitsplatz lag zum einen im Teambüro, das für Kontaktaufnahmen unterschiedlichster Art, Teambesprechungen und Supervision genutzt wurde, und zum anderen im Wohnumfeld der Klienten, die sie direkt zuhause aufsuchte. In deren Wohn- und Lebensräumen verbrachte sie den größten Teil ihrer Arbeitszeit. Die Klienten besuchte sie, je nach Problemstellung, einmal täglich bis einmal monatlich.

Das erstmalige Betreten einer Wohnung und der anfängliche Kontakt im Lebensraum eines neuen, evtl. schwerkranken Klienten kam ihr manchmal vor wie der **Eintritt in eine fremde Welt.** Oft konnte sie sich nur schwer vorstellen, wie in einer solchen Umwelt unterschiedlichste, individuell bedeutungsvolle und befriedigende Betätigungen gelingen konnten bzw. zukünf-

[5] Personennamen und Bezeichnungen von Forschungsarbeiten und Journalen, die in diesem und den folgenden Texten genannt werden, sind frei erfunden.

tig mit ihrer fachlichen Unterstützung wieder gelingen können sollten. Über jahrelange Erfahrung lernte sie im intensiven Austausch mit dem Team, praktisch umzusetzen, was ihr theoretisch durch die ergotherapeutischen Praxismodelle schon bekannt war: sich einen verstehenden und biographisch nachvollziehenden Zugang zu den verschiedenen Betätigungen und zur Zeitgestaltung der Klienten zu erarbeiten, bestehende Ressourcen im Umfeld zu nutzen und mit – aus eigener Sicht – schnell wirksamen„Verbesserungsvorschlägen"zurückhaltend zu sein.

Frau West begann schließlich damit, neben ihrer anspruchsvollen praktischen Klientenarbeit die **supervisorische Begleitung** von Ergotherapiestudenten zu übernehmen. Dadurch lernte sie, sich mit ungewohnten Fragen zu ihrer täglichen Arbeit auseinander zu setzen, und bekam darüber hinaus auch Einblick in die Aktivitäten der örtlichen Fachhochschule. Sie beteiligte sich an deren ausbildungs- und öffentlichkeitsbezogenen Veranstaltungen. Ihr Engagement innerhalb des Teams und ihre Zusammenarbeit mit der Fachhochschule führten quasi geradlinig und nahtlos zur ergotherapeutischen **Forschungstätigkeit** von Frau West. Als ergotherapeutische Praktikerin wirkte sie im Rahmen ihrer Dienststelle an einer wissenschaftlichen Begleitstudie zur „Klientenzentrierung in mobilen geriatrischen Teams" mit.

Frau Wests Engagement in der Klienten- und Teamarbeit, in der Studentenbetreuung und in der Forschungsarbeit sollten ihr in den darauf folgenden Jahren die Gelegenheit geben, den **methodisch-reflektierten Zugang** zu ihrem praktischen Arbeitsgebiet auf den verschiedenen Ebenen weiter auszuarbeiten, d. h. ihre praktischen ergotherapeutischen Handlungsvollzüge zur Unterstützung und Förderung der Handlungsfähigkeit der Klienten aus unterschiedlichen Blickwinkeln zu hinterfragen und weiterzuentwickeln.

Hier muss betont werden, dass ohne die jahrelange **kooperative Zusammenarbeit** des geriatrischen Dienstes mit dem Fachbereich „Gesundheits- und Sozialwesen" der örtlichen Fachhochschule in Bezug auf Fragen der Ausbildung und Qualitätssicherung weder eine reibungslose Durchführung des Forschungsprojekts noch die problemlose individuelle Mitarbeit Frau Wests an diesem Projekt möglich gewesen wäre. Nur angedeutet werden soll, dass die genannte Studie Teil eines umfassenden europäischen Forschungsprogramms war, das zur Angleichung der Gesundheitsversorgung in den verschiedenen Ländern speziell die Aufgaben, Funktionen und Möglichkeiten der nichtmedizinischen Gesundheitsberufe in den Blick nahm. Besonders in Deutschland hatte man in Bezug auf diese Berufsgruppen ein deutliches Forschungsdefizit festgestellt.

Die Studie „Klientenzentrierung in mobilen geriatrischen Teams" zielte auf die differenzierte Beschreibung und **Evaluierung professioneller Mehrperspektivität** bei der Lösung der vom Klienten vorgebrachten Problemstellungen ab. Es ging erstens darum, die jeweiligen professionellen Handlungslogiken der verschiedenen Berufe historisch und systematisch zu beschreiben, zweitens – und hieran beteiligte sich Frau West – sollten die transdisziplinären Übereinstimmungen und gegenseitigen Ergänzungen der verschiedenen Berufe problembezogen dargestellt werden.

Der Verlauf der Studie und die angewandten methodischen Vorgehensweisen regten Frau West dazu an, ihr eigenes ergotherapeutisches Problemlösungspotenzial, ihre unterschiedlichen Formen des klinischen Reasoning, die ihr ein Verständnis der Problemstellung des Klienten vermittelten, die Funktionalität der Unterschiede der verschiedenen im Team vertretenen professionellen Ansätze sowie die Aufgabe und Funktion ihres Dienstes insgesamt als variable komplexe Gefüge zu verstehen, die in ihrer Vielfalt und Widersprüchlichkeit erst in größeren gesellschaftlichen Zusammenhängen deutlich werden. Frau West entschloss sich, ein berufsbegleitendes **Aufbaustudium** aufzunehmen.

Da sie inzwischen Mutter geworden war, entschied sie sich – räumlich und zeitlich zurzeit etwas gebunden, geistig-ideell jedoch sehr flexibel – für ein europäisches **Fernstudium der Therapieberufe,** das sowohl interdisziplinäre als auch ergotherapiespezifische Studienangebote beinhaltete und Frau West in einem ersten Schritt zum „Bachelor‘s degree" und später zu einem „Master‘s degree" führen sollte. Die mit ihrem Fachdienst kooperierende örtliche Fachhochschule stellte studienbegleitend eine bestimmte informative Infrastruktur (Bibliothekenbenutzung, Räumlichkeiten, Information und Beratung) zur Verfügung. Die Studienblöcke sowie der Austausch unter den Studenten und mit den Lehrenden, die über ganz Europa verteilt waren, wurden über E-Mail und Internet abgewickelt.

Das Studium hätte durchaus den Quereinstieg in das **Gesundheitsmanagement**, einen Aufbaustudiengang **„Rehabilitationsforschung"** oder eine ebenfalls von mehreren Fachrichtungen aus wählbare Spezialisierung ermöglicht. Als Beispiel sei hier der Studiengang **„Häusliche Rehabilitation"** genannt, der vertiefende Studien z. B. im Bereich Architektur und soziale Netzwerke erforderlich gemacht hätte. Frau West steuerte jedoch zielstrebig auf die **„Grundlagen der Ergotherapie"** zu. Ihre Tätigkeit mit chronisch kranken und alten Menschen in deren gewohnten Lebensumfeldern veranlasste sie dazu, mehr über die Hintergründe und die Ermöglichung menschlicher Handlungsfähigkeit wissen zu wollen.

Das Studium verlangte von Frau West einige Abstimmungen und Nachweise über die medizinischen Grundkenntnisse, wie sie seit kurzem in einem Lehrplan für das integrierte Studium der Gesundheitsberufe festgelegt waren. Das **Schwerpunktstudium „Ergotherapie"** stellte die Erforschung des tätigen Menschen in seinen verschiedenen Lebensbezügen (Produktivität, Selbstversorgung, Erholung/Freizeit) in den Mittelpunkt. Hier wurden verstärkt Grundlagen in den Geistes- und Sozialwissenschaften ausgebaut, und es wurde auch auf Forschungsliteratur zu den Konzepten „Umwelt", „Person", „Betätigung" und „Performanz" zurückgegriffen, wie sie in den Praxismodellen entwickelt wurden. Das Hauptstudium vertiefte zum **Themenkomplex „Betätigung und Gesundheit"** die Bereiche „Prävention", „Beratung", „Therapie" und „Rehabilitation". Hier wurde problembasiert an den jeweiligen Arbeitszusammenhängen der Studenten angeknüpft, und die im integrierten Studium der Gesundheitsberufe angeeigneten Forschungsmethoden wurden zum Einsatz gebracht.

Frau West schrieb ihre **Magisterarbeit** zum Themenbereich „Transformation individueller Betätigungsprofile bei Menschen mit körperlicher Behinderung nach deren altersbedingtem Ausscheiden aus dem Erwerbsleben". Während des Studiums hatte sich Frau West ein Verständnis zum gesellschaftlichen Auftrag und Ort der Ergotherapie erarbeitet. Sie sah den Auftrag in der Vermittlerrolle der Ergotherapie an der Naht zwischen gesellschaftlichen und sozialen Zuschreibungen individueller Betätigungsformen („occupational forms") einerseits und der individuell hervorgebrachten und entwickelbaren Betätigungsperformanz andererseits. Sie wechselte die Stelle und arbeitete nun in koordinierender Funktion bei der Stiftung „Selbstbestimmtes Leben im Alter", die die Einrichtung und den Erhalt einer unterstützenden Infrastruktur für das selbstständige Leben alter Menschen förderte. Auch von diesem Arbeitsplatz aus suchte sie wieder eine projektbezogene Kooperation mit einer Fachhochschule. Diesmal ging es um die Entwicklung und Implementierung eines Qualitätszirkels für die verschiedenen zusammenarbeitenden regionalen Dienste und niedergelassenen Ärzte.

Durch ihre europäischen Studienkontakte stark motiviert, begann Frau West, sich **berufspolitisch** zu orientieren und dann zu engagieren. Während sich für sie auf regionaler Ebene in ihrem Arbeitsbereich und auf internationaler Ebene in ihrem Studiengang positive Erfahrungen abzeichneten, die ihr professionelles Selbstverständnis förderten, schien sich im 2. Jahrzehnt des 21. Jahrhunderts auf Bundesebene eine zunehmende Zersplitterung der Ergotherapie abzuzeichnen. In das Zentrum ihres berufspolitischen Interesses rückte Frau West deshalb die Zusammenführung der Aktivitäten im Bereich konzeptioneller ergotherapeutischer Arbeit, die sich auf unterschiedliche Gruppierungen verteilte. Das Auseinanderfallen der Interessengruppierungen deutete sie als Anzeichen für die Orientierungssuche einer ganzen Berufsgruppe, die den einigenden, ordnenden und nährenden Boden der Medizin verlassen hatte und sich nun auf die unterschiedlichsten gesellschaftlichen Felder (z. B. auch Betriebe, Freizeitbranche etc.) verteilte. Das Chaos bzw. die Suche nach Orientierung wurde zudem entgegen vieler Hoffnungen mit der Einführung und Durchsetzung der Fachhochschulstudiengänge nicht beendet, sondern anfangs sogar verstärkt.

Auf Ebene des Berufsverbands fand sich die **Vielfalt der verschiedenen Interessen** wie in einem Mikrokosmos wieder. Es kam zum ständigen Krisenmanagement zwischen den Gruppierungen, um ein Auseinanderbrechen des Verbands zu vermeiden. Frau West schloss sich einer Gruppe im Berufsverband an, die provokativ die Frage nach dem Sinn der Aufrechterhaltung einer einheitlichen ergotherapeutischen Profession, nach deren gesellschaftlichen Aufgaben und nach der sich daraus ergebenden Verantwortung für die wissenschaftliche Fundierung der ergotherapeutischen Tätigkeit stellte. Sie beteiligte sich verstärkt an Diskussionen und organisierte Tagungen zu dieser Thematik.

Diese Veranstaltungen sorgten für eine verstärkt über Publikationen geführte Diskussion über die Ziele und den gesellschaftlichen Auftrag der Ergotherapie. Die Debatte mündete in Bestrebungen zur Einrichtung eines Selbstverwaltungsorgans gemeinsam mit andere Gesundheitsberufen. Nach und nach beteiligten sich unterschiedliche ergotherapeutische Gruppierungen und gesellschaftliche Institutionen an dieser übergeordneten Kontroverse. Es kam zu einer langfristig angelegten Planung eines ersten deutschen **ergotherapeutischen Forschungsinstituts.** Dieses sollte sich sowohl am Kernbereich der Ergotherapie – einem mehrdimensional verstandenen Betätigungsbegriff mit seinen Bezügen zu Gesundheit und Krankheit – orientieren als auch die Entwicklung präventiver, therapeutischer, beratender und rehabilitativer Unterstützungsmöglichkeiten voranbringen. Unterschiedlichste gesellschaftliche Interessen an diesem Thema sollten gebündelt und in Forschungsprojekte umgesetzt werden.

Fiktiver Vortrag anlässlich der Eröffnung des ergotherapeutischen Forschungszentrums in Bad Pyrmont im Jahre 2030: „Der zentrale Zugang zu den ergotherapeutischen Arbeitsfeldern" von Frau Wiebke West

Meine sehr geehrten Damen und Herren, liebe Kolleginnen und Kollegen, anlässlich unserer heutigen Eröffnung des „Ergotherapeutischen Forschungszentrums in Bad Pyrmont (EFZ Bad Pyrmont)" sind Personen aus einem breiten Spektrum des gesellschaftlichen Lebens zusammengekommen: Politikerinnen und Politiker der Kommune sowie der Gesundheits- und Bildungspolitik, Kolleginnen und Kollegen angrenzender Disziplinen, internationale Gäste zukünftig kooperierender ergotherapeutischer Forschungszentren, Vertreterinnen und Vertreter von Selbsthilfegruppen und Interessenverbänden und natürlich Fachkolleginnen und -kollegen aus Forschung und Praxis der Ergotherapie. Die bisherigen Reden des heutigen Tages haben die **Bedeutung des Zentrums** für die professionseigene, transdisziplinäre internationale Entwicklung der Erforschung des Zusammenhangs von menschlicher Betätigung, Gesundheit und Krankheit bereits hervorgehoben. Als Mitglied des heute gegründeten Beirats des „Ergotherapeutischen Forschungszentrums (EFZ)" werde ich zukünftig die Belange und Wünsche aus den ergotherapeutischen Arbeitsfeldern in die Arbeit des Zentrums einbringen. Entsprechend motiviert ist mein Vortrag zum Thema „Der zentrale Zugang zu den ergotherapeutischen Arbeitsfeldern".

Gleich zu Beginn möchte ich davor warnen, die Formulierung **„zentraler Zugang"** als bauliche Gestaltung eines einzigen Haupteingangs zu einem Gebäude zu verstehen, der sich von den Nebeneingängen durch eine vielleicht beeindruckend große Tür auszeichnet und den einfachsten, breitesten, aber statischen Zugang zur Problemstellung des Klienten eröffnet. Bei der Formulierung ergotherapeutischer Problembeschreibungen und bei der Ausarbeitung von Lösungen des Handlungsproblems eines Klienten gibt es keinen einfachen, einzigen und statischen Zugang. Problembeschreibungen und Lösungswege sind komplex, mehrdimensional und dynamisch.

Insofern ist mit dem Wort „Zugang" eine Bewegung von einem Ausgangspunkt zu einem Ziel gemeint. Und auch hier gibt es für die Ergotherapie nicht nur einen Weg. Eine Vielfalt von Ausgangspunkten für die Problembeschreibung muss gleichzeitig abgewogen und mit einem komplexen Zielzustand – der möglichst selbstständigen und zufriedenstellenden Handlungsfähigkeit des Klienten – verbunden werden. Mit „zentral" ist so etwas wie **„übergreifend, ordnend, prioritätensetzend und typisch für die Ergotherapie"** gemeint. Ergotherapeuten arbeiten in der Forschung – mehr als in der Praxis – an einer übergreifenden Systematik zum Verständnis des Gegenstands ergotherapeutischer Tätigkeit, nämlich der leiblichen Handlungsfähigkeit des Menschen, und an einem zugehörigen, in sich zusammenhängenden Theorie-, Forschungs- und Ausbildungsprogramm. Hier sehe ich auch eine Aufgabe des Instituts.

Mein Vortrag gliedert sich in **2 Punkte:**

- In einem ersten Schritt möchte ich rückblickend Überlegungen zur Entwicklung des Zugangs zum ergotherapeutischen Arbeitsfeld anstellen.
- Im zweiten Schritt beschreibe ich die Aufgaben des ergotherapeutischen Forschungszentrums, wie sie sich aus meiner praktisch motivierten Perspektive darstellen.

Zunächst zur **Entwicklung des Zugangs zum ergotherapeutischen Arbeitsfeld.** Beim Rückblick auf die ersten 60 Jahre der Geschichte der deutschen Ergotherapie ist verwunderlich, dass die Frage nach dem Zugang zum ergotherapeutischen Arbeitsfeld lange Zeit überhaupt keine Rolle spielte. Es scheint, als habe es tatsächlich den **einen** zentralen Haupteingang gegeben, da er in dieser Zeit nie zur Diskussion stand. Die professionsgeschichtliche Forschung zu unserem Beruf gibt uns hierfür jedoch einige Erklärungen: Erstens war die deutsche Be-schäftigungstherapie[6] besonders in ihren ersten 30 Jahren nicht nur in die medizinische Versorgung, sondern auch in den Kontext des Krankenhauses fest eingebunden. Nur sehr wenige Kolleginnen und Kollegen arbeiteten in nichtmedizinischen Einrichtungen. Im Gegensatz zur Krankengymnastik bestand keine Möglichkeit zur Niederlassung in einer eigenen Praxis.

Mit dieser engen **Bindung an die Medizin** ergab sich für die Beschäftigungstherapie:

[6] Beschäftigungstherapie ist die in den ersten Jahren gültige Tätigkeitsbezeichnung der ergotherapeutischen Disziplin in Deutschland.

- die Dominanz einer medizinischen Problemdefinition und Fachsprache,
- eine medizinisch definierte Arbeitsteilung am Körper des Menschen – wir erinnern uns an die heute kurios anmutende Formulierung der ergotherapeutischen Zuständigkeit für die oberen Extremitäten,
- eine Gebundenheit an die Anweisungen bzw. Verordnung des Arztes und eine alleinige Finanzierung über die Krankenkassen.

Nur eine klare **Orientierung an diesen Vorgaben** sicherte dem Beschäftigungs- und Arbeitstherapeuten[7] das Überleben, ja die Anerkennung. Dennoch konnte die Randständigkeit zum medizinischen System nie überwunden werden. Wie wir heute wissen und offensiv vertreten, lässt sich dies durch ergotherapeutische Bezugspunkte erklären, die sich schon damals einer medizinischen Handlungslogik und Systematik entzogen: Ebenso sehr wie an den körperlichen Möglichkeiten orientiert sich Ergotherapie[8] an der Leiblichkeit des Klienten, d. h. an der **individuellen Betätigungsperformanz** („occupational performance"), in der sich gelebte individuelle, soziale und kulturelle Erfahrungen sedimentieren und mit der sich spezifische individuelle Entwicklungspotenziale verbinden. Diese Potenziale können in der Ergotherapie jedoch nur in Verbindung mit Betätigungsformen („occupational forms") mobilisiert werden, die durch die individuelle biopsychosoziale Umwelt bereitgestellt werden. Sie entfalten sich nur unter gleichzeitiger und differenzierter Beachtung der Person, ihrer Umwelt und der Betätigung, und es gilt, sie durch reflektierendes Handeln zu erschließen, zu erneuern und zu rekonstruieren.

Wir können heute in unseren eigenen Fachbegriffen erklären, was unsere damaligen Kolleginnen und Kollegen intuitiv spürten, jedoch im medizinischen Kontext nicht in eine dort anerkannte Sprache fassen konnten: Das Tätigwerden eines Menschen ist wesentlich verknüpft mit den individuellen Bedeutungen von Betätigungen und den Bedeutungen der materiellen und sozialen Umwelt, in der diese stattfinden sollen. Die durch Training oder Adaptation überwundene Funktionsstörung macht deshalb nur den halben Weg der Ergotherapie aus. Die ergotherapeutische Brücke ist erst dann vollends ausgebaut, wenn der Klient den von ihm angestrebten Betätigungen in der von ihm gewünschten Umgebung ohne größere physikalische und soziale Hürden nachgehen kann.

Dies ist ein sehr hoher Anspruch, dem nur im multiprofessionellen Zusammenspiel nachgekommen werden kann. Dass hiermit schwierige **mehrdimensionale, komplexe und dynamische Aushandlungsprozesse** verbunden sind, wissen wir praktisch Tätigen sehr genau. Diese Prozesse bewegen sich für den Klienten und den Ergotherapeuten zwischen handelndem Erproben und gemeinsamem Nachdenken, zwischen Vergangenheit und Zukunft, zwischen erfahrener Einschränkung und entwickelbaren Potenzialen sowie zwischen dem Gefühl der Ohnmacht und der Selbstbestimmung.

Was heute mit systematischer, methodisch-reflektierter **Klientenzentrierung** in der Ergotherapie in Verbindung gebracht wird, begleitet die gemeinsame ergotherapeutische Arbeit mit den Klienten von einem Zustand des Erduldens und Erleidens der Betätigungseinschränkungen hin zu einem aktiven Eingreifen, Verändern und Übernehmen von Betätigungen und Verantwortung. Studenten können diese methodisch-reflektierte und unterstützende Haltung unter Abwägung der körperlichen (Schädigung und Funktion) und leiblichen (individuelle und soziale Sinnhaftigkeit) Aspekte von Betätigungen heute während des Fachhochschulstudiums in Fallseminaren und supervidierter Klientenarbeit systematisch erwerben.

---

[7] „Beschäftigungs- und Arbeitstherapie" ist seit 1977 die offizielle berufliche Bezeichnung.

[8] Seit 1999 gilt zusätzlich die Bezeichnung „Ergotherapie" als gesetzlich geschützte Berufsbezeichnung.

Im Gegensatz zu den Anfangsjahren der ergotherapeutischen Ausbildung bietet das Studium heute die Möglichkeit, die **Vielschichtigkeit der eigenen Denkwege** kennen zu lernen. Hierfür waren die Einführung problembasierter Lernmethoden und die Studien zum ergotherapeutischen klinischen Reasoning, d. h. zum klinischen Entscheiden und Schlussfolgern, ein wichtiger Meilenstein. Ergotherapeuten wissen heute, dass nur ein Teil ihrer Überlegungen zur Lösung der Probleme des Patienten auf Schlussfolgerungen beruht, die sie aufgrund der medizinischen Diagnose anstellen. Ihnen ist heute sehr bewusst, dass ergotherapeutische Arbeit immer mit parallelen Prozessen, nämlich mit logisch-gesetzmäßigen, vorstellungs- und phantasiegeleiteten sowie narrativen und interaktiven Reasoning-Formen, einhergeht, um die körperliche, funktionelle und sinngebundene Ebene der individuellen menschlichen Betätigung zu verstehen und zu ermöglichen. Dies erfordert die reflektierte Handhabe mehrerer – zum Teil widersprüchlicher – Hypothesen zum Handlungsproblem des Patienten und zu möglichen erfolgversprechenden Schritten in der Therapie.

Rückblickend lässt sich festhalten, dass sich die **Vielfalt der Betrachtungsebenen menschlicher Betätigung** für die deutsche Ergotherapie zunehmend zu entfalten begann,

- als Ergotherapeuten Anfang des 21. Jahrhunderts verstärkt in außerklinischen und nichtmedizinischen Arbeitsfeldern tätig wurden und ihre Klienten zuhause oder am Arbeitsplatz aufsuchten;
- als Klienten begannen, gegenüber medizinischen, therapeutischen, beratenden Dienstleistungen selbstbewusster aufzutreten, gefördert durch eine höhere Eigenbeteiligung bei der Finanzierung der Leistungen;
- als die differenzierte Berücksichtigung der Bedürfnisse der Klienten als professionelle reflektierende Kompetenz anerkannt wurde und nicht mehr nur als einfache, den Frauen in helfenden Berufen quasi „angeborene" weibliche Fähigkeit zur Einfühlung angesehen wurde.

Praxismodelle haben v. a. die Anteile der ergotherapeutischen Arbeit erstmals systematisch gefasst, die mit dem leiblichen Tätigsein zusammenhängen, und die sozialwissenschaftlichen, psychologischen, pädagogischen und philosophischen Grundlagen dieser Arbeit benannt. Die Ergotherapie und ihre Auftraggeber sind heute im Vergleich zu den Anfangsjahren an einem anderen Punkt der Einschätzung ergotherapeutischer Leistungen angelangt.

Nun zu Punkt 2 meiner Ausführungen, **den Aufgaben des Zentrums aus praktischer Perspektive.** Nur um Ihnen den Aufbau des ergotherapeutischen Forschungszentrums noch einmal in Erinnerung zu rufen: Institutionell ist es zwischen Fachhochschule und Universität angesiedelt. Großzügige Spenden aus dem Bereich der Industrie, die Beteiligung von Stiftungen einiger Interessenverbände, ein europäischer Fond und das Bundesland haben es möglich gemacht, 3 Stellen zu schaffen sowie die Räumlichkeiten zu finanzieren und hiermit das Zentrum ins Leben zu rufen.

Das Zentrum wird alle 2 Jahre eine internationale und interdisziplinäre **Tagung** zum transdisziplinären Themenbereich „Menschliche Betätigung – Gesundheit und Krankheit" organisieren und jährlich ein kleineres **Forschungskolloquium** abhalten. Es wird eine wissenschaftliche ergotherapeutische **Fachzeitschrift** „Brückenpfeiler –Ergotherapeutisches Forschungsjournal", herausgeben. Besonders stolz sind wir darauf, das erste deutsche Promotionskolleg der Ergotherapie einrichten zu können. Die 10 promovierenden Ergotherapeuten erhalten von der „Stiftung Leben und Arbeit" Stipendien, sodass sie sich ausschließlich ihren Forschungsprojekten widmen können. Der Beirat ist mit Personen aus unterschiedlichsten gesellschaftlichen Zusammenhängen besetzt, wobei neben Kollegen aus Wissenschaft und Praxis auch Vertreter von

Selbsthilfeorganisationen sowie aus der Wirtschaft dazugehören.

Aus meiner Sicht hat das ergotherapeutische Forschungszentrum folgende **Aufgaben und Ziele:**

- **Das Verständnis der Verbindung zwischen menschlicher Betätigung, Gesundheit, Produktivität und Wohlbefinden verbessern.** Hierin sehe ich sozusagen das Motto des Zentrums, das dessen Aktivitäten anleitet und den großen Rahmen zukünftiger Forschungsprojekte bildet, die aus dem Zentrum hervorgehen. Von selbst verstehen sich bereits die interdisziplinäre Zusammenarbeit und die transdisziplinäre Forschungsperspektive. Wichtig scheint mir die systematische Einbindung ergotherapeutischer Praktiker und Dienste in die Forschungsarbeit, da hiervon gleichzeitig Entwicklungsimpulse für die Praxisfelder ausgehen.
- **Den theoretischen und praktischen Beitrag der Ergebnisforschung für die Entwicklung ergotherapeutischer Dienstleistungen und für die Nutzer der Ergotherapie beschreiben.** Ergotherapeutische Praxisfelder, Programme, Methoden und Erhebungsinstrumente sind in den letzten Jahren durch Begleitforschung und Evaluationsstudien transparenter geworden. Doch die Vielfalt ist v. a. für die Praktiker unübersichtlich. Es ist notwendig, zukünftig eine Ebene auszubauen, die die bereits vorliegenden Ergebnisse systematisiert und zusammenfasst. Dies ist v. a. für die Optimierung einer auf Wirksamkeitsnachweisen basierenden Ergotherapie („evidience based practice") notwendig. Auch die verschiedenen Nutzergruppen der Ergotherapie möchten zukünftig in den Studien selbst mehr beachtet werden und auch die Ergebnisse in geeigneter Form präsentiert bekommen. Klienten-, kunden- bzw. nutzerbezogene Forschung und Ergebnisvermittlung ist somit aus meiner Sicht auch ein Aufgabenbereich des Zentrums.
- **Zur Entwicklung ergotherapeutischer Programme in unterschiedlichen strukturellen Bedingungen beitragen und diese begleitend evaluieren.** Ergotherapeuten arbeiten mittlerweile in vielen gesellschaftlichen Bereichen und nur noch zum Teil in medizinischen Kontexten. Aus meiner Sicht müssen verstärkt flexible, also weniger örtlich gebundene, und auch mehr indirekte, aber langfristige ergotherapeutische Unterstützungsformen entwickelt und evaluiert werden. Auch die Nutzung des Internets spielt hier eine wichtige Rolle.
- **Theoretische Modelle für die Abstimmung von Messverfahren für heterogene Beobachtungsbereiche für eine mehrdimensionale ergotherapeutische Ergebnisforschung entwickeln.** Ein absoluter Durchbruch für die Ergebnisforschung und Dokumentation der Ergotherapie war die Entwicklung der „International Classification of Impairment, Disability and Handicap" (ICIDH) in den 1980er Jahren. Ergotherapeutische Arbeit macht den Wechsel zwischen verschiedenen Beobachtungsbereichen, die sich alle auf die menschliche Handlungsfähigkeit beziehen, notwendig. Zur adäquaten Erfassung sind aber sehr unterschiedliche methodische Vorgehensweisen erforderlich. Als Beispiel sei das Problem der Synthese aus der objektiven Messung einer Funktionseinschränkungen bzw. -verbesserung und der adäquaten Beschreibung der Lebensqualität eines Klienten genannt. Im Anschluss hieran ergibt sich auch die Notwendigkeit der Entwicklung von Forschungsdesigns, die dem heterogenen Gegenstand menschlicher Betätigung gerecht werden können.
- **Die Rolle der Ergotherapie sowohl in Bezug auf ihren gesellschaftlichen Auftrag als auch auf ihre Rolle in der Entwicklung der Rehabilitationsforschung diskutieren.** Hier geht es nicht zuletzt um ethische Prinzipien ergotherapeutischer Praxis und Forschung: Welches Menschenbild steht hinter der

ergotherapeutischen Praxis und Forschung, und welche Impulse kann die Ergotherapie aufgrund ihres spezifischen Ansatzes für die Entwicklung der Zukunft einer menschenwürdigen Gesellschaft leisten?

Ich danke Ihnen für Ihre Aufmerksamkeit!

Fiktiver wissenschaftlicher Beitrag in einem ergotherapeutischen Fachjournal: „Die Repräsentationsproblematik ergotherapeutischen Wissens – Zur diskursiven Kultur der Ergotherapie seit der Jahrtausendwende"; Brückenpfeiler – Ergotherapeutisches Forschungsjournal 2030 (Jg. 1, Heft 1), S. 3–17

Im folgenden Beitrag gibt Frau Prof. Dr. Amelie Heiserkeit, Leiterin des in diesem Jahr neu gegründeten ergotherapeutischen Forschungszentrums in Bad Pyrmont, einen Einblick in die Entwicklung der ergotherapeutischen Diskurskultur seit der Jahrtausendwende. Von den 3 relevanten **Diskursebenen**[9] –

- der Kommunikation zwischen Wissenschaft und Gesellschaft,
- der Kommunikation der Forscherinnen mit den materiellen und sozialen Untersuchungsobjekten,
- der direkten bzw. indirekten Kommunikation zwischen den Wissenschaftlerinnen –

verfolgt Heiserkeit betont die letztgenannte. Hier skizziert sie in groben Zügen formelle und informelle Kommunikationsformen und wirft schließlich Fragen der ergotherapeutischen Wissenschaftsforschung und Theoriebildung im Zusammenhang mit der Repräsentationsproblematik ergotherapeutischen Wissens auf.

"Ergotherapie ist die Wissenschaft von den Bedingungen und Strukturen des leiblichen Tätigseins (‚occupational performance') des Menschen und den sich daraus ergebenden Formen des leiblichen Tätigwerdens (‚occupational forms') in ihren körperlichen, sozialen, emotionalen und kognitiven Dimensionen. Zu ihrem Gegenstandsbereich zählen zudem die Prozesse, die Wandel und Kontinuität leiblichen Tätigseins bewirken" (Ahtemlos 2027, S. 1).

Aus diesem gemeinsamen **Professionsverständnis** heraus scheint es uns heute nicht nur selbstverständlich, methodische und theoretische Konstrukte der Disziplin detailliert zu beschreiben und ihre Gültigkeit in weitreichenden Forschungsprojekten zu evaluieren; wir sind es auch gewohnt, im Rahmen unserer täglichen praktischen Arbeit ergotherapeutische Denkweisen („occupational-clinical reasoning") vermittelnd deutlich zu machen – und zwar sowohl für unsere Klienten, deren Angehörige und unterstützende Kontaktpersonen in deren sozialem Netzwerk („significant others") sowie für Kollegen und Fragende anderer Berufsgruppen und Wissenschaftsdisziplinen als auch in sozial- und gesundheitspolitischen Kontroversen. Dabei nutzen wir Begriffe wie „prozederales", „interaktives", „pragmatisches", „narratives" und „konditionales Reasoning", um uns über die verschiedenen Ebenen der Begründungszusammenhänge auszutauschen, und haben ergotherapeutisch-theoretische Konzeptionen entwickelt, die unser Verständnis der Kernaspekte ergotherapeutischer Handlungsrelevanz wiedergeben.

"Person", „Umwelt", „tätige Performanz" („occupational performance"), „leibliches Tätigsein" und „leibliches Tätigwerden", „anpassende Betätigung", „tätige Fertigkeit" („occupational skill") und „tätige Fähigkeit" („occupational capacity") sind heute klar umschriebene **Grundbegriffe der Ergotherapie,** deren Kenntnis und gemeinsame Benutzung wesentlich sind, um unser professionelles Wissen,

[9] Die Typologie von Kommunikation in zeitgenössischer Wissensproduktion ist zitiert nach Felt et al. (1995, S. 65); für weitergehende Auseinandersetzungen s. Gibbons et al. (1994).

unsere Denkweisen und unsere professionellen Handlungen mitzuteilen.

Ausgehend von der zu Eingang des Artikels zitierten, im historischen Einverständnis gewachsenen Definition der Ergotherapie, die heute länderübergreifend in einschlägigen Lexika und Unterrichtsmaterialien zu finden ist, erkennen wir rückblickend die **Notwendigkeit der kontinuierlichen Arbeit an diesen Grundbegriffen** als erste Annäherung an die definitorische Beschreibung des ergotherapeutischen Gegenstandsbereichs. Wir wissen mittlerweile zum einen um die Dringlichkeit und Wichtigkeit der scharfen, d. h. möglichst exakten Abgrenzung unserer Fachtermini von ähnlichen oder gar gleichen Begriffen der Alltagssprache und damit vom Alltagsverständnis. Und wir kennen zum anderen die Bedeutung genauer Begriffskonstruktionen zur Unterscheidung verschiedener Paradigmen ergotherapeutischer Theoriebildung und Forschung.

Zudem ergab sich bis heute bereits eine Einsicht, nach der es sinnvoll erscheint, gemäß den Veränderungen der historischen Kontextuierung der ergotherapeutischen Disziplin ergotherapeutische Begriffe neu zu bilden bzw. Bedeutungen bereits existierender Begriffe inhaltlich zu verändern oder zu erweitern. Deshalb wird die **Erläuterung zentraler ergotherapeutischer Begriffe** heute in anspruchsvollen Studienausgaben stets in Zusammenhang mit der Berufs- und Sozialgeschichte der Ergotherapie und mit der aktuellen Theoriediskussion erfolgen.

Dieser logisch fortschreitend strukturierte Austausch von und der Umgang mit vorherrschenden ergotherapeutischen Denkweisen und Kategorien/Kernbegriffen war so in der Geschichte der deutschen Ergotherapie keineswegs immer gegeben. Noch kurz vor der Jahrtausendwende schien die **ergotherapeutische Erkenntnisproduktion** überwiegend auf informelle Kommunikationsweisen, insbesondere auf „mündliche Überlieferung", gestützt zu sein. Der Teilhaberkreis solcher Überlieferungen war aus verschiedenen Gründen deutlich begrenzt; er umfasste sogar – wie wir heute aufgrund aufwändiger Forschungen zur Professionsgeschichte und erster Bemühungen um eine detaillierte Diskursanalyse wissen (Athemlos 2017; Räusper 2024; Heiserkeit 2029) – nur einen minimalen Anteil der ausgebildeten und zur praktischen Berufsausübung berechtigten Ergotherapeutinnen und Ergotherapeuten.

Im Wesentlichen erfuhren Berufsangehörige von neuen oder veränderten und möglicherweise handlungsrelevanten theoretischen Überlegungen und methodischen Vorgehensweisen über kürzere **Fortbildungsseminare.** Hier war es zudem in den meisten Fällen nicht gegeben, dass nachvollziehbare Skripten mit den grundlegendsten Merkmalen und theoretischen Annahmen der vorgestellten Modelle, Behandlungsansätze und Befundungsinstrumentarien zum selbstverständlichen Arbeitsmaterial gehörten oder auch dass Ursprungsquellen des vermittelten Wissens offengelegt wurden.

Zum zweiten erstaunt im Rückblick, dass trotz der spezifisch ergotherapeutischen Sensibilität für die Vielfalt der Wahrnehmungswege und der daraus abgeleiteten typischen Kreativität bei Vermittlungs- und Lernangeboten – wie sie in diversen Behandlungssituationen übrigens nachweislich eingesetzt wurde (Strickhäschen 2007) – die Darstellung ergotherapeutischen Wissens sowohl im Rahmen solcher Seminare als auch im Rahmen von **Vorträgen** auf Kongressen der Ergotherapie eindimensional blieb. Extrem selten, so scheint es aus heutiger Perspektive, kamen bei solchen Veranstaltungen möglichst aktuelle und aussagekräftige Overheadfolien, Diagramme, Graphiken, Videoaufnahmen, Dias oder Ähnliches zum Einsatz. Auch die Ergotherapie war und ist offensichtlich nicht vor dem eigenen professionellen blinden Fleck gefeit.

Eine zweite Informations- und Austauschmöglichkeit – der formellen Kommunikationsweise zugeordnet – boten vor der Jahrtausendwende 2 etablierte **Fachzeitschriften für Ergotherapie.** Hier versammelte sich eine bunte Mischung von Fachpublikationen unterschiedlichster Themenbereiche, wobei für uns heute auffallend ist, dass Berufsangehörige überwiegend erfahrungsbasierte praktische Erkenntnisse zur Bezugnahme anboten, während theoretische oder wissenschaftsmethodische Inhalte zumeist von fachfremden Autorinnen und Autoren in höchst unterschiedlicher qualitativer wie quantitativer Fokussierung auf die Ergotherapie eingebracht wurden. Dies änderte sich mit der allmählich eintretenden Umstrukturierung der Ausbildungssituation für deutsche Ergotherapeuten und mit der zunehmenden Erschließung ausländischer Fachdiskussionen in der Ergotherapie.

Die Absolventen der ersten Fachhochschulstudiengänge um das Jahr 2000 engagierten sich beispielsweise in **kleineren Forschungsarbeiten,** über die sie kontinuierlich berichteten, und beteiligten sich vor dem Hintergrund erster ergotherapeutisch-theoretischer Kenntnisse aus angelsächsischen Publikationen an einer **diskursiven Auseinandersetzung** um Begriffe wie „Handlungsfähigkeit“ und „Performanz“, „Betätigung“ und „Beschäftigung“, „Umfeld“ und „Umwelt“, „Störung“ und „Fehlfunktion“, „Gegenstandsbereich“ und „professionelles Handlungsfeld“. Die dargebotenen literarischen und wissenschaftlichen Stilformen motivierten auch weniger geübte Kolleginnen und Kollegen, ihre Meinungen schriftlich darzulegen und sich auch auf diesem Weg an der öffentlichen Debatte zu beteiligen.

Langsam entwickelte sich über medizinische Teilbereiche hinweg ein gedanklicher Austausch zwischen den einzelnen Vertreterinnen und Vertretern innerhalb der diversen Modellschulen, die sich im Anschluss an diese Phase herausgebildet hatten. Durch die **gegenseitige Bezugnahme** und die **kritische Würdigung kollegialer Denkansätze** in den sich vermehrenden Publikationen (Zeitschriftenaufsätze, Lehrbücher, Monographien, Forschungsberichte, Rezensionen usw.) und im verbalen Austausch disziplinierte sich die deutsche Ergotherapie in der Form ihrer Auseinandersetzung ebenso wie in der inhaltlichen Fortschreibung ihrer Wissensbestände.

Die im Jahre 1995 in der sog. **„Elefantenrunde“**[10] erstmals entwickelte Idee einer kleineren Tagung im 2-Jahres-Rhythmus, auf der – im Gegensatz zum und im Wechsel mit dem noch jährlichen stattfindenden **Kongress der Ergotherapie** – erfahrene Vertreter der Disziplin unter spezifisch thematischer Perspektive zusammenkommen sollten, wurde 15 Jahre später wieder aufgegriffen. Diese ersten „Bad Pyrmonter Gespräche“ im Jahre 2010 zum Thema „Die Modelle und ihre Herausforderungen für die Theoriebildung“ ermöglichten erstmals eine breitere Wahrnehmung und eine ernsthafte Diskussion der Modellschulenbildung, die bislang kontraproduktiv auf den ergotherapeutischen Gesamtdiskurs wirkte und durch Abschottung nach außen gekennzeichnet war. Neue **Publikationsorgane,** wie die „Magdeburger Zeitschrift für Ergotherapie“ (MaZefE) und die Zeitschrift „Wissenschaftliche Ergotherapie Heute“ (WiEH) wurden gegründet, um einen weitergehenden Diskurs nachvollziehbar zu machen, der in seinem Fortgang die Disziplin zu einer selbstkritischen und diskussionsfreudigen Gruppierung machen sollte.

Immer häufiger und in der Darbietung vielfältiger wurden in den darauffolgenden Jahren Fragestellungen thematisiert, die problematische Aspekte der Verzahnung von ergotherapeutischer Theorie, Forschung und

[10] „Elefantenrunde“ nennt sich die koordinierende Delegiertenversammlung im „Deutschen Verband der Ergotherapeuten (DVE) e.V.“, die aus etwa 30 Personen besteht. Zweimal jährlich treffen sich hier die Delegierten der Landesgruppen und Fachkreise/Fachbereiche, die deutschen Delegierten der „World Federation of Occupational Therapists“ (WFOT) und des „Committee of Occupational Therapists for the European Communities“ (COTEC), die Delegierten der Redaktion der verbandseigenen Fachzeitschrift und des Referats für Aus- und Weiterbildung, der Geschäftsführer und der Bundesvorstand.

Praxis aus einer Metaperspektive verdeutlichen und deren methodische Lösung erörtern sollten. Zahlreiche spezifische **Mailinglisten** und **Diskussionsforen** hatten sich mittlerweile weltweit via Internet etabliert und wurden, ebenso wie fallsupervisorische Videokonferenzen, sehr aufmerksam und erkenntnisförderlich moderiert. Die Beteiligung an internationalen Kongressen wurde zunehmend selbstverständlich, und es entstanden regelrechte Dispute zwischen den verschiedenen Disziplinen des Sozial- und Gesundheitswesens.

Doch im **transdisziplinären Miteinander**[11] bildete sich gleichsam reflexiv eine den Modellen übergeordnete eigene professionelle Handlungslogik – ein Berufsethos der Ergotherapie – heraus. Ebenso nachhaltig erwiesen sich die Kompetenzen einiger angrenzender Disziplinen als bedeutend und in ihrer Spezifik als unverzichtbar. Für die derzeitige Implementierung von Modellprojektstudiengängen für Ergotherapie an einigen Universitäten wurde diese neuerrungene Disziplinarität als Voraussetzung deutlich. Im Rahmen von Lehre und Ausbildung kam ihr eine wissenschaftssystematische Rolle zu, während die ergotherapeutische Forschung und Praxis durch gezielt transdisziplinär angelegte Projekte und Fragestellungen bedeutende Ergebnisse erzielten. ...

9.5 Abschließende Bemerkung

Wir brechen hier unsere Sammlung fiktiver Texte ab und lassen Ihnen Raum, sie farbiger zu weben oder konkreter auszugestalten. Wünschen würden wir uns im Hinblick auf die angestrebte **diskursive Auseinandersetzung** in der bzw. um die Ergotherapie, auch andere, vielleicht ganz neue Fiktionen lesen zu dürfen. Möglicherweise lassen sich diese Fiktionen und ihre visionären Ideen dann bis zum Jahr 2030 zu einer tatsächlich gemeinsam geteilten wissenschaftsgeschichtlichen Erzählung der Ergotherapie zusammenwirken.

Folgt man Hagedorns Zyklenmodell, liegt das Stadium 3, die akademische Untersuchung, vor der deutschen Ergotherapie. Wir wünschen ihr also auch, dass an die Stelle der von uns nur fiktiv skizzierten Forschungsaktivitäten zukünftig fundierte wissenschaftliche Untersuchungen treten. Die tatsächliche zukünftige Entwicklung wird zeigen, ob die hier entwickelten Ideen einlösbar bzw. konkret genug für eine Realisierung sind.

[11] Vgl. zu Ansätzen der Transdisziplinarität Felt et al. (1995, S. 170–180) und Mittelstraß (1998, S. 29–48).

Literatur

Combe A, Helsper W (Hrsg) (1995) Pädagogische Professionalität. Untersuchungen zum Typus pädagogischen Handelns. Suhrkamp, Frankfurt a. M.

Duden (1990) Fremdwörterbuch, 5. Aufl. Duden, Mannheim Wien Zürich (Der Duden in 10 Bänden, Bd V)

DVE (1997/1998) Ergotherapie 2005 – eine medizinsoziologische und berufspolitische Expertise des DVE, Ittersbach

Etzioni A (1969) The semi-professions and their organisations, [Verlag unbekannt], New York London

Felt U, Nowotny H, Taschwer K (1995) Wissenschaftsforschung. Eine Einführung. Campus, Frankfurt a. M. New York

Gibbons M, Limoges C, Nowotny H, Schwarzmann S, Trow M (1994) The new production of knowledge. The dynamics of science and research. Sage, London

Habermas J (1981a) Theorie des kommunikativen Handelns, Bd I: Handlungsrationalität und gesellschaftliche Rationalisierung. Suhrkamp, Frankfurt a. M.

Habermas J (1981b) Theorie des kommunikativen Handelns, Bd II: Zur Kritik der funktionalistischen Vernunft. Suhrkamp, Frankfurt a. M.

Jehn P, Miesen M (1999) Berufausbildung in der Ergotherapie. In: Scheepers C, Steding-Albrecht U, Jehn P (Hrsg) Ergotherapie. Vom Behandeln zum Handeln. Lehrbuch für die theoretische und praktische Ausbildung. Thieme, Stuttgart New York, S 8–24

Kootz M (1991) Beruf ohne Selbstverständnis. In: Beschäftigungstherapie und Rehabilitation 1/91:22–27

Marquardt M (1988) Geschichte und Aufgaben des Verbandes der Beschäftigungs- und Arbeitstherapeuten (Ergotherapeuten) e.V. Wirtschaftsverlag, Wiesbaden

Miller RJ, Walker KF (1993) Perspectives on theory for the practice of occupational therapy. Aspen Publications, Gaithersburg/MD

Mittelstraß J (1998) Die Häuser des Wissens. Wissenschaftstheoretische Studien. Suhrkamp, Frankfurt a. M.

Riemann G (1997) Beziehungsgeschichte, Kernprobleme und Arbeitsprozesse in der sozialpädagogischen Familienberatung. Eine arbeits-, biographie- und interaktionsanalytische Studie zu einem Handlungsfeld der sozialen Arbeit. (Habilitationsschrift, Otto-von-Guericke-Universität, Magdeburg)

Schewior-Popp S (1994) Krankengymnastik und Ergotherapie. Eine exemplarische Studie zur Entwicklung von Profession alisierungsprozessen und Ausbildung in den Berufen des Gesundheitswesens. Schulz-Kirchner, Idstein

Thole W, Steier F (1990) Mit den Doofen basteln kann doch jeder. Beschäftigungstherapie und Rehabilitation 4/90: 264–295

Treibel A (1993) Einführung in soziologische Theorien der Gegenwart. Leske & Budrich, Opladen

Sachverzeichnis

A

ACIS („assessment of communication and interaction skills" (‚Assessment für Kommunikations- und Interaktionsfähigkeiten) 59
ACIS-Auswertungsblatt 67
affektive Komponenten, Betätigung 139
Aktivität („activity"), Definition / Glossarbegriff 41, 123, 127–131
- Analyse und Synthese 117
- handwerkliche 2
- realistische 124
- symbolische 124
- Wahl von („activity choices") 51
Alter 115
- Definition / Glossarbegriff 135
Aneignung der Modelle 161
Anforderung („demand"), Definition / Glossarbegriff 41
Angleichung des Ausbildungsniveaus 161
Annahmen 78, 81
Anpassung („adaption") 81
- Definition / Glossarbegriff 21
- Fertigkeiten, anpassende („adaptive skills") 112, 118–120, 123–124, 134–135
- - Definition / Glossarbegriff 135
- Modell persönlicher Anpassung durch Betätigung („model of personal adaption through occupation") 77
- - Prinzipien im „model of personal adaption through occupation" 96–101
- negative 93
- persönliche, Definition / Glossarbegriff 108
- positive 93
- der Umwelt 5
Anpassungsreaktionen / -potenzial („adaptive responses") 86–87, 94
- Definition / Glossarbegriff 108
- Integration 100
- Wiedererlernen von Anpassungsreaktionen 99
Ansatz
- „bottom-up"- 37
- deduktiver 7
- hypothetisch-deduktiver 7
- interprofessioneller 100
- klientenzentrierter 142
- phänomenologischer 6, 8–10
- reduktionistischer Ansatz 6–8, 12
- systemtheoretischer 46–48
- „top-down"- 37
- transdisziplinärer 100
Anwendungsforschung 163
Anziehungskraft von Betätigung 50
„arts-and-crafts"-Bewegung 2
„assessment of communication and interaction skills" (Assessment für Kommunikations- und
aufgabengerichtete Basisfertigkeiten) 132
Ausbildung / Ergotherapieausbildung 161, 165, 172–173
- Professionalisierung und Angleichung des Ausbildungsniveaus 161
- Standards 165
Ausbildungs- und Prüfungsordnung 4
- neue 160
Autonomie („autonomy"), Definition / Glossarbegriff 108

B

Bedürfnisse („needs") 95
- Definition / Glossarbegriff 108
Befunderhebung / -erhebungsprozess 102–103, 116–117, 132
- Instrumente zur Befunderhebung 59, 63
- Interviewbeispiel 103
- klinische 58–59
- Verfahren 132
- Vielfältigkeit und Gezieltheit 102
Begründung
- pragmatische 162

- wissenschaftliche 162
Behandlungsprozess 116–117, 132
Beobachtung, systematische 116
Berufsausbildung, Standards 165
Berufsbezeichnung 4
Berufsentwicklung, zyklenbedingte 169
berufsinterne Elemente 13
Berufspolitik 175
Berufspraktiken, Entwicklung 17
Berufspraxis, ergothrapeutische 168
Beschäftigungsmaßnahmen, therapeutischer Nutzen 3
Betätigung („occupation") 3, 19, 25, 89–91, 118, 138–139
- Analyse von Betätigungen 97
- Anziehungskraft von 50
- Ausführen von („occupational performance") 118
- Definition / Glossarbegriff 41, 89, 108, 151
- Freizeitbetätigungen 92
- Komponenten
- - affektive Komponenten 139
- - kognitive Komponenten 139
- - physische Komponenten 139
- Modell der menschlichen Betätigung („model of human occupation" (s. MOHO) 46, 48
- Modell menschlichen Betätigungsverhaltens („occupational behavior model") 77
- therapeutische 3
- Modell persönlicher Anpassung durch Betätigung („model of personal adaption through occupation") 77
- - Prinzipien im „model of personal adaption through occupation" 96–101
- produktive 92
Betätigungsanalyse (s. auch OCAIRS) 59, 70
- Defintion / Glossarbegriff 151
- „model of human occupation" (Modell der menschlichen Betätigung, s. MOHO) 46, 48
- „model of personal adaption through occupation" (Modell persönlicher Anpassung durch Betätigung) 77
- - Prinzipien im „model of personal adaption through occupation" 96–101
- „narritive" (Betätigungsnarritive) 51
- „occupational case analysis interview and rating scale" (Interview und
Betätigungsfertigkeiten („occupational skills") 87
- - Definition / Glossarbegriff 89, 108
- „performance" 112, 115
- - Defintion / Glossarbegriff 151
- - kanadisches Modell der „occupational performance" 137–151
- - Performanzprozess 140–141
- - - „occupational performance"-Prozess-Modell (OPPM) 141
- - - Probleme des 145
- - - Schritte des 141
- „roles" (Betätigungsrollen) 87, 89, 108
- „science" 19
- „skills" (Betätigungsfertigkeiten) 87, 89, 108
- „therapy" (s. Ergotherapie) 4–5, 108, 112, 114
Betätigungsformen 57
- Definition / Glossarbegriff 72
Betätigungsgleichgewicht („occupational balance") 88
- Definition / Glossarbegriff 108
Betätigungsnarritive („occupational narritive") 51
Betätigungsperformanz („occupational performance") 177
- Definition / Glossarbegriff 135
- Person-Umwelt-Betätigungsperformanz-Modelle 23
Betätigungsrollen („occupational roles") 87
- Definition / Glossarbegriff 89, 108
Betätigungsstatus 63
- Überblick 69
Betätigungsverhalten („occupational behavior") 24, 47
- Umwelt 56
Beurteilungsinstrument 144
Bewältigung („accomplishment"), Definition / Glossarbegriff 108
Bewertungsbogen zur Betätigungsanalyse (OCAIRS) 59
Beziehungsrahmen („frames of references") 117–131
Beziehungsschleife, ergotherapeutische („occupational therapy loop") 112, 114, 116
Bezugsrahmen, ergotherapeutischer („frame of reference") 19, 22, 33–36, 41, 112–113, 115–116, 132, 134
- analytischer („analytical frame of reference") 116, 118

10

- Anwendbarkeit 40
- Definition / Glossarbegriff 41, 135
- entwicklungsorientierter („developmental frame of reference") 116, 118
- Gültigkeit 40
- Inkompatibilität 36
- lerntheoretischer („acquisitional frame of reference") 116, 118
- passender 36
biopsychosozial
- Definition / Glossarbegriff 41
- Gesundheitsmodell, biopsychosoziales 113
- Modell, biopsychosoziales 23
Bobath-Konzept 63
„bottom-up"-Ansatz 37

C

COPM (kanadisches Modell der „occupational performance measure") 137–151
- Zielsetzung 143
COPM-Interview, Defintion / Glossarbegriff 151

D

Datensammlung 62
Deduktion 7
- deduktiver Ansatz 7
- Definition / Glossarbegriff 41
- hypothetisch-deduktiver Ansatz 7
Definitionen
- von Ergotherapie 4–5
- von Theorie 6
Denkschulen, philosophische (s. philosophische Denkschulen) 79
philosophische
- Annahmen 114
- Denkschulen 79
- – mechanistische (s. dort) 79–80
- – organismische (s. dort) 79–80
deutsche
- Publikationen, COPM 154
- Version / deutsche Übersetzung, COPM 148, 154
Diskurs 158
Druck, Definition / Glossarbegriff 41
dyadische Interaktionsfertigkeit 119, 121
Dysfunktion / Dysfunktionieren 122–123, 128

E

Effektivität 116
egozentrisch-kooperative Gruppe 125–126, 128
Entwicklung
- Berufspraktiken 17
- Bezugsrahmen, entwicklungsorientierter („developmental frame of reference") 116, 118, 132, 134
- Definition / Begriff 21
- der Ergotherapie in Deutschland 4
- Gruppen, entwicklungsgerichtete 113, 125–127, 129, 134
- Theorien 113, 118
- Umgebungen, entwicklungsfördernde 124
Entwicklungsstufe 119
Erfordernisse („demands"), Definition / Glossarbegriff 108
Ergebnisforschung 179
Ergotherapeut, Rolle des 127–131
Ergotherapie(„occupational therapy")
- Ausbildung / Ergotherapieausbildung 161, 165, 172–173
- Berufspraxis, ergothrapeutische 168
- Bezugsrahmen, ergotherapeutischer (s. dort) 19, 22, 33–36, 41, 112–113, 132, 134
- Definitionen / Begriff 4–5, 108
- – Grundbegriffe 180
- deutsche 4
- Grundlagen der Ergotherapie 174
- „occupational therapy loop" (ergotherapeutische Beziehungsschleife) 112, 114, 116
- „pure" Ergotherapie 23–25
- Wissensbasis, ergotherapeutische („body of knowledge") 117
- Zersplitterung der Ergotherapie (s. dort) 160, 166
Ergotherapiemodelle (s. Modelle)
Ergotherapieprozess 31
- Definition / Glossarbegriff 41
Ethik 114
- ehtischer Kodex 114
Evaluation

- von Moseys Überlegungen zur Gruppeninteraktions fertigkeit 134
- von Praxismodellen 38–42
Evolution / evolutionär
- von Modellen 17
- Prozess, evolutionärer 166
Expertengruppe, klinische, zum COPM 155
externe Kontrollüberzeugung 79

F

Fähigkeiten, grundlegende 47
Fähigkeitsstörungen 53
- emotionale 57
- kognitive 57
„feedback" 126
Fernziel 124
Fertigkeiten 83
- aufgabengerichtete Basisfertigkeiten 132
- Betätigungsfertigkeiten 87, 89
- Erhaltung von 90
- Erwerb von 90
- Identität
- - Fertigkeiten die die eigene Identität / Selbstidentität betreffen 119, 121
- - Fertigkeiten die die sexuelle Identität betreffen 119
- Interaktionsfertigkeit 119
- - dyadische 119, 121
- - Gruppeninteraktionsfertigkeit („group interaction skill") 112, 119, 121, 124–126, 132, 134
- Integration, Fertigkeit der sensorischen Integration 120
- Teilfertigkeiten 119, 121–123
- Trainings von Fertigkeiten 105
- Typen 90
- - anpassende (s. dort) 112, 118–120, 123–124, 132, 134–135
- - kognitive 90–91, 105, 119–120
- - perzeptive 90–91, 105
- - praktische 21
- - psychosoziale 90
- - sensomotorische 90, 105, 119
- Verlust 90
Fiktion 158, 167–183
Forderungen („demands") 95
Formgeben („shaping") 126
Forschung 9, 116, 163–164
- Anwendungsforschung 163
- Ergebnisforschung 179
- Grundlagenforschung 163
- Messverfahren 179
- qualitative 9
- Rehabilitationsforschung 174, 179
Forschungskolloquium 178
Forschungstätigkeit 173
Freizeit („leisure") 91, 140
- Betätigung in der Freizeit 92

G

ganzheitliche Vorstellung / Sichtweise
- vom Individuum 12
- therapeutische Sichtweise, ganzheitliche 48
ganzheitliches Konzept 80
Gegenstandsbereich 115
Gesundheitsmanagement 174
Gesundheitsmodell, biopsychosoziales 113
Gewohnheiten („habits") 53, 65
- Definition / Glossarbegriff 72
Gleichgewicht 118
- Betätigungsgleichgewicht („occupational balance") 88, 108
„grounded theory" 9
Gründer der Ergotherapie 2
Grundlagen / Grundbegriffe der Ergotherapie 174, 180
Grundlagenforschung 163
Grundprinzipien
- Fehlen von 30
- für die Praxis 17
Gruppen
- egozentrisch-kooperative 125–126, 128
- entwicklungsgerichtete 113, 125–127, 129, 134
- Interaktionsfertigkeit („group interaction skill") 112, 119, 125–126
- kooperative 125–126, 129
- kulturelle 122
- Parallelgruppe 125–127
- Projektgruppe 125–126, 128
- reife 125–126, 129
- soziale 57

– strukturierte 126
Gruppenkombinationen 126

H

Habituation 64
– Definition / Glossarbegriff 72
– Subsystem („habituation subsystem") 52
handwerkliche Arbeit 2
Humanismus 9
– Psychologie, humanistische 9
Hypothese 7
– Definition / Glossarbegriff 41
– hypothetisch-deduktiver Ansatz 7
– – Definition / Glossarbegriff 41

I

Identität
– Fertigkeiten die die eigene Identität / Selbstidentität betreffen 119, 121
– Fertigkeiten die die sexuelle Identität betreffen 119, 121
Individuum
– ganzheitliche Vorstellung vom Individuum 12
– phänomenologische Sicht des Individuums 12
Induktion 7
– Definition / Glossarbegriff 41
Inhaltsvalidität, Defintion / Glossarbegriff 151
Instrumente zur Befunderhebung 59, 63
Integration, Fertigkeit der sensorischen Integration 120, 122
Interaktion / -fertigkeit / -muster 118, 123, 128, 131
– „assessment of communication and interaction skills" (Assessment für Kommunikations- und Interaktionsfähigkeiten s. ACIS) 59
– dyadische 119
– funktionelles 102
– Gruppeninteraktionsfertigkeit („group interaction skill") 112, 119, 121, 124–126, 132, 134
– Gruppeninteraktionsmuster („group interaction skill survey") 124
– Klient-Therapeut-Interaktion 116
– in einer Umgebung 127
Interessen 50, 104
– Checkliste 59–60, 63
– Definition / Glossarbegriff 72
– Formblatt 104–105
Intervention 132
– Richtlinien 144

kanadisches Modell der „occupational performance measure" (s. COPM) 137–151
Klientenzentrierung / klientenzentriert 177
– Ansatz, klientenzentrierter 142
– Definition / Glossarbegriff 41
– Praxis, klientenzentrierte 142
Klient-Therapeut-Interaktion 116
klinische Expertengruppe zum COPM 155
klinisches „reasoning" (s. „reasoning") 30–33, 41
kognitive
– Fertigkeiten 90–91, 105, 119–120
– Komponenten, Betätigung 139
Konstruktvalidität, Defintion / Glossarbegriff 151
Kontrollüberzeugung, externe 79
Konzepte / konzeptionell 20–26, 78
– ganzheitliches Konzept 80
kooperative Gruppe 125–126, 129
Körper, Definition / Glossarbegriff 73
Korrelationskoeffizient, Defintion / Glossarbegriff 151
Kriteriumsvalidität, Defintion / Glossarbegriff 151
kulturelle Gruppen 122
Kunst 114

Lernen 21, 123
– Wiedererlernen von Anpassungsreaktionen 99
Lernrahmen 131
Lernreaktion 123
Lernsituation 126

mechanistisch
– Modelle, mechanistisch begründete 80
– Schule, mechanistische 79
Messverfahren 179

Metaanalyse, Definitionen / Glossarbegriff 41–42
Metamodelle 6
Modelle / Ergotherapiemodelle
- Aneignung der Modelle 161
- biopsychosoziale 23
- Definitionen / Begriffe 16, 20, 42
- Evolution von Modellen 17
- kanadisches Modell der „occupational performance“ (s. COPM) 137–151
- mechanistisch begründete Modelle 80
- Merkmalskategorien 39
- Metamodelle 6
- Modell der menschlichen Betätigung („model of human occupation“ (s. MOHO) 46, 48
- Modell menschlichen Betätigungsverhaltens („occupational behavior model“) 77
- Modell persönlicher Anpassung durch Betätigung („model of personal adaption through occupation“) 77
- Modell der Profession 114, 117
- organismisch begründete Modelle 80
- Person-Umwelt-Betätigungsperformanz-Modelle 23
- als persönliche Konstrukte 26
- persönliches 26
- Praxismodelle 171, 178
- - ergotherapeutische 16–26, 171
- - Umsetzung von Modellen in die Praxis 29–42
- prozessbestimmte 33
- Rehabilitation, soziales Modell 22
- theoriebestimmte 33
Modellanalyse 39
Modellgeben („modelling“) 126
Modellmerkmale 39
- Merkmalskategorien 39
MOHO („model of human occupation“ / Modell der menschlichen Betätigung) 46, 48, 50
- Anwendung in der beruflichen Praxis 58
- Grundschema 48
- Subsysteme 48
Moseys „model of the profession and the concept of adaptive skills“ 111–135

N

Nahziele 124, 133

Objekte, Definition / Glossarbegriff 72
OCAIRS („occupational case analysis interview and rating scale“ (Interview und Bewertungsbogen zur Betätigungsanalyse) 59
- Zusammenfasung 70
„occupation“ / „occupational“ (s. auch Betätigung)
- „balance“ (Betätigungsgleichgewicht) 88, 108
- „behavior“ (s. Betätigungsverhalten) 24, 47, 56
- - „occupational behavior model“ (Modell menschlichen Betätigungsverhaltens) 77
- „case analysis interview and rating scale“ (Interview und Bewertungsbogen zur Betätigungsanalyse 59
- MOHO („model of human occupation“ / Modell der menschlichen Betätigung) 46, 48, 50
- Performanz (s. OPPM) 141–155
OPPM („occupational performance“-Prozess-Modell) 141–151
- Beschreibung 144
- deutsche Publikationen 154
- deutsche Version / deutsche Übersetzung 148, 154
- englische Version 148
- Grundannahmen 144
- klinische
- - Anwendbarkeit 147–148
- - Expertengruppe zum COPM 155
- Reliabilität 149
- Schritte des 141
- Validität 149–150
- - Kriteriumsvalidität 150
- Veränderungen 150
- wissenschaftliche Arbeiten 155
organismisch
- Modelle, organismisch begründete 80
- Schule, organismische 79

Paradigma 6, 8, 25
- Definition / Glossarbegriff 42
- persönliches 26

- phänomenologisches 6, 9
- reduktionistisches 6–9
Paradigmenwechsel („paradigm shift") 8, 162, 168, 172
- Definition / Glossarbegriff 42
Parallelgruppe 125–127
Perfetti-Konzept 63
Performanz 146
- Betätigungsperformanz („occupational performance") 177
- Definition / Glossarbegriff 72, 135
- „occupational performance" / -Prozess 115, 140–146
Performanzkomponenten 115, 146
Performanzvermögen 65
- Subsystem („performance subsystem") 55
- - Definition / Glossarbegriff 73
persönliche Konstrukte 26
persönliches Modell 26
Persönlichkeitstheorien 113, 118
perzeptive Fertigkeiten 90–91, 105
Phänomenologie / phänomenologischer Ansatz / Sichtweise 6, 8–10
- Definition / Glossarbegriff 42
- in Deutschland 10
- Paradigma, phänomenologisches 6, 9
- phänomenologische Sicht des Individuums 12
physische Komponenten, Betätigung 139
Positivismus / logischer Positivismus (wissenschaftlicher Rationalismus), Definition / Glossarbegriff 42
Postmoderne / postmoderne Sichtweise 6, 10, 12
- Definition / Glossarbegriff 42
pragmatische Begründung 162
Praktiker 40
Praxis
- Fertigkeiten, praktische 21
- Grundprinzipien für 17
- klientenzentrierte 142
- prozessbestimmte 35–38
- theoriebestimmte 33–35, 37
Praxisaspekte 115
Praxismodelle, ergotherapeutische (s. auch Modelle) 16–26, 171, 178
- Entwicklung von 18–20
- Evaluation von 38–42
- Kriterien 38
- Umsetzung von Modellen in die Praxis 29–42
- in den USA 18–20
Prinzipien
- Grundprinzipien (s. dort) 17, 30
- im „model of personal adaption through occupation" 96–101
- vorgeschlagene 96
Prioriätensetzung 132
Problemlösungsprozess 31, 163
- Vielfalt individueller Problemlösungsmöglichkeiten 106
Produktivität („productivity") 91, 140
- Betätigung, produktive 92
Profession / Professionalisierung 114
- des Ausbildungsniveaus 161
- Bestandteile 134
- Defintion / Glossarbegriff 164
- Gegenstandsbereich der 163
- Grad der 164
- Merkmale einer Profession 164–165
- Modell der 114, 117
- Prozesse der 166
- - Fortgang des Professionalisierungsprozesses 166
- Überlegungen, professionstheoretische 158
Projektgruppe 125–126, 128
Prozess
- Befunderhebungsprozess 116
- Behandlungsprozess 116–117, 132
- Ergotherapieprozess 31
- - Definition / Glossarbegriff 41
- evolutionärer 168
- Modelle, prozessbestimmte 33
- Praxis, prozessbestimmte 35–38
- Problemlösungsprozess 31, 163
- Professionalisierungsprozesse 166
- therapeutischer 35, 47
- Veränderungsprozess 21
Prüfungs- und Ausbildungsordnung 4
Prüfungsordnung, neue 160
Psychologie, humanistische 9
psychosoziale Fertigkeiten 90
Publikationen, deutsche, COPM 154

Q

qualitativ
- Definition / Glossarbegriff 42
- Forschung, qualitative 9
Qualitätssicherung 169, 173
quantitativ, Definition / Glossarbegriff 42

R

Randomisierung, Definition / Glossarbegriff 42
Rationalismus, wissenschaftlicher (Positivismus / logischer Positivismus), Definition / Glossarbegriff 42
Räume, Definition / Glossarbegriff 73
„reasoning", klinisches (klinisches Schlussfolgen und Begründen) 30–33
- Definitionen / Begriff 31, 41
- Formen 31–32
Reduktionismus / reduktionistischer Ansatz / Sichtweisen 6–8, 12
- Definition / Glossarbegriff 42
- Paradigma, reduktionistisches 6–9
Rehabiliation 21–22
- biomedizinische 22
- Defintion / Glossarbegriff 21
- Forschung 174, 179
- soziales Modell 22
reife Gruppe 125–126, 129
Reliabilität des COPM 149
- Defintion / Glossarbegriff 151
Rolle / Rollen 24
- Checkliste 59, 61
- Dysfunktion („dysfunction of roles") 54
- Therapeutenrolle 127–131
- verinnerlichte („internalized roles") 53, 64
- - Definition / Glossarbegriff 73
- Veränderungen 65
- Verlust 54
Rollenspiel 126

S

Selbstbild 49, 64
- Definition / Glossarbegriff 73
Selbsterhaltung („self maintenance") 91
Selbstversorgung 140
Selbstverwaltungsrechte 171
sensomotorische Fertigkeiten 90, 105, 119
sexuelle Identität, Fertigkeiten 120, 122
„shaping" (Formgeben) 126
Sichtweisen
- ganzheitliche Vorstellung vom Individuum 12
- phänomonologische 6, 12
- - phänomenologische Sicht des Individuums 12
- postmoderne 6, 10, 12
- reduktionistische 6, 12
soziale
- Gruppen 57
- - Definition / Glossarbegriff 73
- Umwelt 56, 139
Spiritualität 138, 140
- Defintion / Glossarbegriff 151
strukturierte Gruppen 126
Studiengänge / bereiche, für Ergotherapie 171
Subsystem
- der Habituation („habituation subsystem") 52
- MOHO („model of human occupation" / Modell der menschlichen Betätigung) 48, 58
- Performanzvermögen („performance subsystem") 55
- von Volition („volition subsystem") 48–49
Systemtheorie
- Ansatz, systemtheoretischer 46–48
- Definition / Glossarbegriff 42

T

Tätigkeitsanalyse 83
Teilfertigkeiten 119, 121–123
Theoretiker 40
Theorie / Theoriebildung in der Ergotherapie 2, 16
- Ansatz, systemtheoretischer 46–48
- Definition / Glossarbegriff 6, 42
- Entwicklungstheorie 113, 118
- fundierte Theorie / „grounded theory", Definition / Glossarbegriff 41
- Modelle, theoriebestimmte 33
- Persönlichkeitstheorien 113, 118
- Praxis, theoriebestimmte 33–35, 37
- Systemtheorie, Definition / Glossarbegriff 42
Theorieebenen 8

– deskriptiv (beschreibend) 8
– präskirptiv (beschreibend) 8
Therapeutenrolle 127–131
Therapeut-Klient-Interaktion 116
Therapie
– Betätigung, therapeutische 3
– ganzheitliche therapeutische Sichtweise 48
– Prozess, therapeutischer 35, 41, 47
– Ziele, therapeutische 69
„top-down"-Ansatz 37
„trial and error" (Versuch und Irrtum) 126
Triangulation 9
– Definition / Glossarbegriff 42

Umgebung 127–130
– entwicklungsfördernde 124
– Interaktion in einer Umgebung 127
Umwelt („environment") 68, 89–90, 115, 118, 123
– Anpassung 5
– Betätigungsverhalten 56
– Definitionen / Begriff 24, 42, 109, 135
– Herausforderungen 107
– institutionelle 139
– kulturelle 139
– Person-Umwelt-Betätigungsperformanz-Modelle 23
– physische 139
– psychobiologische 89
– räumliche 56, 89
– soziale 56, 139
– Typen 84
– Veränderungen / Veränderungspotenziale 85–86, 101
Unabhängigkeit, funktionelle 95–96

Validität des COPM 149
Veränderungsprozesse / -mechanismen („change mechanisms") 21, 82, 86, 90, 117, 150
– Definition / Glossarbegriff 109
– psychobiologische 82
– räumliche 82
– soziokulturelle 82
– Umwelt, Veränderungsprozesse / -potenziale 86
Volition („volition") 63
– Definition / Glossarbegriff 73
– Subsystem 48–49

Werte 49, 63
– Definition / Glossarbegriff 73
Wichtigkeit, Einstufung von 146
Wiedererlernen von Anpassungsreaktionen 99
Wissen, geborgtes 21
Wissensbasis, ergotherapeutische („body of knowledge") 117
– Definition / Glossarbegriff 135
Wissenschaft 114
– Arbeiten zum COPM, wissenschaftliche 155
– Begründung, wissenschaftliche 162
– Rationalismus, wissenschaftlicher (Positivismus / logischer Positivismus), Definition / Glossarbegriff 42

Z

Zersplitterung der Ergotherapie 160
– berufsinterne 166
Ziele
– Bestimmung / zielgerichtete Aktivitäten 115, 132
– Fernziel 124
– Nahziele 124, 133
– therapeutische 69
Zufriedenheit („satisfaction") 95, 146
– persönliche („personal adaption"), Definition / Glossarbegriff 108
zyklenbedingte Berufsentwicklung 169
Zyklenmodell 183

1 Theorie in der Ergotherapie – konzeptionelle Grundlage für die Praxis
2 Praxismodelle der Ergotherapie
3 Umsetzung von Modellen in die Praxis
4 Das »Model of Human Occupation« (MOHO)
5 Das »Model of Personal Adaptation through Occupation«
6 Moseys »Model of the Profession and the Concept of Adaptive Skills«
7 Das Kanadische Modell der »Occupational Permformance«
8 Zum derzeitigen Entwicklungsstand des kanadischen Modells
9 Zum Fortgang der Professionalisierung der deutschen Ergotherapie
10 Sachverzeichnis